Chère lectrice,

Sans doute avez-vous remarqué quel riche usage la langue (notamment la langue poétique et le roman d'amour) fait du mot « cœur ». Curieusement, cet organe a toujours inspiré des images liées au domaine des sentiments (contrairement à la tête — de linotte ou de bois, par exemple). Ainsi avons-nous le cœur gros, lourd ou léger, un cœur de pierre, un cœur d'or ou un cœur de lion, à moins que nous ne soyons sans cœur. Et lorsque nous voyons s'éloigner ou disparaître ceux que nous aimons, c'est dans notre cœur que nous les logeons — organe magique qui héberge tous les êtres chéris.

Cette tradition qui associe le cœur aux émotions s'enracine très loin dans le temps : la Bible, saint Augustin parlent du cœur comme du siège de l'amour pour Dieu, du rapport d'amour qui se noue entre l'homme et Dieu, et entre l'homme et ses semblables.

Mais c'est aux grandes heures de la poésie du Moyen Age que l'image du cœur connaît sa gloire. « Aimer de fin cuer », dans la littérature courtoise qui codifie les relations amoureuses entre l'amant et sa dame, c'est aimer de manière absolue, exigeante, c'est se dépasser pour l'amour de la dame. Se dépasser en tant qu'homme et en tant qu'artiste, poète. Le cœur est la source du poème excellent et sincère qui célèbre l'amour : « A quoi sert de chanter, écrit le célèbre Bernard de Ventadour, si ce chant ne sourd pas du cœur ? » Organe symbolique de l'échange amoureux, le cœur deviendra même le thème central d'une histoire dont l'immense succès s'étendra à toute l'Europe médiévale, puis trouvera des échos chez Dante et chez certains auteurs français du XIXe siècle : *La Légende du Cœur mangé* — un mari trompé, furieux, fait manger à sa femme le cœur de son amant. La malheureuse en mourra.

Bonne lecture, de tout cœur…

Tant de secrets...

SHARON SALA

Tant de secrets...

éMOTIONS

éditions Harlequin

Cet ouvrage a été publié en langue anglaise
sous le titre :
ALWAYS A LADY

Traduction française de
LIONEL EVRARD

HARLEQUIN®

est une marque déposée du Groupe Harlequin
et Émotions® est une marque déposée d'Harlequin S.A.

Originally published by SILHOUETTE BOOKS,
division of Harlequin Enterprises Ltd.
Toronto, Canada

Photo de couverture :
© COLIN RAW / GETTY IMAGES

83-85, boulevard Vincent-Auriol, 75013 PARIS — Tél. : 01 42 16 63 63
Service Lectrices — Tél. : 01 45 82 47 47
ISBN 2-280-07920-8 — ISSN 1768-773X

1.

— Mon Dieu, docteur ! Vous ne pouvez rien faire pour son visage ?

Tapie derrière la porte de sa chambre d'hôpital, en larmes, Lily Brownfield écoutait son fiancé discuter avec le médecin qui l'avait soignée. Ses bandages n'avaient été retirés que depuis un quart d'heure à peine, et déjà le monde s'écroulait autour d'elle.

Le ton sur lequel Todd Collins s'était exprimé avait trahi tant de dégoût qu'il lui était impossible de s'y méprendre. Elle n'avait aucune envie d'entendre ce que le Dr Murphy avait à lui répondre, pourtant elle resta figée contre le battant, glacée par le désespoir.

— Dans quelque temps, expliqua le praticien de mauvaise grâce, quand la cicatrice sera stabilisée, une intervention de chirurgie plastique pourra en atténuer l'aspect. Mais pour le moment, le fait que votre fiancée soit encore en vie devrait vous suffire ! Rien de bon ne se fait dans la précipitation, monsieur Collins. En tant qu'avocat, vous devriez le savoir, car rien n'est plus lent que les rouages de la justice…

Rassuré de voir son interlocuteur hocher la tête d'un air résigné, le chirurgien se radoucit et lui sourit.

— Laissez-lui le temps de se remettre, conseilla-t-il. Lily est une jeune femme courageuse et en pleine santé. Tout ce dont elle a besoin, c'est de votre soutien dans les quelques mois à venir. Ensuite, nous aviserons.

— Bien sûr, docteur, bien sûr..., murmura Todd. Mais vous comprenez, nous devions nous marier dans moins de deux mois. A présent, il va nous falloir réviser nos plans. Elle ne voudra sans doute pas se présenter devant l'autel avec un visage ravagé par...

Ses mots le trahirent. Il dut s'éclaircir la voix pour poursuivre.

— Dans ma position, je ne peux tout de même pas avoir une femme qui...

Incapable de conclure, il secoua la tête de dépit et lâcha enfin, presque dans un cri rageur :

— Comment pourrait-elle être l'épouse modèle et la parfaite hôtesse dont j'ai besoin ?

Le médecin se mordit la langue pour éviter d'avoir à lui dire sa façon de penser. Dans son métier, il avait à rencontrer toutes sortes de gens, mais ce jeune homme parfaitement vêtu, parfaitement sain et parfaitement éduqué était aussi l'individu le plus parfaitement abject qu'il eût jamais croisé ! Au fond, conclut-il pour lui-même, le meilleur service que ce « fiancé » pouvait rendre à sa patiente, c'était encore de la laisser tomber.

De l'autre côté de la porte, Lily plaqua la main contre sa bouche et étouffa un sanglot. L'attitude de Todd confirmait les craintes que depuis des mois elle s'efforçait d'ignorer.

Elle avait toujours su que leur relation manquait de passion et d'intensité, mais tout le monde disait autour d'eux qu'ils formaient un couple idéal. Pour ne pas renoncer à son conte de fées, elle s'était convaincue que le mariage finirait par renforcer leurs sentiments et attiser leur amour. Oui, elle avait voulu croire qu'avec le temps ils pourraient vivre tous deux aussi unis et heureux que ses propres parents — jusqu'au décès précoce de sa mère, quelques années plus tôt.

Il lui était difficile désormais d'entretenir cette illusion. Avant même d'entendre son fiancé formuler le rejet qui mettait un terme à leurs plans d'avenir, Lily avait surpris son expression d'horreur. A l'instant où son visage avait émergé de sous le masque des bandages.

Quand bien même il ne ferait que décider de reporter de quelques mois la cérémonie, Lily n'imaginait plus épouser un homme tel que lui, plus attaché à son apparence qu'à ce qu'elle était vraiment. Elle ne voyait qu'une chose à faire, à présent, pour préserver son amour-propre et sa dignité : la rupture. Cela ne serait pas facile mais, en prenant l'initiative, elle se sentait moins blessée, moins anéantie.

Après avoir pris une profonde inspiration, Lily ouvrit brusquement la porte et surprit sur le visage de son ex-fiancé, avant qu'il ait pu se reprendre, un air coupable.

— Entre…, dit-elle d'une voix posée. Il me semble que nous devons avoir tous deux une discussion qui ne concerne en rien le médecin.

La porte se referma derrière eux. Le médecin s'éloigna en soupirant, les mains au fond des poches, regrettant de ne pouvoir soigner que le corps de ses patients.

En dépit des soins attentifs qu'elle avait reçus, cette jeune femme qui avait été amenée aux urgences le visage en sang, deux semaines auparavant, rentrerait chez elle défigurée par une longue cicatrice. De son point de vue, cette blessure physique guérirait cependant plus vite que celle infligée à ses sentiments par l'homme qui venait de la trahir.

Les cas les plus graves n'étaient pas pour l'impressionner, mais le Dr Murphy ne pouvait rien pour les cœurs brisés.

*
* *

Lily contemplait la plage sans la voir, ignorant les vagues qui venaient se briser contre les rochers au pied de sa maison. Cela faisait des semaines qu'elle était sortie de l'hôpital, mais il lui était toujours impossible de prendre la moindre décision concernant son avenir. Elle ne voyait pas la beauté de cette journée naissante, le languissant ballet des goélands se laissant glisser vers le sable en poussant des cris rauques.

Le souvenir la hantait du visage de Todd à l'instant où elle lui avait rendu sa bague de fiançailles. Il n'avait même pas cherché à masquer son soulagement coupable tandis qu'il empochait l'anneau.

Et lorsqu'il avait tenté de la prendre dans ses bras, elle avait réussi à le repousser sans avoir à se forcer. Elle n'avait pas besoin de sa pitié ! D'ailleurs, épouser l'un des jeunes avocats les plus brillants de Los Angeles ne lui paraissait plus si attrayant qu'avant son accident, subitement.

— Inutile de faire semblant ! lui avait-elle lancé en le fixant droit dans les yeux. Tu ne m'aimes pas. J'ai fini par comprendre que tu ne m'avais choisie que pour faire joli dans ta jolie maison et dans ta jolie vie. Pourtant, il me semble être toujours aussi parfaite : aussi parfaitement idiote de t'avoir fait confiance !

— Mais Lily, tu ne sais pas…

— J'en sais bien assez comme ça ! l'avait-elle interrompu. Je te laisse annuler tous les préparatifs engagés pour notre mariage. Tu peux servir aux gens le mensonge qu'il te plaira. Moi, je n'ai pas le courage de jouer la comédie.

Sa voix s'était mise à trembler. Lily avait pris sur elle pour ne pas craquer, refusant de s'effondrer devant celui qui venait de lui briser le cœur. Elle aurait voulu pleurer, elle aurait voulu vitupérer et lui marteler la poitrine de ses poings — elle n'avait fait ni l'un ni l'autre.

Cela n'aurait pas été digne, et Lily Catherine Brownfield tenait sa dignité pour son bien le plus précieux. Todd lui avait affirmé autrefois que c'était un des aspects de sa personnalité qui l'avait séduit.

Pas suffisamment, de toute évidence, pour lui faire oublier la cicatrice qui lui barrait dorénavant le visage...

Todd était resté figé comme un piquet devant elle, partagé entre la honte et la colère. Il n'avait fait aucune tentative pour réfuter ses accusations ou pour tenter de la convaincre de revenir sur sa décision. Il s'était contenté de tourner les talons et de sortir de sa vie.

Une fois la porte refermée dans son dos, Lily avait pu laisser les larmes glisser de ses paupières. Mais dès qu'elle l'avait pu, elle avait bien vite séché ses pleurs. Todd Collins ne les méritait décidément pas.

Faute de mieux, elle était allée se réfugier sur son lit. La tête enfouie dans l'oreiller, elle avait essayé de s'imaginer une nouvelle vie. Qu'allait-elle faire ? Une chose était sûre : elle ne retournerait pas travailler dans les bureaux de cette firme juridique dont son ex-fiancé était l'un des piliers.

Avant son accident, elle aurait pu retrouver du travail n'importe où — elle était une excellente assistante — mais, maintenant, défigurée comme elle l'était, qui voudrait d'elle ? Todd — qui pourtant la connaissait, était supposé l'aimer...— s'était montré incapable de supporter la vue de son visage ravagé. Alors un étranger...

La sonnerie du téléphone retentit, ramenant Lily à l'instant présent. Clignant des paupières, elle balaya les souvenirs pénibles et rentra dans la maison pour aller répondre.

— Allô ? fit-elle d'une voix absente.

— Lily Kate ! Où diable étais-tu passée ?

Un sourire se dessina sur les lèvres de Lily. Entendre la voix bourrue de son père tonner dans l'écouteur était tout à fait ce dont elle avait besoin pour se remonter le moral à cet instant, même s'il s'obstinait à l'appeler par son surnom de petite fille.

— J'étais sortie prendre l'air sur la terrasse, répondit-elle. Tu sais comme j'aime le soleil…

Un court silence se fit avant qu'il ne reprenne :

— Quand rentres-tu chez nous ?

Il était toujours en colère qu'elle l'ait empêché d'aller corriger Todd comme il en avait eu l'intention. D'emblée, il n'avait pas aimé ce jeune *golden boy* ambitieux. Dorénavant, il le détestait ; seul l'amour qu'il portait à son unique fille lui interdisait de lui rappeler les mises en garde passées.

Lily soupira. C'était toujours la même chose : au moindre bobo, sa famille s'attendait à la voir venir panser ses plaies à la maison. Et même si son accident ne pouvait se comparer à un simple bobo, elle savait que se réfugier chez son père ne l'aiderait pas, cette fois, à guérir de ses blessures secrètes.

— Papa…, protesta-t-elle dans un soupir. Nous en avons déjà discuté cent fois. Je vous aime beaucoup, toi et mes frères, même si j'aurais pu parfois me passer de les avoir tous les quatre sur le dos.

En écho à celui de son père, Lily laissa fuser un petit rire nostalgique. Cole, Buddy, J.D. et Dusty n'avaient jamais constitué un fardeau pour elle. Morgan Brownfield le savait.

— Il n'empêche, conclut-elle avec détermination, que je ne reviendrai me cacher à la maison sous aucun prétexte. Tu ne m'as pas élevée comme ça.

A l'autre bout du fil, elle entendit son père se rendre avec un grognement de dépit. Sans doute avait-il compris qu'il était inutile d'insister. Avec un argument pareil, elle le battait à son propre jeu.

— O.K., marmonna-t-il. Mais si tu te décides quand même à venir — juste pour quelques jours, bien entendu — tu sais que tu n'as pas besoin de prévenir. Contente-toi d'arriver.

— Je sais, papa. Et je t'en remercie. Je vous embrasse tous les cinq très fort.

— Nous aussi !

Après avoir reposé le combiné, Lily s'assit sur un pouf et enfouit son visage dans ses mains, découragée. La vie n'était pas juste… Sous ses doigts, elle sentit la ligne de la cicatrice qui griffait son visage, de la tempe au coin gauche de la bouche. Machinalement, elle en suivit le cours, et eut envie de crier pour protester contre tant d'injustice.

Il n'avait fallu qu'un instant à un chauffard ivre pour bouleverser son existence. En regagnant d'un pas lourd la terrasse surplombant l'océan, elle tenta de se convaincre qu'elle aurait dû être reconnaissante d'être encore en vie. Elle y parvenait la plupart du temps. Mais dès qu'elle croisait un miroir, il lui était difficile d'y croire…

Une bourrasque joua dans ses cheveux, s'empara de ses boucles blond cendré, les fit voler quelques instants avant de les laisser retomber en place sur ses épaules nues. Vêtue d'un short et d'un débardeur bleus aussi adaptés au temps qu'usés et confortables, la plante de ses pieds nus se chauffant aux planches de séquoia blanchies par le soleil, Lily retourna s'allonger dans sa chaise longue.

Sans se lasser de ce paysage maritime qui l'apaisait, elle balaya du regard la plage en contrebas. Bientôt, une forme blanche malmenée par la brise marine attira son attention. Un journal virevoltait en tous sens, dépouillé de ses feuilles l'une après l'autre.

Les sourcils froncés, Lily mit sa main en visière et l'observa plus attentivement. Sur le littoral, les déchets errants constituaient un véritable problème. La plage située devant chez elle était privée, mais une autre, deux kilomètres plus haut, était fréquentée par un public nombreux et peu scrupuleux.

Maudissant le sans-gêne et l'inconscience de la plupart des gens, Lily dévala l'escalier de bois pour aller ramasser le journal avant qu'il n'ait eu le temps de s'éparpiller dans la nature. Il lui fallut batailler ferme contre le vent, qui semblait s'amuser à la faire courir en tous sens, pour rassembler les pages errantes.

Finalement, rouge, échevelée et en sueur mais victorieuse, elle remonta les marches et gagna la poubelle extérieure. Elle s'apprêtait à y précipiter sa prise quand elle nota d'un coup d'œil sa provenance.

— Ça alors ! s'étonna-t-elle. Le *Daily Oklahoman* ? Comment as-tu fait pour te retrouver si loin de chez toi ?

Sa curiosité fut la plus forte. Songeant qu'il pourrait être distrayant de s'intéresser à ce qui se passait en Oklahoma, elle renonça à jeter le quotidien froissé par son long voyage et l'emporta à l'intérieur.

Tout en s'attelant à préparer un repas composé de restes trouvés dans le réfrigérateur, elle parcourut rapidement les pages intérieures. Ce n'est qu'en arrivant à la section des petites annonces qu'elle décida de s'attarder un peu.

— « Offres d'emploi »..., lut-elle à mi-voix. Voyons un peu ce que le marché du travail peut proposer à une femme volontaire et capable, en Oklahoma.

Rien ne retint véritablement son attention... avant qu'elle n'arrive à la rubrique « employés de maison », où quatre lignes d'une annonce sans prétention lui attirèrent l'œil — Dieu sait pourquoi — et firent immédiatement travailler son imagination : « Recherche bonne cuisinière — Longren Ranch — Clinton, Oklahoma — 405-555-BULL ».

Elle se reporta au bas de la page, sur la date, et elle nota avec surprise que le journal n'était vieux que de trois jours. Elle se demanda si la petite annonce était toujours d'actualité, puis, aussitôt après, si elle avait perdu l'esprit. Pourquoi s'inquiétait-elle de savoir si un poste de cuisinière dans un ranch de l'Oklahoma restait à pourvoir ?

Après quatre longues et difficiles années d'études, elle avait fait ses débuts en tant que secrétaire chez Prentiss & Sons, puis gravi les échelons pour devenir assistante de direction. Un poste de cantinière au pays des cow-boys était bien la dernière ambition à laquelle elle pouvait prétendre…

C'est ce qu'elle ne cessa de se répéter en marchant malgré tout jusqu'au téléphone. En chemin, un miroir vénitien pendu au-dessus du sofa capta son reflet et la fit frémir. La cicatrice sur son visage ne lui avait jamais paru aussi vilaine, aussi visible. Sans doute sa course impromptue sur la plage pour rattraper les pages éparses du journal, provoquant un afflux de sang dans le fragile tissu cicatriciel, en était-elle la cause. Qui accepterait, en l'embauchant, de côtoyer jour après jour une telle figure de cauchemar ?

L'estomac retourné, elle s'empara du combiné et composa, sans se laisser le temps de réfléchir, le numéro de l'annonce. A la sixième sonnerie, la voix grave et pâteuse d'un homme surpris en plein sommeil lui répondit.

Un coup d'œil à l'horloge du salon lui fit comprendre qu'elle avait oublié de tenir compte du décalage horaire. « Seigneur ! songea-t-elle, affolée. Il va penser que je suis folle… »

— Qui est à l'appareil ? maugréa son correspondant en étouffant un bâillement. Vous avez tout intérêt à avoir de bonnes raisons pour appeler à une heure pareille !

Incapable de répondre, Lily laissa le silence s'éterniser.

— Qui que vous soyez, parlez ! s'impatienta l'inconnu. C'est vous qui payez la communication et je suis trop fatigué pour me prêter à ce petit jeu…

Après avoir pris une longue inspiration pour se donner du courage, elle parvint enfin à demander d'une voix tendue :

— Monsieur Longren ?

— Lui-même. Que puis-je pour vous ?

— Je vous appelais pour savoir si le poste de cuisinière est toujours disponible.

Un long silence, suivi d'un rire rauque, lui répondit et la fit frissonner. Mais quand il reprit la parole, l'homme s'était radouci et parut avoir surmonté sa mauvaise humeur.

— Vous m'appelez à 11 heures et quart, en pleine nuit, pour trouver un job ?

Le ton était moqueur, mais la question semblait sincère.

— Oui…, répondit Lily, sur la défensive. L'annonce date de trois jours et je me demandais si…

— Eh bien oui, mon chou ! coupa-t-il. Je cherche toujours quelqu'un. Vous êtes intéressée ?

Lily se raidit, les dents serrées. *Mon chou ?* Pour qui cet éleveur de bétail se prenait-il pour la traiter ainsi ?

— Combien payez-vous ? s'enquit-elle sèchement.

— Vous savez cuisiner ? rétorqua-t-il du tac au tac.

— Oui, naturellement. Sinon je ne vous aurais pas appelé.

Il lui cita un chiffre qui la fit sursauter et qu'elle lui demanda de répéter. Elle insista, incrédule.

— Vous offrez un tel salaire uniquement pour faire la cuisine ? En quoi consiste le travail, exactement ?

— Il vous faudra nourrir une douzaine d'hommes affamés qui m'aident à rassembler mes bêtes avant la transhumance du printemps. Trois repas par jour, six jours par semaine, nourrie et logée. A prendre ou à laisser…

Avant qu'elle ait pu poser la question, il précisa :

— Le job est temporaire. Dans trois mois, mes saisonniers seront repartis. Je n'ai pas besoin d'une cuisinière à l'année. La plupart de mes employés réguliers sont mariés et prennent leurs repas chez eux.

Lily garda le silence, essayant de se représenter ce que pourrait impliquer le fait de disparaître pendant trois mois alors qu'il lui fallait prendre des décisions pour l'avenir et remettre sa vie d'aplomb. Elle ne dut pas réfléchir longtemps pour conclure que la perspective était alléchante.

— Alors ? reprit l'homme d'une voix traînante. Ça vous tente ?

— Dites-moi quand je commence…

Lily frémit et serra très fort le combiné. Etait-ce bien elle qui venait de prononcer cette phrase stupéfiante ?

— Quand pouvez-vous être ici ? répliqua-t-il.

— Donnez-moi deux jours pour m'organiser et prendre mon billet d'avion ainsi que l'adresse de votre ranch. Vous venez d'embaucher une cuisinière…

— Fantastique ! s'écria la voix dans l'écouteur. Je compte sur vous, car si mes hommes doivent manger une semaine de plus la cuisine de Pete, ils vont finir par me quitter. Pour ce qui est d'arriver jusqu'ici, ne vous inquiétez pas. Rappelez-moi quand vous saurez le jour et l'heure d'arrivée de votre vol. Je ferai en sorte qu'on vienne vous chercher.

— Très bien. Je vous remercie monsieur Longren.

Lily raccrocha d'une main tremblante, ne sachant s'il lui fallait rire ou pleurer, et plus incapable encore de déterminer quelle mouche l'avait piquée.

— Bon sang, Lily ! murmura-t-elle. Que penses-tu donc être en train de faire ?

*
* *

En arrivant en Oklahoma, Lily débarqua dans un aéroport froid et inhospitalier. Et comme dans tous les aéroports, son avion se posa à une extrémité du bâtiment, alors qu'il lui fallait récupérer ses bagages à l'autre extrémité, un étage plus bas…

Elle venait d'extraire laborieusement sa dernière valise du carrousel lorsqu'elle entendit appeler son nom dans les haut-parleurs. Son chargement en remorque sur un chariot, elle se mit en quête de la zone d'accueil, où la voix impersonnelle de l'hôtesse avait annoncé qu'on l'attendait.

Etant donné que ni elle ni M. Longren n'avait songé à échanger quelques éléments de reconnaissance, elle ne savait absolument pas à quoi s'attendre. En essayant d'ignorer les regards insistants des gens qu'elle croisait, Lily comprit pour quelle raison elle s'en était abstenue. Elle n'aurait tout de même pas pu annoncer à son nouvel employeur : « Cherchez la grande blonde, avec une gueule cassée »…

Le mieux à faire, décida-t-elle en arrivant à destination, était encore de chercher du regard un chapeau de cow-boy. Quelqu'un travaillant dans un ranch ne pouvait qu'en porter un. Mais, en avisant dans la petite foule qui attendait les passagers autant de Stetson que d'hommes présents ou presque, elle sut qu'il lui fallait trouver une meilleure idée.

Peut-être chercher quelqu'un qui paraissait attendre ? Hélas, là encore, nombreux étaient ceux qui correspondaient à cette description.

— Vous n'seriez pas la cuisinière, par hasard ?

La voix qui venait de s'élever dans son dos lui fit faire volte-face. Elle se trouva alors en présence de l'homme le plus petit qui lui eût jamais été donné de voir. Il ne devait pas mesurer plus d'un mètre cinquante, mais il portait pour compenser un impressionnant chapeau et des bottes à talons hauts qui ajoutaient quelques centimètres à sa courte stature.

— Je vous demande pardon ? fit Lily.

Elle ne put s'empêcher de s'attarder sur le réseau de rides profondes qui marquait le visage de l'homme et qui n'étaient pas sans lui rappeler son propre stigmate. Inconsciemment, elle éleva la main jusqu'à sa joue pour la couvrir. L'inconnu, qui n'avait sans doute pas manqué de noter son geste, lui sourit et répéta :

— Vous ne seriez pas, par bonheur, la nouvelle cuisinière du ranch Longren ?

Immédiatement conquise par sa gentillesse, Lily lui rendit son sourire et demanda :

— Seriez-vous, *par bonheur*, M. Longren ?

— Ah, ça non ! gloussa-t-il. Y a erreur sur la personne. Moi, c'est Arloe — Arloe Duffy. Mais appelez-moi Duff, comme tout le monde. Je suppose que ça veut dire que vous êtes bien Mlle Brownfield ?

— Appelez-moi Lily.

Lily scruta le visage du petit homme, à la recherche d'un indice : était-il choqué ou dégoûté par son visage défiguré ? Apparemment pas.

— Va pour Lily ! répondit-il. Que je sois damné si les gars ce soir n'en restent pas bouche bée quand ils vous verront ! Eux qui s'attendaient à une vieille femme sur le retour...

— Vraiment ? s'étonna Lily. Pourquoi cela ?

— Qui d'autre accepterait de s'enterrer dans une cuisine pendant trois mois, à part quelqu'un qui n'a rien de mieux à faire ?

Il dut réaliser à l'instant où il prononçait ces mots qu'il n'était pas des plus adroit, car il s'empourpra violemment et baissa les yeux. D'un grand geste, il ôta son chapeau, malmenant quelques touffes de cheveux gris. Le couvre-chef pressé contre sa poitrine, il s'inclina et s'excusa à mi-voix.

— Mince ! Miss Lily, faites pas attention à ce que peut dire un vieux bonhomme dans mon genre. Voilà belle lurette que je n'ai pas eu l'occasion de discuter avec une belle jeune dame comme vous. C'est ça qui a dû m'embrouiller l'esprit. Vous comprenez ce que j'ai voulu dire. Ce qui est sûr, c'est que nous serons fiers de vous accueillir parmi nous au ranch Longren. Surtout si vous savez cuisiner mieux que Pete.

Entendre Duff la qualifier de « belle jeune dame » aurait dû être de nature à rassurer Lily, mais elle n'était pas certaine qu'il n'ait pas simplement voulu la flatter.

— Je ne sais pas ce que vaut la cuisine de Pete, répondit-elle, mais j'ai un père et quatre frères qui ont toujours chanté les louanges de la mienne. Je peux en tout cas vous assurer que je *sais* cuisiner à peu près n'importe quoi, et en grandes quantités.

— Waouh ! s'enthousiasma le vieil homme. J'ai hâte de voir ça. Allons-y, Miss Lily.

Après avoir soigneusement vissé le Stetson sur son crâne, il s'empara du chariot à bagages et fit signe à Lily de le suivre en direction des sas du hall d'entrée.

— Appelez-moi Lily, lui dit-elle de nouveau. Tout simplement Lily…

Duff était déjà trop loin pour l'entendre. Elle remit en place la ceinture de son pantalon rose, lissa les pans du boléro coordonné, et tenta de marcher aussi vite que le petit homme qui la précédait.

— On y est…

Après avoir franchi un nouveau portail de bois, le sixième depuis qu'ils avaient quitté l'autoroute, Duff pointa fièrement le menton en direction d'une grande maison blanche à étage, entourée d'une quantité impressionnante de dépendances.

— On dirait la maison de ce feuilleton..., commenta Lily. Vous savez : *Dallas*.

— Southfork, vous voulez dire ? C'est juste de l'autre côté de la frontière, au Texas. J'y suis allé moi-même une fois ou deux.

— Ce n'est donc pas un décor ? s'étonna-t-elle. Cette maison existe vraiment ?

— Pour sûr ! Elle a été rachetée par des gens qui lui ont donné un autre nom, mais c'est toujours la même bonne vieille bâtisse.

Du regard, Duff désigna un groupe d'hommes fort affairés dans un enclos et ajouta :

— Regardez... Voilà le patron.

Lily tenta de l'apercevoir, mais dans la confusion qui régnait dans l'enclos, il lui fut impossible de distinguer un cow-boy d'un autre cow-boy. Les vaches bondissaient, les veaux meuglaient, les hommes couraient, et la poussière les noyait tous dans un brouillard indistinct.

Quand Duff se fut garé, Lily descendit du pick-up, frotta une fois de plus son pantalon pour en ôter les plis, et remit en place sur son nez ses lunettes de soleil. Pour cacher autant que faire se pouvait la cicatrice à laquelle elle ne s'habituait pas et quelle ne parviendrait jamais à accepter, elle laissa retomber ses cheveux à demi sur sa joue et vérifia du plat de la main qu'elle n'était pas décoiffée.

L'odeur de sang et de fumier qui empuantissait les lieux l'assaillit et elle dut se retenir pour ne pas se boucher le nez.

— Comment pourrais-je reconnaître M. Longren, commença-t-elle, au milieu de tous ces...

Ses mots moururent sur ses lèvres quand un homme très grand, aux vêtements poussiéreux, émergea de la mêlée et se tourna vers eux. Au milieu du tumulte qui l'entourait, son regard comme son attitude dénotaient un calme souverain qui impressionna immédiatement Lily.

Il y avait chez cet homme, songea-t-elle, quelque chose de la noblesse et de l'autorité d'un roi d'ancienne lignée. Cela devait tenir au fait que rien ne paraissait devoir venir à bout de son flegme, pas même le chaos qui l'entourait, et à sa façon de pointer fièrement le menton en fronçant les yeux pour l'observer à distance.

Le cœur de Lily s'emballa brusquement. Il lui fallut lutter contre l'impulsion de tourner les talons et de s'enfuir à toutes jambes. Même à cette distance, il semblait évident que son nouveau patron était un homme puissant par le physique autant que par le mental.

Mais à présent qu'il s'était mis en marche pour les rejoindre, elle et Duff, il était trop tard pour faire machine arrière et chercher à lui échapper.

Case Longren était en nage, couvert de poussière, et plus que dégoûté par l'odeur de sang qui lui emplissait les narines depuis des heures. Sa matinée, il l'avait passée à castrer de jeunes veaux.

Pris par son travail, il avait failli oublier que ce jour était aussi celui où devait arriver leur nouvelle cuisinière. En fait, il ne s'en était souvenu qu'à l'instant où le pick-up bleu de Duff, qui était allé chercher la nouvelle venue, avait passé les portes du ranch. Du coin de l'œil, tout en continuant son travail, il avait tenté d'apercevoir sa recrue.

C'était la première fois qu'il se risquait à embaucher quelqu'un sur un simple coup de fil, sans l'avoir rencontré et sans même demander de références… Pourtant, il n'avait jamais été du genre à acheter chat en poche. Il fallait donc croiser les doigts, maintenant.

Case en était là de ses réflexions moroses et de ses doutes lorsque s'ouvrit la portière passager du pick-up. Une jeune femme blonde et mince en descendit.

— En fait de chat, marmonna-t-il, j'ai plutôt hérité d'un oiseau exotique…

Effectivement, si la nouvelle venue n'avait manifestement rien d'un chat, elle paraissait dans son petit ensemble rose aussi déplacée dans un ranch bourdonnant d'activité qu'un oiseau de paradis en enfer…

— Tiens-moi ça, Harris ! lança-t-il en présentant l'extrémité de la corde qu'il tenait en main à l'homme le plus proche. J'en ai pour une minute.

Même de loin, la jeune femme avait quelque chose de différent. Case s'en rendit tout de suite compte en marchant vers elle pour l'accueillir. Contrairement à d'autres qui dans sa situation auraient été affolées, elle demeurait stoïque, indifférente au vent qui la décoiffait et à la poussière qui devait lui piquer les yeux. Stoïque, vraiment ? En fait plus il approchait d'elle, plus elle lui donnait l'impression de retenir son souffle.

Conscient de la tournure prise par ses pensées, Case tenta de se ressaisir. Au lieu de se laisser aller à imaginer des idioties, se reprocha-t-il, il aurait été mieux inspiré de réfléchir à ce qu'il allait pouvoir lui dire. De toute évidence, cette jeune beauté était aussi peu prédisposée que lui pour la cuisine… Rien qu'à sa coupe de cheveux et à ses vêtements du dernier chic, il semblait évident qu'elle était habituée à un luxe bien différent de celui que peut se permettre une simple cuisinière.

Quand il ne fut plus qu'à deux pas d'elle, il demanda, espérant encore qu'il ait pu y avoir une confusion quant à son identité :

— Mademoiselle Brownfield ?

Peut-être la véritable cuisinière allait-elle arriver par le vol suivant, et la jeune inconnue se révéler aussi soulagée que lui de cette méprise...

Cet espoir fondit comme neige au soleil lorsqu'elle lui tendit la main en hochant la tête. Elle lui aurait offert un serpent venimeux qu'il n'en aurait pas été plus surpris. Etant donné la nature de l'activité qu'il avait exercée depuis l'aube et le sang qui lui poissait les doigts, il était hors de question pour lui de s'emparer des siens, longs, fins et manucurés.

Avec un regard gêné, il désigna du menton les hommes qui continuaient leur travail derrière eux, espérant qu'elle comprendrait. Cela ne suffisant pas, il dut préciser :

— Désolé... Je travaillais et j'ai les mains sales.

— Aucune importance, monsieur Longren..., répondit-elle en lui donnant une solide poignée de main. Je me les laverai tout à l'heure.

Case fut trop surpris par la décharge électrique qui sembla se communiquer à tout son corps aussitôt que leurs doigts se touchèrent pour tenter de se dérober. Les sourcils froncés, il laissa son regard se porter sur l'horizon derrière elle, surpris de ne pas le voir zébré d'éclairs. Le ciel était d'un bleu intense, et le soleil cognait aussi fort qu'une minute plus tôt, et pourtant, il aurait juré que la foudre venait de tomber quelque part...

La poignée de main se prolongeant, il baissa les yeux et considéra la fine main racée et élégante qui enserrait la sienne, maculée de sang. Abasourdi, il releva les yeux pour la dévisager mais son expression, masquée par ses lunettes de soleil et une mèche de cheveux qui lui retombait sur la joue, lui demeura impénétrable.

— Mademoiselle Brownfield..., reprit-il quand il fut revenu de sa surprise. Excusez ma franchise, mais la cuisine ne me semble pas être votre profession habituelle.

Lily observa son vis-à-vis avec prudence avant de lui répondre. La barbe de trois jours qui lui mangeait le visage, ombrée par le bord de son Stetson noir, faisait ressortir avec éclat une paire d'yeux aussi bleus que le ciel d'azur derrière lui.

Des yeux si perçants, songea-t-elle, devaient être capables de tout voir. Aussitôt, elle tourna un peu la tête pour lui masquer sa disgrâce. Il serait tôt ou tard choqué de découvrir son visage, mais elle ne se sentait pas la force pour l'instant d'encaisser son expression de surprise, ou pire encore, de dégoût.

— Vous avez raison, reconnut-elle en fixant un point de l'horizon juste au-dessus de son épaule. Mais je sais cuisiner et vous m'avez laissée entendre que j'étais embauchée. Dois-je conclure que vous me renvoyez sans même une période d'essai ?

Case sentit sa résolution faiblir. Il avait décelé un soupçon de peur dans le ton de sa voix, pourtant l'attitude de la jeune femme demeurait ferme et digne.

— Grand Dieu, non ! s'entendit-il répondre avec un temps de retard. Je n'ai qu'une parole. Je suis juste un peu surpris, c'est tout.

L'affaire étant entendue, il se tourna vers le fidèle Duff, qui se tenait à côté de lui, le visage illuminé par un sourire qui courait d'une oreille à l'autre.

Arloe Duffy comprenait exactement ce que son patron avait pu ressentir en découvrant la nouvelle cuisinière. La jeune dame lui avait fait le même effet. Il fallait reconnaître que c'était une véritable beauté, et ce n'était pas cette petite égratignure sur la joue qui allait y changer quelque chose.

— Emporte les bagages de Mlle Brownfield à la maison, lui ordonna son patron. Je l'accompagne à pied jusque là-bas. Nous parlerons en chemin.

Sans se faire prier, Duff s'exécuta et claqua joyeusement la porte de son pick-up. En mettant le contact, il se mit à fredonner une vieille ballade country. A l'idée du dîner qu'il allait pouvoir déguster ce soir-là, l'eau lui venait déjà à la bouche...

En s'efforçant d'aligner son pas sur les grandes enjambées de son nouvel employeur, Lily constata que pour quelqu'un qui désirait parler il se révélait pour le moins muet. Alors que la grande maison blanche n'était plus qu'à quelques mètres, elle se força à rompre un silence qui devenait gênant.

— Monsieur Longren..., dit-elle. Si cela ne vous dérange pas, je préférerais que vous m'appeliez Lily. « Mlle Brownfield » me donne l'impression d'avoir cent ans !

S'il fut sensible à son humour, il se garda bien de le manifester.

— D'accord, répondit-il. Va pour Lily... Mais de votre côté, il faudra faire un effort aussi. Personne ne me donne ici du « M. Longren ». A part mon banquier. Mes hommes m'appellent Case ou « patron ». Choisissez ce qui vous convient le mieux.

Lily hocha la tête et pressa le pas, une fois de plus, pour tenter de se maintenir à son niveau. Après avoir gravi les marches du porche et fait le tour du bâtiment pour rejoindre la cuisine par la porte arrière, ils pénétraient dans la maison lorsqu'il reprit :

— Dites-moi, Lily Brownfield... Où donc habitez-vous ? Quand vous n'êtes pas ici, bien entendu.

Case tenta de rattraper par un sourire la maladresse de sa question. Il s'en voulait de se laisser troubler comme un collégien, mais cette femme semblait avoir le don de titiller sa curiosité et de le faire marcher sur des œufs.

— L.A., répondit-elle de manière laconique.

Incapable de masquer sa surprise, Case poussa un petit sifflement admiratif et prit appui contre un comptoir de bois de la cuisine. D'un revers de main machinal, il repoussa son chapeau sur son crâne.

Sous le bord du chapeau, une bande plus pâle apparut. Lily nota que la peau y était d'un beau brun doré. Avant d'avoir eu le temps de se censurer, elle se demanda avec une curiosité non dénuée d'un certain trouble si Case Longren était de cette même couleur appétissante sur tout le corps.

Choquée par l'impudeur et la soudaineté d'un si subit intérêt pour son nouvel employeur, Lily fronça les sourcils et sentit ses joues s'empourprer.

Surpris de la voir rougir, Case se demanda ce qui avait pu la troubler ainsi. De plus en plus mystérieuse, sa nouvelle employée n'avait apparemment pas fini de l'intriguer.

— Californienne ? demanda-t-il.

Lily hocha la tête et soupira. Elle se donna une contenance en remettant en place d'un doigt tremblant ses lunettes sur son nez. Elle sentait ce qui allait venir et le redoutait, mais il n'y avait hélas pour elle aucun moyen d'y échapper.

— Pour l'amour du ciel, reprit-il comme pour lui donner raison, qu'est-ce qui peut bien pousser une femme jeune et jolie comme vous l'êtes à traverser la moitié du pays afin de faire la popote à une bande de cow-boys pendant trois mois ? Vous ne vous attendez pas à quelque aventure romantique, j'espère ?

Piquée au vif, Lily se redressa, ôta d'un grand geste ses lunettes, puis fit voler le bandeau de cheveux qui masquait sa blessure par-dessus son épaule.

— Ai-je l'air de quelqu'un qui cherche une aventure romantique, monsieur Longren ?

Case réprima un grognement de surprise. Un direct au plexus ne lui aurait pas fait plus d'effet. Ce qu'il découvrait répondait à certaines de ses questions, mais en soulevait d'autres plus difficiles encore à poser. Que diable était-il arrivé à cette fille et d'où lui venait cette estafilade à peine cicatrisée ? S'il était fermement décidé à l'apprendre, il comprit que ce n'était pas le moment de l'interroger à ce sujet.

Lily attendit de voir l'horreur assombrir le bleu de ses yeux, certaine qu'il se détournerait d'un air gêné en réalisant l'étendue et la laideur de sa cicatrice. Mais à sa grande surprise, Case Longren ne manifesta ni l'une ni l'autre de ces réactions. Il resta là, à la dévisager, sans détourner le regard de sa joue balafrée, mais sans s'y attarder non plus avec une insistance malsaine.

Agacée par son silence persistant, elle finit par demander :

— Alors ?

Le menton levé en une attitude de défi, Lily attendit le verdict qui n'allait pas manquer de tomber.

— Alors quoi ? répéta-t-il sans paraître comprendre.

— Puis-je rester ?

— Bon Dieu, oui ! grommela-t-il. Je vous l'ai déjà dit. Mais ne vous avisez pas d'essayer de faire manger à une bande de cow-boys de l'Oklahoma des pousses de soja et des graines de tournesol. Ici, les hommes mangent de la viande. La verdure, c'est pour le bétail...

Lily se surprit à sourire sans retenue. Manifestement, Case Longren désirait la voir rester. Soudain, elle se sentit plus légère, comme si un poids énorme qui aurait pesé sur ses épaules venait brusquement de se volatiliser

— D'accord, patron ! s'écria-t-elle avec une raideur toute militaire. A présent, voudriez-vous s'il vous plaît me montrer où je dois dormir, et où se trouvent le garde-manger et les différents équipements de la cuisine ?

Lily se rendit compte qu'elle avait parlé trop sèchement et regretta aussitôt ses paroles abruptes. Mais il était trop tard pour les retenir, et elle ne put que tenter de les atténuer par un sourire.

Subjugué par la beauté ensorcelante de ce sourire dont Lily Brownfield était si avare, Case resta figé sur place. Il en oublia la longue marque qui lui griffait la joue, trop occupé qu'il était à se demander quel goût pourraient avoir ses lèvres sous les siennes.

— Que disiez-vous ? murmura-t-il finalement.

— Je vous demandais, répéta-t-elle patiemment, où vous voulez que je dorme.

« Dans mon lit ! » La réponse avait jailli dans son esprit avec une évidence confondante, mais Case, fort heureusement, s'était abstenu de la formuler. Prudemment, il décida de précéder la jeune femme et de s'en tenir strictement à son rôle d'employeur.

— Suivez-moi ! lança-t-il par-dessus son épaule. Je vais vous montrer votre chambre et vous expliquer tout ce que vous avez besoin de savoir concernant la cuisine. Ensuite, ce sera à vous de jouer…

2.

Cette fois, les hommes arrivaient. Lily pouvait entendre leurs rires contagieux et leurs blagues fatiguées tandis qu'ils gravissaient les marches du perron de l'arrière-cour. Elle eut l'impression que son cœur manquait un battement, puis se rattrapait en battant deux fois plus vite l'instant d'après. Avant que les premiers d'entre eux aient eu le temps de la rejoindre, elle s'empressa de se retourner, sous le prétexte d'effectuer d'ultimes préparatifs.

Deux longues tables avaient été provisoirement dressées dans la grande cuisine et la salle à manger adjacente, bordées de chaises pliantes dépareillées. Il y avait suffisamment de place pour que les convives qu'il lui faudrait nourrir trois fois par jour, six jours par semaine, puissent manger sans se gêner.

Il ne lui restait qu'une inquiétude : celle de s'être trompée dans les quantités. Pour évaluer ce qu'il lui fallait préparer, elle s'était basée sur la nourriture qu'elle avait l'habitude de prévoir pour ses quatre frères et son père et l'avait multipliée par six. S'ils mangeaient plus, avait-elle conclu, ces hommes n'étaient pas des cow-boys mais des ogres…

Lily ne savait pas comment Pete, son prédécesseur, avait présenté les repas. Mais par expérience, elle avait conclu pour sa part que le self-service était encore ce qu'il y avait de plus pratique pour nourrir une petite foule. Elle avait donc disposé la longue rangée de plats fumants sur le comptoir central de la cuisine, et les boissons et les desserts sur une table de service le long d'un mur de la salle à manger.

Le dernier homme s'était maintenant glissé dans la cuisine et un silence parfait s'était établi. Tournée contre le mur, Lily les imaginait se tordant le cou pour tenter d'apercevoir la nouvelle cuisinière. Par l'intermédiaire de Duff, qui était venu lui rendre visite plusieurs fois au cours de la journée, elle avait appris qu'il n'avait été question que d'elle et du repas tant attendu dans leurs conversations.

Enfin, le plus hardi ou le plus curieux se risqua à parler, brisant la glace par son bref commentaire.

— M'dame..., lança-t-il d'une voix traînante. J'peux pas vous voir, mais si vous êtes aussi mignonne que votre cuisine sent bon, alors ce sera parfait pour nous !

Tous s'esclaffèrent en approuvant vigoureusement et Lily se sentit rougir. Elle redoutait toujours de leur faire face, sachant qu'elle verrait la surprise, puis le dégoût, s'afficher sur leurs visages quand ils découvriraient sa cicatrice.

Malgré tout, elle prit sur elle pour se retourner et put constater qu'elle se trompait. Leur curiosité la concernant satisfaite après un vague coup d'œil, les hommes de Case parurent bien plus intéressés par le contenu des plats mis à leur disposition.

Quelques regards s'attardèrent bien sur elle, mais ils lui parurent plus appréciateurs qu'horrifiés. Lily ne savait qu'en penser. Se pouvait-il qu'elle eût exagéré l'impact de sa blessure au regard des autres ? Il lui faudrait attendre pour le vérifier, mais elle se promit de se montrer vigilante.

Pour l'heure, elle était bien trop lasse pour s'en soucier. Le travail lui avait permis de ne plus penser à ses problèmes.

Elle s'était démenée pour que tout soit prêt à temps, et il était bon de se sentir de nouveau si fatiguée.

Un autre homme prit la parole. De ce qu'il disait, Lily conclut qu'il s'agissait de son prédécesseur, le dénommé Pete, dont la cuisine était si décriée.

— J'me fiche de savoir si c'est bon ou pas ! Croyez-moi, je n'ai jamais été si content d'être déchargé d'un boulot... Un peu plus, et il me poussait des poêles à frire au bout des bras !

Un de ses voisins le gratifia d'une vigoureuse tape dans le dos. Un tonnerre d'éclats de rire salua cette réplique. Lily elle-même ne put échapper à l'hilarité collective et sentit toute appréhension la quitter. Lorsque le calme revint, ce fut tout naturellement qu'elle lança à la cantonade :

— Messieurs, votre repas est prêt. Avant que chacun se serve, quelqu'un veut-il dire la prière, ou...

— Ce n'est pas dans nos habitudes, intervint la voix de Case dans son dos.

Lily sursauta. Elle ne l'avait pas entendu venir et pivota sur ses talons pour le regarder. Le choc qu'elle en éprouva ne fut pas lié qu'à la surprise. Douché et rasé de près, il était méconnaissable. Son cœur, comme l'aurait fait sans doute celui de n'importe quelle femme à sa place, se mit à battre à coups redoublés.

Qui aurait pu deviner, songea-t-elle rêveusement, qu'une mâchoire aussi volontaire et carrée se cachait derrière la barbe de trois jours qu'il venait de raser ? Et qui se serait douté que des traits si virils se dissimulaient sous la couche de poussière qu'il arborait précédemment ?

Lily devait se rendre à l'évidence : Case Longren n'était pas seulement séduisant, c'était un bel homme, comme une femme n'en rencontre pas si souvent. Elle supposait qu'il en était bien conscient et ne se privait pas d'en jouer, car le sourire qu'il lui adressait n'était pas exempt de séduction.

Le premier effet de surprise passé, elle se retourna et tenta de faire abstraction du fait qu'il se tenait si près d'elle dans son dos. Après tout, songea-t-elle, il était le patron et pouvait bien se tenir où il voulait, mais elle aurait tout de même apprécié que cela soit un peu plus au large...

— Quoi qu'il en soit, reprit-il dans son dos, ce n'est pas une raison pour ne pas nous y mettre un jour. Ce soir, c'est moi qui commence. Demain et dans les jours à venir, ce sera à tour de rôle. D'accord pour vous, les gars ?

Lily frissonna et se demanda si son nouvel employeur l'avait observée longtemps avant d'intervenir. Des rangs des hommes montèrent quelques murmures d'approbation. Cela suffit à la rassurer sur le fait que sa proposition irréfléchie n'avait pas été mal accueillie. Dire une prière avant chaque repas était une pratique tellement naturelle pour elle, depuis toujours, qu'elle en avait oublié qu'elle n'était pas partagée par tout le monde.

Agrippée au comptoir devant lequel elle se tenait, Lily baissa le menton et ferma les yeux. En son for intérieur, elle remercia Dieu de lui avoir permis de traverser sans encombre les premiers écueils de la nouvelle carrière dans laquelle elle avait choisi de se lancer.

— Amen ! conclut Case d'une voix ferme, imité en cela par quelques-uns des hommes présents.

Lily cligna des paupières et releva la tête, surprise de voir les rangs de l'assemblée se dissoudre autour d'elle dans un joyeux désordre. Absorbée par ses pensées, elle n'avait pas entendu un traître mot de la prière. Cela ne lui ressemblait pourtant guère de se laisser distraire ainsi.

Rapidement, elle respira à fond, se redressa et vérifia que son corsage à rayures bleues était bien passé dans la ceinture de sa jupe en jean. Si elle paraissait aux yeux de tous calme et détendue, décida-t-elle, alors peut-être le serait-elle aussi.

— Mince alors ! s'extasia près d'elle un homme qui ne savait entre deux plats lequel choisir. De la vraie nourriture ! Je vais peut-être bien survivre à ces trois mois, après tout...

Après avoir choisi un emplacement stratégique, afin de pouvoir observer sans gêner le passage, Lily croisa les bras et regarda se constituer deux longues files de part et d'autre du buffet. Affamés et de bonne humeur, les hommes se mirent à remplir d'énormes assiettes en chahutant entre eux.

En les regardant faire, le sourire aux lèvres, Lily sentit une sensation de bien-être s'emparer d'elle. Le sentiment du devoir accompli allégeait sa fatigue. Elle avait relevé le défi sans se laisser impressionner et elle avait gagné. En cette minute, elle se sentait bien mieux qu'elle ne s'était sentie depuis fort longtemps.

Case savait qu'en tant qu'homme attaché à l'honneur et à la justice, il aurait dû mettre chapeau bas et présenter à Lily Brownfield des excuses en bonne et due forme, mais il était trop affamé pour s'y résoudre. Il avait beau passer au crible la table riche et soigneusement présentée qu'elle avait préparée à leur intention, il n'y trouvait pas la moindre pousse de soja ni la plus petite graine de tournesol...

Le plus surprenant, c'était qu'elle était partie des mêmes ingrédients de base que Pete. Toute la différence venait du fait qu'elle avait su les cuisiner pour les rendre appétissants, alors que son prédécesseur n'avait su que les faire bouillir ou griller à l'excès.

Case puisa abondamment dans un plat de lasagnes, puis ajouta pour faire bonne mesure dans son assiette deux cuisses de poulet et deux bonnes portions de salade composée. Il s'attarda près des petits pains chauds, prenant le temps d'en beurrer deux avant d'être chassé par les hommes derrière lui pressés de se servir à leur tour.

En pénétrant dans la salle à manger, il avisa le buffet des desserts et alla bien vite se servir une pleine assiettée avant d'aller s'asseoir. S'il avait attendu d'avoir achevé son repas, sans doute aurait-il dû s'en passer. Jamais son équipe ne lui avait paru aussi affamée et décidée à vider tous les plats…

L'odeur était délicieuse, la présentation appétissante, mais la première bouchée se révéla plus savoureuse encore qu'il s'y était attendu. Tout en mâchant soigneusement, Case réprima un grognement de plaisir. Puis l'impression d'être épié lui fit lever les yeux, et il découvrit Lily qui guettait, à deux pas de lui, ses premières réactions.

Autant que le lui permettait sa mastication, il lui adressa son sourire le plus aimable et manifesta son contentement d'un clin d'œil. Il en fut récompensé par l'expression de satisfaction intense et de fierté qui apparut sur le visage de la jeune femme. Altière comme une princesse à son premier bal, elle tourna les talons et regagna la cuisine.

Case sourit pour lui-même et leva sa fourchette pour faire un sort au contenu de son assiette. Finalement, songea-t-il, ce n'était ni un chat ni un oiseau de paradis que sa décision irréfléchie lui avait valu d'embaucher, mais la plus capable des cuisinières. Et par-dessus le marché, conclut-il en la regardant du coin de l'œil s'éloigner, la plus jolie aussi…

*
* *

Le dernier des hommes s'attardait dans la salle à manger auprès du buffet. En le regardant faire, Lily se demanda avec amusement s'il n'allait pas se mettre à lécher les plats...

— Demain, il y en aura d'autres, vous savez..., plaisanta-t-elle gentiment. Je ne vais pas me sauver durant la nuit.

Surpris, l'homme releva les yeux et rougit. Puis son regard se posa sur le visage de Lily et il devint livide. Elle le vit suivre le tracé de sa blessure, du bord externe des paupières à la commissure des lèvres, et s'efforça de soutenir cet examen sans broncher.

Les sourcils froncés, la bouche déformée par une moue perplexe, il tourna les talons et commença à s'éloigner pour sortir de la pièce, avant de se raviser et de revenir sur ses pas. Du bout de la langue, il lécha un reste de crème fouettée sur un de ses doigts, puis lui sourit gauchement et lança :

— Si vous vous battez aussi bien que vous cuisinez, m'dame, j'aimerais pas être à la place de celui qui vous a fait ça...

Lily se sentit vaciller et dut s'asseoir sur un tabouret qui par bonheur se trouvait près d'elle. Sans lui laisser le temps de répliquer, l'homme avait déjà sauté au bas des marches du perron et disparaissait dans le soir tombant.

Soudain, le stress accumulé de la journée fondit sur elle et elle se mit à trembler. D'un œil accablé, elle parcourut la montagne de vaisselle et de plats qu'il lui restait à débarrasser et à laver avant d'avoir terminé sa journée. Elle se sentait si fatiguée que la tâche lui parut insurmontable.

Pour ne pas se mettre à pleurer, Lily s'enfouit la figure dans les mains et se massa doucement les yeux.

Venu s'excuser auprès d'elle de l'accueil bourru qu'il lui avait réservé, Case eut la surprise de trouver Lily tassée sur un tabouret, le visage caché dans les mains, comme si elle pleurait.

— Ça ne va pas ? s'inquiéta-t-il en lui posant une main amicale sur l'épaule.

Elle sursauta et rabattit vivement les bras. Ses traits tirés, sa pâleur inquiétante qui rendait plus visible sa cicatrice, suscitèrent en lui une vive inquiétude et un besoin viscéral de la protéger. Il en fut d'autant plus surpris qu'il ne pouvait se rappeler la dernière fois où il s'était fait autant de souci pour une femme…

Lily, quant à elle, ne paraissait pas disposée à supporter sa sollicitude. Après s'être libérée de l'emprise de sa main d'un haussement d'épaule, elle se leva et entreprit de rassembler la vaisselle sale sur la table de la salle à manger.

— Je vais bien, répondit-elle à retardement. Juste un peu fatiguée.

Adossé au mur, Case croisa les bras et resta un moment à la regarder travailler, même s'il se doutait que sa présence la rendait nerveuse. Il aurait donné cher pour apprendre ce qui était arrivé à Lily Brownfield, mais le moment ne semblait manifestement pas des mieux choisis pour le lui demander.

— Petit déjeuner à 6 heures ! lâcha-t-il avant de tourner les talons pour rejoindre ses quartiers.

— Bien, patron !

Sans se retourner, Case esquissa un sourire. Apprivoiser Lily Brownfield, conclut-il pour lui-même, risquait de se révéler aussi passionnant et difficile que d'avoir à dresser un pur-sang…

Les quelques jours suivants s'écoulèrent pour Lily dans un tourbillon de fatigue, d'odeurs de cuisine, de vaisselle sale, d'hommes constamment affamés, sans parler de ses pieds en compote et du mal de dos qui ne lui laissait aucun répit.

Mais en se fixant comme seul horizon le repas suivant, en s'écroulant dans son lit aussitôt son devoir accompli, d'une manière ou d'une autre elle parvint à y survivre. Elle fut même surprise de constater que plus les jours passaient, plus la tâche à abattre lui paraissait facile.

Un jour, à son grand étonnement, elle en vint à disposer d'une heure de battement entre la fin du repas de midi et la préparation de celui du soir. Décidée à profiter pleinement de ce moment de détente, munie d'un grand verre de thé glacé, elle sortit se reposer sur le porche.

En soupirant de contentement, elle alla prendre place sur la balancelle qui s'y trouvait. Après un instant d'hésitation, elle défit ses chaussures et leva les jambes pour les laisser reposer sur l'accoudoir opposé à celui auquel elle s'adossait.

Un nouveau soupir de bien-être lui échappa. C'était si bon de ne rien avoir en tête, durant quelques minutes, et de pouvoir surélever ses pieds malmenés…

Autour de la maison, le soleil écrasait tout d'une chape de plomb fondu. Lily se félicita d'avoir opté ce matin-là pour son ensemble jupe-culotte bleu marine, pratique, confortable et adapté à la météo autant qu'à son travail.

Laissant les pans de sa jupe glisser un peu plus haut sur ses genoux, elle ferma les yeux et fit rouler le verre embué contre ses joues, son front, savourant la sensation de fraîcheur.

Puis elle le porta à ses lèvres et but à petites gorgées le thé froid. Jamais une boisson fraîche ne lui avait paru aussi délicieuse…

— Wouaouh, poupée ! fit une voix rauque, mettant un terme abrupt à sa félicité. Bravo pour le show…

Outre sa vulgarité, la voix lui était inconnue et Lily, paniquée, faillit tomber de la balancelle en se remettant d'un bond sur pied. En toute hâte, elle vérifia que sa jupe se remettait bien en place et fit tomber sur le côté de son visage abîmé par la cicatrice un bandeau de cheveux.

Elle reconnut l'homme dès qu'elle le vit. Ses camarades s'adressaient à lui en l'appelant Lane, mais elle ne savait s'il s'agissait de son prénom ou de son patronyme.

— Vous avez besoin de quelque chose ? demanda-t-elle sèchement.

Elle n'aimait ni ses manières ni la façon qu'il avait de s'attarder de manière indécente sur ses seins, ses hanches, ses jambes.

— Toujours..., répondit-il avec un clin d'œil salace.

Lily s'empourpra violemment. Cette fois, ce n'était plus de l'inimitié que lui inspirait cet homme, mais de la colère et du dégoût.

— Que faites-vous là ? insista-t-elle. Est-ce Case qui vous envoie ?

Entendre prononcer le nom du patron suscita en lui un certain malaise. D'un coup d'œil nerveux, il s'assura par-dessus son épaule que personne ne venait.

Lily suivit la direction empruntée par son regard et sentit ses soupçons se confirmer. Il régnait dans le plus grand des corrals une telle activité désordonnée que Lane avait sans doute mieux à faire que traîner ses guêtres du côté de la maison.

— Nan..., répondit-il d'une voix traînante. J'voulais juste prendre le temps de te dire en tête à tête que j'te trouve drôlement belle, en plus d'être une sacrée bonne cuisinière.

— Merci du compliment, mais il n'est pas utile de me tutoyer. A présent, si vous voulez bien m'excuser, j'ai à faire à l'intérieur.

Lily avait hâte qu'il s'en aille. Il y avait quelque chose de malsain au fond de ses yeux, comme s'il la déshabillait du regard en permanence. Ses paroles suivantes ne firent que confirmer ses soupçons et achevèrent de la convaincre qu'il était un homme à éviter autant que faire se pouvait.

— Tu n'as que cette cicatrice sur le visage, ou tu en as d'autres sur le corps ? Remarque, elle est à peine visible. Surtout pour une femme aussi bien foutue que toi, poupée…

Lily dut se retenir pour ne pas le gifler. La politesse n'était plus de mise. Marchant rapidement jusqu'à la porte, elle s'écria, avant de la claquer derrière elle :

— Mêlez-vous de ce qui vous regarde et fichez-moi la paix !

Encore sous le coup de l'indignation et de la fureur, Lily tremblait de tous ses membres. Elle détestait plus que tout perdre sa dignité et son self-control, et elle ne parvenait pas à croire qu'elle avait pu s'humilier devant cet homme en élevant la voix et en prenant la fuite alors que quelques mots cinglants auraient suffi à le remettre en place.

Case, en pénétrant en trombe dans la cuisine, ne lui permit pas de s'en émouvoir davantage.

— Vous pouvez me dire ce que Lane Turney faisait ici ? rugit-il d'une voix accusatrice.

Case regagnait son bureau pour passer un coup de fil quand il avait vu son saisonnier descendre les marches du perron et Lily regagner précipitamment la maison. Il en avait conclu ce que n'importe qui aurait conclu à sa place et s'était laissé envahir par une colère noire à l'idée que sa nouvelle cuisinière fricotait avec l'un de ses hommes.

Lily, qui avait immédiatement saisi au ton de sa voix ce que sous-entendait sa question, fit volte-face. L'indignation et la fureur la submergeaient à l'idée qu'il ait pu lui prêter un seul instant un tel comportement. Pourtant, ce fut d'une voix parfaitement maîtrisée qu'elle lui répondit :

— Pour commencer, il voulait savoir si j'ai des cicatrices ailleurs que sur le visage.

Ces quelques mots suffirent à avoir raison de la suspicion et de la colère de Case. La souffrance qu'ils dissimulaient mal le frappait en plein cœur et lui donnait mauvaise conscience. A l'évidence, ce qui s'était passé n'avait rien à voir avec ce qu'il avait imaginé et il regretta de ne pas avoir tourné sept fois sa langue dans sa bouche avant de parler. Il savait aussi bien qu'elle ce qu'il s'était imaginé ; tout comme il comprenait à présent que jamais il n'aurait dû faire peser un tel soupçon sur Lily Brownfield.

Cependant, il était trop tard pour faire machine arrière. Au moins pouvait-il tenter de s'excuser. Mais avant qu'il ait eu le temps de le faire, elle le surprit en poursuivant sur le même ton égal.

— Je ne peux que vous répéter ce que je lui ai répondu : mêlez-vous de ce qui vous regarde et fichez-moi la paix ! Je cuisine, je mets la table, je débarrasse, je fais la vaisselle, mais à cela s'arrêtent mes services. Je ne fraternise pas, je ne flirte pas, je ne couche pas, et j'ose espérer que vous comme vos hommes vous le tiendrez pour dit !

Case la regarda non sans une certaine admiration se draper dans sa dignité comme une reine outragée. Dressée de toute sa hauteur, les bras croisés et le menton levé de manière à exposer son visage en pleine lumière, elle semblait le défier d'ajouter le moindre commentaire.

— Je suis désolé, Lily..., dit-il simplement. Et je peux vous promettre que ce fâcheux incident ne se reproduira plus. Je vais de ce pas expliquer à Lane ma façon de penser.

Laissant Lily plantée au beau milieu de la cuisine avec sa souffrance et sa fierté blessée, il fit demi-tour et marcha d'un pas résolu vers la porte, bien décidé à mettre son plan à exécution. Il allait passer à Lane Turney un savon dont il se souviendrait toute sa vie, songea-t-il amèrement, mais lui, Case Longren, qui allait lui botter les fesses pour ce qu'il avait fait ?

Il le méritait amplement et était trop honnête pour ne pas le reconnaître. Cela lui coûtait de l'admettre — même vis-à-vis de lui-même —, mais c'était la jalousie, bien plus que le devoir de faire régner la discipline sur son ranch, qui l'avait poussé à réagir comme il l'avait fait...

Lily regarda la porte se fermer derrière Case Longren et se détourna pour échapper au souffle d'air chaud qu'il avait fait entrer dans la pièce. A cet instant, elle aurait plutôt eu besoin pour se calmer et récupérer ses esprits de ces brises marines des plages californiennes qu'elle appréciait tant...

Pour se reprendre, elle se força à inspirer profondément, mais son souffle, quand elle expira, se brisa dans un sanglot. Parce qu'une mèche avait glissé sur sa joue, elle tenta de lever une main pour la remettre en place, et s'aperçut avec consternation qu'elle tremblait trop pour y parvenir.

Secouant la tête pour se libérer les yeux, Lily se mit à trembler de tous ses membres. Soudain, elle eut l'impression que les murs de la cuisine se resserraient autour d'elle. Son regard glissa par la porte ouverte vers le hall et l'escalier qui menait à sa chambre. L'attrait qu'il exerçait sur elle était irrésistible. Quel meilleur réconfort aurait-elle pu trouver que la solitude ? C'était exactement ce dont elle avait besoin et tout ce qui lui restait...

Des larmes brûlantes lui piquaient les paupières. Pour les empêcher de couler, Lily ferma les yeux et tenta d'ignorer la souffrance causée par les avances dégradantes de Lane autant que par l'accusation infamante de Case. Rien n'y fit.

Pour la première fois depuis son accident et la trahison de son ex-fiancé, elle se surprit à regretter de n'être pas allée trouver sa famille, de ne pas avoir laissé son père et ses frères prendre soin d'elle et constituer autour d'elle un cocon rassurant et protecteur. A cette minute, rien ne lui aurait fait plus de bien.

Retenant ses sanglots, elle tituba dans le hall et l'escalier jusqu'à sa chambre, dans laquelle elle s'écroula sur son lit. Le décor ne fit rien pour l'apaiser. Ce n'était rien de plus qu'un refuge où se cacher, songea-t-elle tristement. Une tanière provisoire où elle ne pouvait se sentir chez elle. Elle enfouit son visage dans le creux de son bras, s'agrippa de toutes ses forces au couvre-lit, et laissa la peine la submerger sans plus chercher à la dominer.

Lily se laissa aller à pleurer sans retenue. Au début, ce ne furent que des larmes silencieuses, qui se transformèrent bientôt en irrépressibles sanglots, puis en hoquets douloureux qui lui coupèrent le souffle.

Sans retenue, elle pleura sur le sort injuste qui avait d'un coup fait de sa vie heureuse et sans soucis une lutte constante pour la dignité et la survie. Elle pleura pour la perte d'un amour qui n'avait manifestement été qu'une illusion. Elle pleura parce que ceux qui l'aimaient se trouvaient trop loin pour la réconforter. Et elle pleura aussi parce que, si Todd avait été l'homme qu'elle avait cru, ce jour aurait été celui de leur mariage...

Alors, soudain, comme dans un rêve, Lily se sentit soulevée de son lit, pressée contre une montagne de muscles, serrée dans des bras réconfortants et caressée par des mains attentionnées. Elle se sentait bien trop éperdue de tristesse pour se soucier de savoir qui la consolait ainsi. Tout ce qui comptait pour elle, c'était le réconfort que lui procurait ce contact, et le fait de savoir que quelqu'un, au moins, se souciait à cet instant d'adoucir sa peine.

En sortant de son bureau après avoir passé son coup de fil, Case avait été attiré devant la porte de Lily par le bruit de ses sanglots. Il ne s'était même pas posé la question de savoir s'il était en droit de pénétrer dans la pièce pour la consoler. Sa souffrance était si grande, ses pleurs tellement déchirants, qu'il était entré, s'était assis sur le lit près d'elle et l'avait prise dans ses bras sans hésiter.

Le fait de savoir qu'il était en partie responsable de son chagrin l'emplissait de honte et de colère. Il aurait donné n'importe quoi pour pouvoir soulager sa souffrance. Serré contre elle, il lui caressait les cheveux et lui murmurait à l'oreille des mots de réconfort. Il ne pouvait cependant ignorer à quel point elle était douce contre lui, combien ses formes épousaient les siennes à la perfection, et quel émoi sensuel ce contact provoquait en lui.

Alerté par la tournure prise par ses pensées, Case se força à revenir sur terre. Il lui semblait n'avoir aucun droit à laisser son imagination s'emballer ainsi et profiter de sa détresse pour prendre du bon temps.

— S'il vous plaît, Lily..., supplia-t-il à mi-voix. Essayez de vous reprendre et arrêtez de pleurer. Vous allez finir par vous rendre malade. Je suis réellement désolé, je vous le jure. Je n'avais aucune intention de vous blesser, et après la petite conversation que je viens d'avoir avec Lane Turney, je peux vous assurer qu'il ne vous importunera plus.

La gentillesse et la fermeté de la voix grave qui s'insinuait en elle finirent par avoir raison du désespoir de Lily. Les hoquets s'espacèrent. Les tremblements se calmèrent. Ses larmes peu à peu se tarirent, jusqu'à cesser totalement de couler. Les bras qui la retenaient captive se desserrèrent. Soulevant sa tête de la chemise de toile rugueuse mouillée de ses larmes, elle ouvrit les paupières et eut la surprise de se trouver nez à nez avec Case Longren, dont les yeux bleus emplis de sollicitude la dévisageaient.

Prenant soudain conscience de l'intimité qui était la leur et de la vue qu'elle devait lui offrir, Lily se raidit et se détourna. Mais sans lui laisser le temps de se lever du lit, Case lui prit le visage en coupe entre ses mains, séchant sous un doigt calleux ses dernières larmes.

— Ne me fuyez pas..., murmura-t-il. Dites-moi plutôt ce qui vous bouleverse ainsi.

Il lui caressait le visage si tendrement et s'adressait à elle avec tant de douceur que l'embarras qu'avait connu Lily s'estompa. Et lorsqu'il passa un bras autour de ses épaules pour l'attirer à lui, elle n'eut pas le courage de résister et se laissa faire.

La tête nichée confortablement dans le creux de son cou, elle se laissa bercer un moment. Puis, comprenant qu'il lui serait impossible de lui parler dans une position si intime, elle s'écarta en douceur et plongea ses mains au fond de ses poches pour les empêcher de trembler.

— Il n'y a pas grand-chose à raconter..., répondit-elle enfin d'une voix morne en soutenant son regard sans ciller. Je revenais d'avoir été choisir ma robe de mariée. Je rentrais chez moi lorsqu'un chauffard ivre a décidé de changer de file sans prévenir... et de me refaire le portrait, bouleversant par la même occasion le cours de mon existence. Est-ce ce que vous vouliez entendre ?

Case comprenait à présent bien des choses. Il comprenait également pourquoi elle se montrait si agressive et ne s'en formalisa pas. Tout ce qu'il ressentait pour Lily, c'était la souffrance qui avait dû être sienne devant tant d'injustice.

— Est-ce la raison qui vous a poussée à choisir ce job pour lequel vous êtes manifestement surqualifiée ? reprit-il. Parce que le cours de votre existence a été bouleversé ? A moins que vous n'ayez traversé la moitié du pays pour vous terrer ici et empêcher votre vie de reprendre son cours normal…

Une lueur de colère flamba dans les yeux de Lily.

— Ce « job », comme vous dites, est celui que j'ai exercé pendant les douze années de ma vie qui ont précédé mon départ de chez mon père. Ma mère est morte lorsque j'avais treize ans. Du jour au lendemain, je suis devenue cantinière et gouvernante pour lui et pour mes quatre frères plus âgés. Je l'ai fait avec plaisir et n'ai rien trouvé à y redire — ils avaient déjà tous un travail, ce qui n'était pas mon cas. Avoir à les nourrir et à m'occuper d'eux est devenu mon boulot. Au début, je n'étais ni très douée ni très expérimentée pour cela. Avec le temps, je me suis améliorée. Papa m'a laissée faire mon apprentissage et m'a aidée autant qu'il a pu. Mes frères ne se sont jamais plaints de ce qu'ils trouvaient dans leur assiette. Il m'a fallu plusieurs années pour comprendre qu'ils m'avaient investie de ce rôle pour m'aider à combler le vide laissé dans ma vie par la mort brutale de maman…

— Etiez-vous encore chez votre père ? intervint Case. Je veux dire… quand vous avez eu cet accident.

Lily se mordit la lèvre et hésita. Ils abordaient un sujet sensible, et elle n'était pas certaine d'avoir envie de partager l'intégralité de sa vie privée avec celui qui n'était après tout que son patron de fraîche date.

— Non, admit-elle finalement. Rappelez-vous : j'habitais à L.A. C'est dans les environs de Laguna Beach que j'ai grandi.

Case n'était pas dupe. Elle avait détourné le regard pour lui répondre, et il aurait juré qu'il y avait plus pour expliquer son arrivée chez lui.

— Comment gagniez-vous votre vie à L.A. ? demanda-t-il. Sûrement pas en faisant la cuisine...

— J'étais assistante de direction, dans une firme juridique.

A ses lèvres pincées, à ses yeux verts qui adoptaient une nuance de jade plus foncée lorsqu'elle était émue, Case devina que la colère montait en elle.

— Et puis ? insista-t-il.

— Et puis j'ai eu cet accident, j'ai perdu mon travail, et j'ai quitté L.A. pour venir ici.

C'était trop simple et trop rapide pour que Case se le tienne pour dit.

— Et il n'y avait personne, à L.A., pour tenter de vous retenir ? Vous étiez sur le point de choisir une robe de mariée, m'avez-vous dit. Qu'est devenu l'heureux élu ?

Le subit accès de rancœur que suscitèrent ces mots en elle surprit Lily autant que Case.

— L'heureux élu s'est défilé ! s'écria-t-elle d'une voix tremblante de rage. C'est d'ailleurs aussi à cause de lui que j'ai perdu mon job... Comment aurais-je pu continuer à travailler jour après jour auprès d'un homme que ma seule vue faisait frémir ? Je lui ai rendu sa bague de fiançailles, parce qu'il ne supportait pas l'idée de conduire à l'autel une mariée défigurée ainsi.

D'une main tremblante, Lily désignait sa joue gauche pour souligner ses dires. Partagé entre l'incrédulité et la fureur, Case demanda d'une voix grondante :

— Vous êtes en train de me dire qu'un homme qui disait vous aimer a refusé de vous épouser simplement à cause de cette petite égratignure sur la joue ?

Trop médusée par ce qu'elle venait d'entendre pour parler, Lily se contenta de hocher mécaniquement la tête. De nouvelles larmes lui venaient, qu'elle s'efforça de contenir. Après ce qui venait de se passer, pour rien au monde elle ne se serait de nouveau laissée aller à pleurer devant lui.

Case se dressa.

— Permettez-moi de vous dire, Lily Brownfield, qu'une chose me paraît évidente dans cette affaire : vous avez de la chance que les choses se soient passées ainsi. Parce que le salaud qui vous a laissée tomber sous un prétexte aussi futile et aussi méprisable ne mérite pas de marcher sur le sol que vous foulez !

Lily le regardait sans pouvoir réagir. Case paraissait furieux contre Todd, et si les hommes avaient été capables de cracher des flammes, sans doute de la fumée serait-elle sortie par ses narines à l'heure qu'il était…

— Eh bien…, finit-elle par murmurer. Je vous remercie.

— Pas de quoi !

Il se calma et lui adressa un sourire gêné.

— Vous pensez que ça va aller ? s'enquit-il d'une voix radoucie.

— Ne vous inquiétez pas pour moi, répondit-elle en se redressant à son tour. Tout compte fait, je crois que je préfère préparer le dîner de ce soir pour votre équipe plutôt que d'avoir à assister à mon banquet de mariage.

— Vous voulez dire, conclut Case après avoir marqué une pause, que ce jour aurait dû être celui de vos noces ?

Lily hocha de nouveau la tête, de crainte qu'avoir à parler ne ravive sa souffrance.

— Si vous voulez bien m'excuser…, dit-elle en passant devant lui pour gagner la porte. Je dois me mettre au travail, sinon vos hommes et vous n'aurez que des pommes de terre à l'eau à manger ce soir.

Lily courait presque lorsqu'elle atteignit la cuisine. Case, qui la suivait de peu dans l'escalier, traversa le hall et claqua la porte d'entrée derrière lui, si violemment que les vitres en tremblèrent.

Avant de s'éloigner, elle l'entendit confusément débiter une litanie de jurons qui s'attardèrent dans son cœur et sa mémoire longtemps après son départ. C'était sans doute une réaction un peu puérile, mais cela lui faisait du bien de savoir qu'elle n'était plus la seule à maudire la légèreté et l'inconséquence de Todd Collins.

Deux heures plus tard, la troupe habituelle de cow-boys affamés se rua sur le buffet, réclamant tous les soins et toute l'attention de Lily. Case arriva le dernier et se fit si discret qu'elle n'aurait pas remarqué sa présence s'il n'était venu lui réclamer une feuille d'aluminium pour emballer son repas.

— C'est cela ou me passer de manger, lui expliqua-t-il d'un air préoccupé. Préparez un en-cas également pour Duff. Il nous faut aller vérifier à l'autre bout de la propriété que nous n'avons pas laissé de veaux sevrés dans un troupeau. Je ne voudrais pas avoir à remettre ça dans quelque temps…

Lily s'arrangea pour ne pas avoir à croiser son regard. Toute à son travail, elle prépara la nourriture en silence, se maudissant de n'avoir pas su tenir sa langue. Au moins, lorsqu'elle était seule à connaître son secret, personne n'avait à se sentir obligé de compatir à ses misères.

Mais Case ne paraissait pas décidé à la laisser l'éviter. Quand elle lui eut remis les deux paquets, il se pencha vers elle et lui dit à mi-voix, de manière que personne d'autre ne l'entende :

— Faites-moi plaisir, Lily... Ne détournez plus jamais le visage pour vous cacher de qui que ce soit. C'est promis ?

Case soutint sans broncher le regard furieux par lequel elle lui signifiait clairement ce qu'il pouvait faire de ses conseils. Il ne savait pas comment il allait s'y prendre, mais il se jura qu'avant le départ de Lily il s'arrangerait pour que fleurisse un sourire sur ses lèvres si sévères, et pour qu'apparaisse un peu de chaleur au fond de ces yeux verts qui le considéraient durement.

Pour rejoindre Duff qui l'attendait, il tourna les talons mais s'arrêta sur le seuil de la pièce avant de sortir et lança :

— Au fait... Demain c'est samedi. Après le petit déjeuner, préparez un buffet froid pour le repas du midi. Faites une liste de tout ce dont vous aurez besoin la semaine prochaine. J'enverrai quelqu'un vous chercher pour vous emmener faire les courses à Clinton vers 10 heures. Prenez tout ce qui vous semblera utile, je m'en remets à vous. J'ai un compte ouvert au supermarché. Dites-leur simplement que vous travaillez pour Longren, ils ont l'habitude.

Lily hocha la tête et le regarda sortir, ses deux paquets d'aluminium sous le bras. Après son départ, malgré le bruit ambiant et les hommes présents, la pièce lui parut bien vide.

Haussant les épaules, elle s'efforça d'en revenir à son travail pour résister à l'envie d'aller regarder Case disparaître dans la cour par la fenêtre. Elle n'avait aucune intention de placer de nouveau ses espoirs sur un homme et de lui accorder sa confiance, aussi prévenant et sincère pût-il paraître.

*
* *

Aussitôt après le petit déjeuner, Lane Turney se présenta à la porte de la cuisine, le chapeau en main et une expression de sincère repentir sur le visage.

— Miss Lily..., commença-t-il en évitant de la regarder dans les yeux. Je dois vous emmener faire vos courses dès que vous serez prête.

Lane retint son souffle, espérant qu'elle ne s'aviserait pas de lui mettre des bâtons dans les roues. La veille, il avait entendu le patron lui donner ses ordres, et il ne voulait pas manquer cette occasion d'arriver à ses fins avec la nouvelle cuisinière si sexy.

Il avait été fou de rage d'entendre Case Longren le réprimander comme un gamin pour avoir été taquiner la jeune beauté. De quel droit le boss décidait-il avec quelle femme il avait le droit de flirter ou non ? Il se moquait pas mal qu'elle ait le visage balafré. Son corps de déesse aurait rendu n'importe quel homme fou de désir.

Lane savait que Case avait chargé Duff de venir chercher Lily une heure plus tard. Avec un peu de chance, ils seraient partis avant que le chef d'équipe ait eu le temps de se pointer.

Perplexe, Lily ne savait que croire. Case avait été furieux d'apprendre ce qu'avait fait son saisonnier, et elle imaginait mal qu'il ait pu charger de la conduire en ville un homme qui l'avait insultée.

Un long moment, elle étudia Lane. Ses manières furtives et son regard fuyant étaient éloquents. Sans doute le patron l'avait-il chapitré en bonne et due forme, et peut-être avait-il décidé, en lui confiant cette mission, de lui laisser une chance de racheter ses fautes.

Au silence qui se prolongeait, Lane comprit qu'il lui fallait reprendre finement l'initiative sous peine de voir sa proie lui passer sous le nez. Fixant le bout de ses chaussures, il marmonna d'un air repentant :

— Je suis vraiment désolé pour hier, m'dame. J'ai parlé sans réfléchir, mais je n'voulais pas vous faire de peine ni heurter vos sentiments. Vous savez, j'suis pas très doué pour la parole. A ma manière, j'voulais juste faire un compliment.

Comme elle ne répondait pas, il risqua vers elle un regard à la dérobée et vit qu'elle le dévisageait pensivement.

— Je ne suis pas prête à oublier ce qui s'est passé, Lane ! répondit-elle enfin. Je veux simplement qu'il soit clair entre nous que je tiens à ce que vous gardiez vos distances. C'est compris ?

— Oui, m'dame. Vous êtes prête ?

— Presque.

Lily soupira et se fit une raison. Elle aurait préféré que Case ait choisi quelqu'un d'autre, mais elle craignait en se braquant de provoquer tout un remue-ménage qui ne ferait qu'attirer inutilement l'attention sur l'incident de la veille.

— J'en ai pour une seconde, conclut-elle en se détournant. Juste le temps d'attraper mon sac et ma liste.

Lane la regarda quitter la pièce sans pouvoir quitter des yeux le balancement de ses fesses moulées dans un pantalon rouge. Et à son retour dans la pièce, il ne put éviter un regard furtif en direction de ses seins appétissants sous la toile légère de son corsage sans manches.

Dans un silence tendu, ils gagnèrent la camionnette aux armes du ranch Longren garée dans la cour. Lane se mit à courir pour aller ouvrir la portière passager. Voyant qu'il s'inclinait de manière obséquieuse pour l'inviter à monter, Lily leva les yeux au ciel et s'exécuta.

Pendant que son chauffeur s'installait au volant, elle se cala soigneusement dans son coin et fixa le pare-brise droit devant elle, bien décidée à ne pas le quitter des yeux. Il lui tardait que cette corvée se termine ; en attendant, il ne lui restait qu'à prendre son mal en patience.

— En route ! s'écria Lane d'un ton joyeux. Z'avez pas le mal des transports, j'espère ?

Elle ne lui répondit pas et fit celle qui n'avait pas entendu, mais cela ne suffit pas à entamer l'optimisme de Lane. Il l'avait pour lui tout seul pendant tout le trajet jusqu'à Clinton, de même que pour le retour. Largement de quoi se faire bien voir de la fière Lily Brownfield, songea-t-il, et naturellement, de s'attirer ses faveurs. Ce n'était tout de même pas une Californienne qui allait lui résister...

Le seul petit problème dans le plan de Lane, comme il ne tarda pas à s'en apercevoir, c'est que Lily ne se montra pas le moins du monde disposée à coopérer. Elle n'avait pas fait le moindre effort pour participer à la conversation de tout le voyage, et finit même par répondre à ses relances incessantes par des soupirs agacés. Tant et si bien qu'à leur arrivée dans les faubourgs de la ville, l'optimisme du cow-boy avait fait long feu et Lane se sentait prêt à exploser.

— Nous y voilà..., grogna-t-il en s'engageant dans un crissement de pneus sur le parking du supermarché. Combien de temps voulez-vous que je vous laisse ? Dites-moi quand je dois venir vous prendre.

Lily consulta sa montre, la liste qu'elle tenait en main, et répondit :

— Donnez-moi deux heures.

Sans s'attarder davantage, elle se glissa hors du véhicule et claqua bien vite la porte, pressée d'échapper à la pression de Lane, à ses regards et à ses propos équivoques... Bref, à tout ce qu'elle avait eu à subir depuis leur départ du ranch.

Dans l'habitacle, Lane la regarda un moment s'éloigner de sa démarche chaloupée et maugréa entre ses dents :

— Deux heures ? Je te donnerai volontiers bien plus, garce !

Le moteur rugit rageusement lorsqu'il mit le cap sur un bar voisin qu'il connaissait. Il avait besoin d'un bon fortifiant pour se donner le courage de faire ce qu'il avait en tête, et c'était toujours au fond d'une bouteille qu'il savait pouvoir le trouver.

Duff se grattait le crâne avec perplexité lorsqu'il passa les portes de l'étable.

— Patron ! lança-t-il. Miss Lily est déjà partie. Un des hommes dit l'avoir vue monter dans la camionnette du ranch il y a une heure à peu près.

Surpris, Case leva les yeux du veau malade qu'il était en train d'ausculter et s'étonna :

— Elle est partie seule ?

— Paraît que non..., répondit Duff. Quelqu'un d'autre conduisait, mais personne n'a pu me dire qui.

Case haussa les épaules. Il avait d'autres chats à fouetter, mais une telle nouvelle ne pouvait que l'étonner. Qui aurait pu prendre le risque de conduire Lily en ville de sa propre initiative, bravant ainsi sa colère pour s'être soustrait à sa tâche habituelle ?

Il lui semblait avoir la réponse sur le bout de la langue et il marcha jusqu'à la porte ouverte pour vérifier qui pouvait manquer à l'appel. Un de ses hommes qui arrivait en courant ne lui en laissa pas le temps.

— Patron ! lança-t-il d'une voix affolée. Ce satané taureau s'est une fois de plus fait la belle. Et on dirait bien qu'il n'est pas à prendre avec des pincettes... M'étonnerait pas qu'il se figure qu'on veut lui piquer ses fiancées !

Case laissa tout sur-le-champ et courut battre le rappel de ses hommes. Ce taureau était l'animal le plus énorme et le plus imprévisible que le ranch eût jamais accueilli. Chaque année, il se promettait de s'en débarrasser pour choisir un autre reproducteur au tempérament plus docile.

Conserver un tel monstre irascible sur une exploitation constituait une perpétuelle menace. A chaque nouveau vêlage, cependant, la qualité de sa descendance le persuadait de lui laisser une dernière chance.

Duff et la presque totalité de son équipe sur ses talons, ils contournèrent l'étable et trouvèrent le taureau furieux devant la pâture où s'effectuait la séparation des veaux de leur mère. La tête basse et les cornes en avant, soulevant sous ses sabots des nuages de poussière, le formidable animal parut les défier d'approcher.

Pendant qu'ils formaient le cercle qui allait bientôt se refermer sur lui, Duff arma l'aiguillon électrique et les plus habiles lanceurs desserrèrent le nœud coulant de leur lasso. Il leur fallut presque une heure pour venir à bout de la bête et pour la ramener en sécurité dans son enclos.

Quand ce fut fait, Case avait complètement oublié de vérifier lequel de ses hommes était allé accompagner Lily Brownfield en ville.

Assise sur un sac de vingt-cinq kilos de nourriture pour chien, Lily observait le parking à travers les portes vitrées du supermarché, guettant le retour de Lane. Si elle avait eu pour sa part le temps d'effectuer ses courses dans le temps qu'elle s'était fixé, cela faisait une demi-heure que celui-ci la faisait poireauter.

Enfin, alors qu'elle jetait un nouveau coup d'œil agacé à sa montre, la camionnette du ranch apparut. Son conducteur aborda le virage menant au supermarché de manière si serrée et si brusque qu'il fit reculer de frayeur une mère poussant son Caddie dans lequel était assis son enfant.

Avec un soupir résigné, Lily sauta de son siège improvisé et fit signe à l'un des jeunes commis de l'établissement. Il fallut à celui-ci l'aide de deux de ses collègues pour charger sur des chariots tous les cartons de provisions qui suffiraient tout juste à nourrir l'équipe affamée de Case pour la semaine suivante.

Poussant leur chargement devant eux, précédés de Lily, ils arrivaient à proximité de la camionnette quand le chauffeur daigna enfin descendre du véhicule.

— Salut, jolie dame ! lança-t-il d'une voix trop forte en titubant dans sa direction. Chargez-moi vite tout ça, les gars. Pas de temps à perdre… Ma beauté, j'ai quelque chose à te montrer avant de te ramener aux mines de sel.

Figée sur place, Lily se mit à trembler sous l'effet de la colère. L'imbécile avait profité des deux heures qu'elle lui avait laissées pour se soûler ! L'idée de prendre la route à ses côtés suffisait à lui donner la nausée.

Sa décision fut vite prise. Un chauffard ivre avait déjà failli la tuer ; pour rien au monde elle n'accepterait de remettre sa vie entre les mains d'un deuxième.

D'un geste, elle retint les commis qui s'impatientaient et s'apprêtaient à effectuer le chargement.

— Lane…, dit-elle d'une voix pressante. S'il vous plaît, laissez-moi conduire au retour. Vous avez bu…

Lane laissa fuser un rire gras.

— Bon sang ! s'exclama-t-il. Je veux, que j'ai bu. Histoire de me mettre en jambes pour la petite fête qui nous attend. Et à ta place, poupée, j'abandonnerai l'idée de tenir le volant… Quand Lane Turney sort une dame, c'est lui qui conduit ! Compris ?

Les mains sur les hanches, il fit deux pas chancelants et se campa sur ses jambes devant elle, comme pour la défier de s'opposer à sa volonté — ce que Lily fit sans hésiter, sans se préoccuper des témoins de la scène.

— Avec vous dans cet état au volant, je refuse de monter dans cette voiture. Réfléchissez encore, Lane. Vous ne savez pas ce que vous faites. Laissez-moi conduire. Je ne dirai rien à personne de ce qui s'est passé, mais il m'est impossible de vous laisser conduire.

La crainte et l'exaspération qui faisaient trembler sa voix étaient évidentes, mais Lane, dans son état, était incapable de veiller à la sécurité de quiconque — pas même la sienne.

— Comme tu voudras ! lança-t-il d'une voix coléreuse. Libre à toi de rentrer en stop. Mais si tu comptes sur ta belle gueule pour arrêter les automobilistes, tu risques de rester longtemps coincée au bord de la route…

Lily détourna le visage, refusant de se laisser atteindre par la souffrance qu'auraient pu lui infliger ces mots. Ils n'étaient rien d'autre que les divagations d'un pochard et n'avaient aucune signification pour elle. Sa vie était tout ce qui comptait.

— Je suis désolée…, dit-elle à l'intention des commis qui avaient assisté à toute la scène. Je dois vous demander de rapporter toutes ces provisions à l'intérieur, pour éviter que la chaleur ne les abîme. Je vais téléphoner au ranch que l'on m'envoie un autre chauffeur.

Ils eurent tôt fait de suivre ses instructions et ce fut avec soulagement que Lily retrouva l'abri du supermarché sans que Lane se soit risqué à l'importuner davantage.

— Excusez-moi…

Une femme à côté d'elle venait de poser la main sur son avant-bras pour attirer son attention. Elle portait l'uniforme des caissières de l'établissement, et Lily se rappela l'avoir vue officier à l'un des comptoirs voisins de celui où elle avait fait enregistrer ses achats.

— Je n'ai pu m'empêcher d'assister de loin à ce qui s'est passé, expliqua l'inconnue. Je m'appelle Debbie Randall. Il se trouve que je connais Case Longren, et je sais qu'il ne pourrait que condamner l'attitude de cet homme. Je termine mon service dans dix minutes. Si cela ne vous dérange pas d'attendre un peu, je serais ravie de vous raccompagner en voiture durant ma pause-déjeuner.

En écoutant la jeune femme lui faire sa proposition, Lily s'était laissé envahir par un sentiment de gratitude et de soulagement. Comment aurait-il pu en être autrement, alors que celle-ci lui livrait sur un plateau la solution du problème qui se posait à elle ?

— C'est très gentil à vous, Debbie..., répondit-elle en lui tendant la main. Je m'appelle Lily. Lily Brownfield. Je suis la nouvelle cuisinière du ranch Longren pour les trois mois à venir.

Debbie, jeune femme de courte stature mais à la plastique irréprochable, lui serra la main et détailla tranquillement Lily de la tête aux pieds, s'arrangeant avec tact pour ne pas s'attarder sur la partie abîmée de son visage.

— Ça, je m'en étais doutée ! dit-elle avec un clin d'œil complice. Ecoutez... En fait, vous me feriez une faveur en me laissant vous raccompagner. Ce Case Longren vaut décidément le coup d'œil, vous ne pensez pas ? Je ne rate jamais une occasion d'aller lui rendre une petite visite. Hélas, c'est tout ce qu'il me laisse lui rendre, si vous voyez ce que je veux dire...

Debbie se mit à rire, très à l'aise, et fit signe à Lily de se rasseoir sur son perchoir improvisé. Avec un sourire un peu crispé, elle s'exécuta et regarda la petite femme délurée et sexy regagner sa caisse. En l'observant de loin, Lily ne put s'empêcher de se demander si Case et elle étaient déjà sortis ensemble ; puis, sitôt après, ce que cela pouvait bien lui faire.

En ce qui la concernait, le patron du ranch Longren pouvait bien coucher avec toutes les femmes à dix miles à la ronde si cela lui chantait. Cet homme était trop grand… trop beau… trop séduisant… trop… tout pour elle.

3.

Case sortit de sa maison par la porte principale, se figea sur le porche et passa une main tremblante dans son épaisse chevelure noire. La frustration était en train de le rendre fou. Il en était encore à tenter de comprendre pourquoi Lily avait laissé quelqu'un d'autre que Duff la conduire à Clinton, et ne trouvait à cette question aucune réponse satisfaisante.

En désespoir de cause, il s'approcha de la rambarde sur laquelle il s'appuya à deux mains. Le monde autour de lui offrait à ses yeux un spectacle dont la quiétude contrastait avec son tumulte intérieur. Le ciel était d'un bleu intense que ne venait piqueter aucun nuage. Un colibri frétillant des ailes s'activait dans le volubilis fleuri qui prospérait tout le long de la rambarde et sur les pilastres du porche. Dans les pâtures, des vaches pleurant leurs veaux sevrés beuglaient sans fin.

Case soupira et enfouit ses mains au fond des poches de son Levi's. D'un coup de pied rageur, il envoya valser à l'autre bout du porche la balle d'un de ses chiens qui traînait par terre. Une seule chose aurait pu calmer l'angoisse sourde qu'il ressentait : voir Lily arriver enfin et lui jeter un de ces regards réfrigérants dont elle avait le secret. Mais il eut beau scruter l'horizon et la route déserte qui y serpentait, rien ne vint apaiser ses craintes.

La sonnerie du téléphone le fit sursauter. Case pénétra en trombe dans la maison, laissant la moustiquaire se refermer avec un claquement sec dans son dos, et courut vers son bureau.

— Allô ! lança-t-il dans le combiné d'une voix essoufflée.

Le cœur battant, il attendit, priant pour que la voix qui lui répondrait soit la même que celle qui l'avait réveillé en pleine nuit, deux semaines plus tôt. Hélas, ce n'était pas Lily mais un adjoint du shérif porteur de mauvaises nouvelles.

Un appel radio venait de lui apprendre qu'un véhicule portant le sigle du ranch était impliqué dans un accident sur la route nationale 183, au nord de Clinton. Case sentit ses jambes se dérober et dut s'asseoir en hâte sur son fauteuil. Fermant les paupières, il se pinça l'arête du nez entre le pouce et l'index tandis que l'homme continuait dans l'écouteur à lui faire part de ce qu'il savait.

— Quelle est la gravité de l'accident, murmura-t-il d'une voix défaite quand il se tut. Y a-t-il des blessés ?

— Oui, répondit l'adjoint. Un blessé. L'ambulance est en train de conduire la victime à l'hôpital de Clinton, mais on ne m'a pas communiqué la gravité de ses blessures.

Case retint un gémissement consterné. La seule idée que Lily pût avoir à souffrir encore, alors qu'elle avait déjà tant souffert, lui était insupportable. Soudain, une lueur d'espoir se fit jour en lui et il demanda brusquement :

— Ce blessé… C'est un homme ou une femme ?

— Aucune idée. Je vous appelle dès que j'en sais plus, Case…

— Je vous remercie, Fred. C'est sympa de votre part d'avoir appelé tout de suite. Vous ne pouvez pas savoir ce que cela représente pour moi.

Case raccrocha, les dents serrées et les mains tremblantes. A cette minute, il lui semblait être plus désarmé face à l'existence qu'il ne l'avait jamais été. Il aurait volontiers cassé quelque chose, mais il savait que même cela n'aurait pas suffi à exorciser sa peine. Qu'avait-il de mieux à faire ? Se précipiter à l'hôpital ? Attendre le prochain coup de fil de l'adjoint du shérif ?

Soudain, l'idée lui vint que Lily Brownfield n'était peut-être déjà plus de ce monde à l'heure qu'il était et il eut envie de hurler tant cette perspective lui était insupportable. Il ne put dès lors qu'en tirer les conclusions qui s'imposaient et se rendre à l'évidence.

Il ne connaissait cette femme que depuis un peu plus d'une semaine, mais il était en train de tomber amoureux d'elle aussi sûrement que Dieu fait tomber la rosée chaque matin sur le monde. Et par une ironie grinçante du destin, il pouvait fort bien l'avoir déjà perdue sans avoir eu le temps de réaliser ce qui lui arrivait...

— Patron ! cria Duff depuis la porte d'entrée, inconscient du drame qui était en train de se jouer. Une voiture remonte l'allée. On dirait bien celle de la petite caissière si mignonne du supermarché de Clinton. C'est quoi son nom, déjà... Debbie ?

Case se remit sur pied en chancelant et passa une main tremblante sur son visage. Il n'avait pas de temps à perdre en parlottes, surtout avec une femme qui semblait avoir décidé de s'enticher de lui, aussi jolie soit-elle. Il lui fallait rappeler le bureau du shérif, ou les urgences de l'hôpital de Clinton — et se préparer à devoir accepter l'inacceptable.

*
* *

— Oh, chouette ! s'exclama Debbie avec un grand sourire. Le patron en personne nous attend sur le porche. On dirait même qu'il est très content de nous voir arriver...

En vérifiant d'un regard qu'elle ne se trompait pas, Lily sentit son estomac se contracter et se renfrogna. Pourquoi fallait-il, se demanda-t-elle avec amertume, que la vue de ces larges épaules, de ces longues et fortes jambes, lui procure toujours un pincement au cœur ? Quant à son visage altier de prince du far west, elle préféra éviter de s'y attarder, sachant qu'il ne ferait que la rendre plus nerveuse encore...

Sous le regard perçant de Case Longren, elle se sentait parfois démasquée, comme s'il n'était pas dupe de cette attitude d'indifférence feinte sous lequel elle dissimulait sa souffrance et son mal-être. Elle n'aimait pas cela et le lui faisait payer en redoublant de froideur à son égard.

La perspicacité de son nouvel employeur l'obligeait à regarder en face ce qu'elle était devenue, et c'était là ce qui la dérangeait plus encore que d'avoir à supporter sa cicatrice. Lily n'avait pas pour habitude de s'apitoyer sur son sort. En fait, elle n'appréciait pas les gens qui utilisaient leur malheur ou leur handicap pour susciter la sympathie des autres.

A présent qu'il lui arrivait à son corps défendant de verser de temps à autre dans ce travers, elle se sentait honteuse et en colère contre elle-même. Elle n'arrêtait pas de se dire qu'il y avait sur terre nombre d'êtres humains autrement plus atteints dans leur chair et plus à plaindre qu'elle, mais cela lui était encore difficile à admettre lorsqu'il lui fallait se résoudre, chaque matin, à se maquiller.

Dans un nuage de poussière, Debbie stoppa sa voiture devant la grande maison blanche. Avant que Lily ait eu le temps de réaliser ce qui se passait, elle était déjà sortie du véhicule et lançait à la cantonade :

— Hé, grand chef ! Tu peux venir nous donner un coup de main avec Duff ? J'ai profité de ma pause-déjeuner pour faire un brin de conduite à Lily, et j'aime autant te prévenir qu'elle a acheté la moitié du magasin…

Case, en voyant Lily descendre à son tour de voiture, fit une courte mais fervente prière d'action de grâces. Il ne savait comment cela était possible, mais il était trop soulagé pour se poser la question.

Pressé de vérifier qu'il ne lui était rien arrivé, il dégringola les marches du perron et se précipita vers elle. Debbie, en se mettant délibérément en travers de son chemin, l'empêcha de passer. Sans lui laisser le temps de réagir, elle se colla contre lui, referma les bras autour de son cou, et lui donna sur les lèvres un rapide baiser.

— Alors, cow-boy ! s'exclama-t-elle. Que t'arrive-t-il, ces temps-ci ? Voilà des semaines que je ne t'ai pas vu te mêler à la vie nocturne locale… Aurais-tu fait un vœu de célibat dont je n'aurais pas entendu parler ?

Le visage de Case dut passer par au moins trois nuances de rouge différentes. Toujours dans les bras de Debbie, il soutint par-dessus son épaule le regard vert le plus glacial et le plus réprobateur qu'une femme lui eût jamais adressé.

— Vous voilà enfin de retour…, parvint-il à constater en dévisageant Lily d'un air emprunté.

— Manifestement, oui.

Avant de regagner la maison, les bras chargés de sacs à provisions, elle laissa son regard s'attarder sur les courbes voluptueuses de la jeune caissière plaquées complaisamment contre lui.

— Ne te mets pas en colère contre elle…, minauda celle-ci en la regardant s'éloigner. Ce n'est pas sa faute, la pauvre. Elle a dû faire face à un contretemps fâcheux, et je me suis proposée pour la reconduire. Entre voisins, il faut s'entraider. Sans compter, je l'avoue, que la perspective de venir te débusquer dans ta tanière n'était pas pour me déplaire…

Debbie avait beau avoir la langue bien pendue et une franchise parfois déroutante, Case savait qu'elle avait les meilleures intentions du monde et un cœur en or.

— Je ne sais pas comment elle s'est retrouvée dans ta voiture, Debbie Randall, mais je te dois une fière chandelle et je ne l'oublierai pas.

— Arrête…, protesta-t-elle en rougissant de plaisir. Ce n'est rien du tout. Lily te racontera les détails. Moi, je dois y aller, sinon je vais être en retard à mon boulot.

Non sans un soupir de regret, elle se sépara de lui et se tourna vers Duff, qui en était à son troisième voyage, pour demander :

— Tu as terminé, Duffie ?

Chancelant sous le poids de son chargement, l'intéressé grogna vaguement son assentiment et se mit en route au plus vite vers la cuisine.

— Alors j'y vais ! conclut Debbie en regagnant d'un pas pressé sa voiture.

Avant d'ouvrir sa portière, elle adressa un clin d'œil lourd de sous-entendus à Case et minauda :

— Ne te laisse pas enterrer vivant ici, Case. Arrange-toi pour me donner de temps à autre de tes nouvelles… O.K., mon chou ?

Sans attendre de réponse, elle se glissa dans l'habitacle. Case la regarda disparaître au bout de l'allée dans un nuage de poussière et se dirigea vers la maison.

— Debbie est partie ? s'enquit Duff quand il le croisa dans le hall.

— En tout cas, je l'espère…, répondit-il avec un soupir de soulagement.

Duff partit d'un grand rire en hochant la tête d'un air complice. Il s'apprêtait à retourner vaquer à ses occupations quand Case le retint par le bras et lui dit :

— Je serai absent pour le reste de la journée. Arrange-toi pour que les hommes ne manquent pas de travail cet après-midi. Je dois me rendre à Clinton. Je ne serai sans doute pas rentré avant la nuit.

— O.K., boss !

Le petit homme tourna les talons et sortit sur le porche. Ses bottes ferrées martelant le plancher laissaient dans son sillage un raffut inversement proportionnel à sa taille.

Sitôt qu'il pénétra dans la cuisine, Case eut droit à un nouveau regard réfrigérant et se demanda ce qu'il avait fait cette fois pour le mériter. Il était si content de revoir Lily qu'il n'y prêta cependant pas attention. Un long moment, il resta interdit au seuil de la pièce, incapable de faire autre chose qu'emplir ses yeux du spectacle réjouissant qu'elle lui offrait. Comme si de rien n'était, elle se démenait, déballant ses provisions et ouvrant à la volée les portes des placards pour les y ranger.

— Je suppose que vous aviez vos raisons ! lança-t-elle, manifestement agacée de le voir garder le silence. Mais la semaine prochaine, j'aimerais autant que vous choisissiez quelqu'un d'autre pour me conduire à Clinton. Ou encore mieux, que vous me laissiez y aller moi-même, maintenant que je connais la route. Je ne veux plus rester seule avec Lane Turney, sous aucun prétexte. Me suis-je bien fait comprendre ?

Case accusa le coup. Ainsi, c'était Lane qui avait causé cet accident avec la camionnette du ranch et se trouvait à l'hôpital. Le premier instant de surprise passé, il s'en voulut de ne pas s'en être douté plus tôt.

— Lily..., commença-t-il d'une voix conciliante. Je n'ai jamais demandé à Lane Turney de vous accompagner à Clinton.

Si elle s'imaginait qu'il avait pu faire une chose pareille, songea-t-il avec consternation, elle le connaissait bien mal et il ne devait pas s'étonner qu'elle lui en veuille autant. Dans toute cette histoire, le fait qu'elle ait pu croire qu'il lui avait imposé la compagnie d'un homme qui s'en était pris à elle et l'avait insultée la veille était encore ce qui le chagrinait le plus. Avait-elle donc si peu de considération à son égard pour lui faire si peu confiance ?

— Et pourtant, insista Lily, c'est lui qui est venu me chercher ce matin en prétendant que c'était vous qui l'aviez envoyé.

Elle se figea sur place, un énorme paquet de céréales en mains, et sa résolution flancha d'un coup. Soudain, elle parut aussi fragile et désemparée qu'une petite fille et son menton se mit à trembler quand elle ajouta :

— En plus, il avait bu...

Case accueillit cette révélation par un juron retentissant comme un coup de tonnerre. Frissonnante, Lily posa sur le comptoir le paquet de céréales et serra les bras contre elle comme si la température avait brusquement chuté dans la pièce de plusieurs degrés.

— Il n'était pas soûl à l'aller..., précisa-t-elle, les mots se bousculant sur ses lèvres comme s'il lui tardait de raconter sa mésaventure. Seulement pour le retour, quand il est revenu me chercher au bout de deux heures au supermarché. Je l'ai supplié de me laisser conduire. Il n'a pas voulu. Il a...

Incapable d'en dire davantage, Lily secoua la tête et se tut. A ses yeux brillants, il semblait manifeste qu'elle consentait de gros efforts pour ne pas se mettre à pleurer.

— Lily..., intervint Case d'une voix douce. Il est inutile de vous forcer à m'en dire plus. Je sais...

— Non, vous ne savez pas ! l'interrompit-elle vivement. Il n'a rien voulu savoir, et je ne pouvais tout de même pas le laisser prendre le volant alors qu'il avait bu. C'est à cause d'un chauffard ivre que je... que je...

L'instant d'après, Case l'avait rejointe près du comptoir et la serrait dans ses bras. Lily tremblait de tous ses membres. Tétanisée par la peur, elle respirait difficilement.

— Lane a eu un accident, lui expliqua-t-il en lui caressant doucement les cheveux. L'adjoint du shérif m'a appelé tout à l'heure pour me prévenir, sans me donner de précisions. Je pensais que vous étiez avec lui. Je n'ai jamais eu aussi peur de ma vie ! Je vous imaginais blessée, peut-être morte... et tout aurait été ma faute. J'aurais dû mettre ce salaud à la porte dès hier. S'il n'a pas réussi à se tuer, c'est ce qui l'attend.

— Mon Dieu ! lâcha Lily dans un souffle.

Elle sentit le sol se dérober sous ses pieds tandis que lui revenaient à la mémoire tous les souvenirs de son propre accident — la voiture qui déboîtait à vive allure de sa file sans prévenir, le choc, la douleur, la terreur qui s'étaient ensuivis.

De lourds nuages semblèrent dérober à ses yeux la lumière du jour, et Lily s'éteignit avec elle. Entre les bras de Case, elle se sentit sombrer.

Le corps de Lily mollit soudain entre ses bras et Case se maudit de sa maladresse. Il aurait dû lui annoncer la nouvelle avec plus de précautions, mais il était trop tard pour se lamenter. Avant qu'elle ne tombe sur le sol, il eut juste le temps de la retenir.

— Lily..., gémit-il contre son oreille en la prenant dans ses bras pour la conduire à l'étage. Je suis désolé ! Dieu me pardonne, je suis désolé...

Mais Lily n'était plus en état de l'écouter ou de surprendre l'expression d'adoration inquiète qu'arborait son visage lorsqu'il la déposa en douceur sur son lit.

Case disparut dans la salle de bains attenante et revint s'asseoir à côté d'elle muni d'une serviette mouillée, avec laquelle il lui tamponna le front. Sachant que si elle avait été consciente cela lui aurait été impossible, il ne put s'empêcher de laisser son regard errer sur ses formes épanouies.

Entre ses doigts, il saisit une mèche de cheveux blonds qui avait glissé sur son visage et la palpa rêveusement avant de la remettre en place. Il fit passer le linge humide de son front à sa joue et laissa ses doigts descendre parallèlement à la cicatrice rouge.

Puis, incapable de mettre un frein à son désir, il se pencha et déposa au coin de ses lèvres, là où venait mourir la balafre, le plus léger et le plus symbolique des baisers. Dans son inconscience, Lily soupira et un souffle aussi léger que celui d'un ange lui caressa le visage.

A deux doigts de perdre la tête, Case se redressa et jura sourdement entre ses dents, résistant à l'envie de s'allonger près d'elle et de la serrer entre ses bras pour ne jamais plus la lâcher. Il fit glisser le linge humide le long de son cou et le pressa à l'endroit où battait son pouls. Confusément, il se demanda si elle lui en voudrait en se réveillant autant qu'il s'en voulait lui-même de sa maladresse.

Les paupières de Lily se mirent à battre. Case s'empressa de mettre un peu plus de distance entre eux, certain qu'elle n'aurait pas aimé savoir à quel point durant quelques instants ils avaient été proches. C'était un moment volé qu'elle aurait condamné, mais c'était un moment qu'il ne risquait pas pour sa part d'oublier de sitôt.

— Calmez-vous..., murmura-t-il. Tout va bien. Vous vous êtes simplement évanouie.

Lily ouvrit les paupières, cligna rapidement des yeux et vit penché sur elle le visage de l'amour. C'était indiscutable, mais ce n'était pas celui de l'homme qu'il aurait fallu. Todd n'était pas à côté d'elle, et elle n'était pas revenue comme par un coup de baguette magique, ainsi qu'elle l'avait cru l'espace d'une seconde, à L.A. avant son accident.

D'un coup, les événements de la journée affluèrent à sa mémoire. Avec un petit cri de panique, elle tenta de se dresser sur son séant, pour prendre au plus vite ses distances avec cet homme qui avait en quelques jours réussi à lui faire éprouver des sentiments auxquels elle aurait juré avoir renoncé.

Le visage de Case avait repris son expression habituelle, et elle put s'imaginer avoir rêvé. Comme pour lui donner l'espace dont elle avait besoin, il se leva du lit et recula de quelques pas.

— Je... je ne peux pas croire que je me suis évanouie ! balbutia-t-elle en se passant une main tremblante dans les cheveux. Ça... ça ne m'était jamais arrivé.

Elle ne pouvait empêcher ses jambes de trembler, mais elle se força à poser les pieds sur le sol pour se remettre debout, même si la tête lui tournait encore.

— Ne brusquez pas les choses..., lui conseilla Case, attristé de la voir rebâtir aussi vite un mur entre eux. Vous venez de subir un choc ; étant donné ce que vous avez déjà souffert, il n'avait rien d'anodin. Je pense que vous devriez vous reposer et ne pas préparer de repas ce soir. Je vais demander à Pete de s'en occuper. Pour une fois, nous nous débrouillerons sans vous.

— Il n'en est pas question ! s'écria-t-elle en faisant volte-face pour le fusiller du regard. A présent, si vous voulez bien m'excuser, je dois me changer pour passer ma tenue de travail.

D'un pas décidé, elle se dirigea vers son armoire, ne lui laissant d'autre choix que de s'exécuter.

Avec un soupir rageur, Case lança adroitement la serviette humide qu'il avait gardée en main à travers la porte ouverte de la salle de bains. Dans un grand bruit mouillé, elle alla atterrir en plein dans l'évier. Sans rien ajouter, il tourna les talons et sortit en claquant la porte derrière lui.

Surprise, Lily leva les yeux et contempla le battant qui venait de se refermer bruyamment, se demandant ce qui avait bien pu passer par la tête de Case. Qui aurait eu le plus de raisons de se mettre en colère ? Après tout, c'était elle qui venait de passer à deux doigts d'un nouvel accident...

Haussant les épaules, elle décida de ne plus s'inquiéter des états d'âme de l'ombrageux cow-boy et de se concentrer sur son travail. Si elle voulait être prête à temps ce soir-là, il allait lui falloir mettre les bouchées doubles.

Après avoir fait glisser sa blouse par-dessus ses épaules et défait son pantalon, elle prit le temps de ranger ses affaires dans la penderie. Sur un cintre, elle choisit une petite robe jaune en crêpe de coton qui offrait l'avantage d'avoir été beaucoup portée et de tomber sur son corps comme une seconde peau. Ce soir plus particulièrement, décida-t-elle, elle avait besoin de se sentir libre de ses mouvements.

Une fois la robe enfilée, elle se retourna vers le miroir de sa coiffeuse pour juger de l'effet produit. Satisfaite de ce qu'elle y découvrit, elle prit sur le meuble sa brosse favorite et la passa avec vigueur dans ses cheveux. Cela fait, elle les coiffa en une tresse serrée qu'elle laissa retomber dans son dos.

Il ne lui restait plus qu'à se livrer à son rituel coutumier pour être prête. Penchée vers le miroir, elle étudia la cicatrice sur son visage. Non pas dans l'espoir qu'elle ait disparu comme par miracle, mais pour vérifier qu'elle était en train de s'atténuer comme le Dr Murphy le lui avait promis. Et comme à l'accoutumée, l'examen s'avéra décevant...

Lily s'apprêtait à se détourner pour aller prendre son service lorsque par une surprenante association d'idées lui revint à la mémoire le spectacle offert par Debbie Randall lorsqu'elle s'était collée de manière indécente contre Case.

Il n'était plus temps de chercher à éluder une vérité gênante, comprit-elle. Voir le rancher se couler contre le corps offert de l'accorte caissière, avec une aisance née sans doute de l'habitude, avait suscité en elle un accès de jalousie aussi féroce qu'inattendu.

Elle se rappelait que Case l'avait elle aussi tenue ainsi dans ses bras. Non seulement l'expérience lui avait plu, non seulement elle espérait dans le secret de son âme qu'elle se renouvellerait, mais elle aurait voulu de plus être l'unique bénéficiaire de telles faveurs...

Cette fois-ci, décida-t-elle en redressant fièrement les épaules devant le miroir, il était plus que temps de cesser ses bêtises et de se reprendre. Il lui fallait ouvrir les yeux, et vite. Case Longren ne pouvait être qu'un patron pour elle. Elle ne pouvait se permettre de dépendre de nouveau du bon vouloir d'un homme.

Le fait qu'il puisse un jour lui tourner le dos sans état d'âme était un risque qu'elle ne pouvait plus prendre. Alors qu'elle n'était pas encore totalement remise de la trahison de Todd, il aurait été suicidaire de se jeter dans le même piège de nouveau, en toute connaissance de cause. Une fois lui avait suffi. L'inconstance des hommes était trop certaine, et il était trop douloureux d'avoir à s'en remettre.

— Qu'est-ce qui cloche avec toi, ma fille ? s'entendit-elle demander d'une voix glaciale à son reflet dans la glace. La traîtrise d'un homme ne t'a pas suffi ? Comment peux-tu t'imaginer qu'un autre accepterait de regarder jour après jour un tel visage sans finir par se lasser et partir ? Ressaisis-toi, Lily !

Sur ce, elle jaillit de sa chambre et se précipita vers la cuisine, comme si le diable lui-même était à ses trousses.

Case ne daigna pas se montrer au repas du soir, mais Lily ne put se résoudre à s'enquérir des raisons de son absence. Après le dîner et le départ des hommes dans leurs quartiers, elle déambula sans but au rez-de-chaussée de la maison. Tant bien que mal, elle s'efforça de trouver de quoi s'occuper jusqu'à pouvoir être suffisamment fatiguée pour se mettre au lit.

Ce faisant, elle tenta de ne pas trop s'inquiéter des raisons de l'absence de Case, mais en vain. Elle ne pouvait s'empêcher de redouter qu'il ait été froissé par l'attitude hautaine et irascible qu'elle avait opposée à la sollicitude pleine de tact dont il avait fait preuve à son égard après son évanouissement.

Elle refusait de se remémorer ce qu'elle avait ressenti lorsqu'il l'avait tenue serrée contre lui, quand son corps avait épousé les formes d'un homme tel que Case Longren. Elle ne le voulait pas, ou plus exactement elle ne le *pouvait* pas… Comment aurait-elle pu supporter de surprendre la déception et le dégoût sur ce visage, le jour où le médecin annoncerait qu'elle ne récupérerait jamais sa beauté enfuie ?

Lily laissa ses poings serrés s'abattre sur le bureau de Case, qu'elle était occupée à remettre en ordre sans grande nécessité. Prendre ce job avait sans doute été une idée lamentable, conclut-elle pour elle-même. Pourtant, il lui fallait assumer sa décision et tenir jusqu'au bout. Il n'était pas dans ses habitudes de s'enfuir à la première difficulté ni de trahir sa promesse.

Décidée à cesser de ruminer inutilement ses erreurs, Lily ramassa sur une table basse une poignée de magazines et grimpa l'escalier quatre à quatre pour regagner sa chambre. Il était vain d'espérer dormir, mais elle pouvait au moins se préparer au mieux à une nuit d'insomnie…

Une heure plus tard, Lily en était réduite à s'intéresser à un article consacré à la fabrication des Stetson lorsque quelques coups frappés contre sa porte la firent sursauter et rejeter le magazine au bout du lit.

— Qui est là ? lança-t-elle machinalement.

Sans avoir besoin d'entendre la réponse, elle connaissait l'identité de son visiteur nocturne. A 22 heures passées, aucun des hommes du ranch n'aurait osé venir la déranger. Il ne pouvait donc s'agir que de Case lui-même. Ce qui se vérifia lorsqu'il répondit d'une voix morose, de l'autre côté de la porte :

— C'est moi.

Lily alla ouvrir et fit de son mieux pour masquer la joie qui l'avait envahie à la seule idée de le revoir.

— Je pensais que vous aimeriez apprendre dès ce soir que Lane va survivre, expliqua-t-il sans préambule. Du moins ne mourra-t-il pas des suites de son accident. Je ne garantis pas que je ne l'étranglerai pas de mes propres mains quand il sortira de l'hôpital. Quant au sort que lui réserve la justice pour avoir conduit en état d'ivresse, c'est le cadet de mes soucis.

La peine, puis un soulagement intense s'étaient emparés de Lily pendant qu'il débitait son monologue d'une voix sourde.

— Je suis heureuse d'apprendre cette nouvelle, répondit-elle quand il se tut. Et plus heureuse encore que vous ayez pensé à venir me l'annoncer.

Figé devant elle, Case accueillit cette déclaration par un grognement que Lily interpréta comme une manifestation d'irritation.

— Désolée de vous causer tous ces ennuis..., reprit-elle avec une gêne sincère. Je suppose que vous ne vous attendiez pas à cela quand vous avez accepté de m'embaucher sur un simple coup de fil...

— Je ne sais pas à quoi je m'attendais..., murmura Case. Mais en tout cas pas à vous. Vous ne me causez aucun ennui. Je suis le plus heureux des hommes de vous accueillir chez moi, même si vous me regardez parfois comme si j'étais la pire des nuisances, même si vous vous barricadez dans votre méfiance chaque fois que j'arrive à établir le contact avec vous. Durant une heure éprouvante, aujourd'hui, j'ai cru que le soleil se coucherait sans que je puisse vous revoir. Je me suis juré qu'il ne se lèverait pas demain avant que je vous aie dit tout ceci. Vous pourrez faire ce qu'il vous plaira. Vous pourrez me gifler, entrer dans une rage folle et me maudire. Je me fiche de savoir si cela vous convient ou pas. Je ne peux plus résister au besoin de vous embrasser...

Lily n'avait pas fini d'assimiler ces paroles qu'il la prit dans ses bras, avec l'intention manifeste de mettre sa menace à exécution. En dépit de toutes ses résolutions précédentes, elle se laissa captiver par la lueur de convoitise qui brillait au fond de ses yeux, par la plénitude si tentante de sa bouche charnue.

Juste avant que leurs lèvres ne se touchent, elle sut qu'elle se demandait depuis le premier jour où elle l'avait découvert, en sueur et couvert de poussière, à quoi pourrait ressembler ce baiser qu'il s'apprêtait à lui donner. Et ce baiser ne ressembla à rien de ce qu'elle avait imaginé.

D'abord, Case se contenta d'une prudente exploration, mais qui suffit à faire courir des frissons le long de l'échine de Lily. Comme d'elles-mêmes, ses mains s'accrochèrent au jean du blouson qu'il portait. Elle se laissa envahir par un sentiment d'ivresse né de leurs souffles mêlés, de la saveur de sa bouche contre la sienne, de la chaleur de leurs corps pressés l'un contre l'autre.

Avec un soupir rauque, Case resserra l'emprise de ses bras autour d'elle et pencha la tête pour approfondir le baiser. Ils étaient à présent si intimement enlacés que Lily eut l'impression de se dissoudre, de se fondre en lui, de ne plus faire qu'un avec cet homme qui semblait ne pouvoir se rassasier de sa bouche.

— Bon sang, Lily ! gémit-il en s'arrachant difficilement à ses lèvres offertes. Dites-moi d'arrêter avant qu'il ne soit trop tard. Vous feriez mieux, parce que je ne crois pas pouvoir en rester là très longtemps… J'aspire à beaucoup plus que ce que vous êtes sans doute prête à me donner !

Douchée par cette mise en garde, Lily lutta pour recouvrer ses esprits. Lentement mais sûrement, elle parvint à récupérer suffisamment de volonté pour se libérer des bras de Case avec autant de dignité qu'il lui fut possible d'en rassembler.

— Je ne pense pas être jamais prête à vous donner ce que vous attendez, monsieur Longren…, répondit-elle sèchement. Je ne suis pas du genre à sauter dans le lit d'un homme aussitôt que l'envie lui en prend.

Les yeux brillants d'une fureur contenue, Case lui prit les épaules sans ménagement.

— Et moi, je ne pense pas vous avoir demandé quoi que ce soit ! gronda-t-il. J'essaie juste de récupérer un peu de calme et de sérénité, car, que vous le vouliez ou non, vous avez mis ma vie sens dessus dessous. Quant à ce qui vient de se passer, n'essayez pas de m'en incomber l'entière responsabilité... Je vous ai sentie entre mes bras plus que consentante. Cela, vous ne pourrez jamais le nier et vous feriez bien de vous le rappeler !

La laissant interdite et consternée au seuil de sa chambre, il tourna les talons et disparut dans les ténèbres de la maison vide. Lily le regarda se fondre dans l'obscurité, sous le choc de ce qu'il venait de dire. Bientôt, elle s'aperçut avec stupeur que, alors que c'était elle qui aurait dû se sentir lésée, il avait réussi à inverser la situation.

Piquée au vif, elle rentra dans sa chambre et claqua la porte avec un bruit qui résonna dans les couloirs déserts. Elle ne put que constater cependant que son geste avait quelque chose de puéril et d'un peu tardif.

Case avait réussi à toucher son cœur pourtant retranché. Il serait dorénavant difficile de repousser les assauts d'un tel assiégeant... Et surtout de ne pas en espérer passionnément de nouveaux.

Les jours suivants passèrent dans un brouillard d'activité frénétique. Un autre troupeau venait d'être amené de ses pâturages d'hiver jusqu'au ranch.

Le printemps, cette année-là, s'annonçait excessivement chaud. Les hommes passaient leurs journées à châtrer les jeunes veaux, à les marquer au fer rouge, et à maudire la poussière et le soleil implacable dès qu'il leur restait un peu de temps pour le faire.

Lily cuisinait, faisait la vaisselle, nettoyait, allait faire les courses, dormait... et puis recommençait. Une telle routine avait beau se révéler à la longue harassante, elle ne suffisait pas à apaiser ses remords. Depuis leur rencontre nocturne, Case ne faisait qu'attiser sa mauvaise conscience.

Lorsqu'il leur arrivait de se croiser, il lui décochait de loin des œillades incendiaires, qui lui remettaient à la mémoire avec une acuité surprenante le baiser qu'ils avaient échangé au seuil de sa chambre. Puis, après avoir attisé en elle le brasier du souvenir, il disparaissait en même temps que ses hommes, et s'arrangeait le reste du temps pour avoir avec elle le minimum de contacts possible.

Ce jour-là, presque deux heures après le dîner, alors que la dernière fourchette avait depuis longtemps été rangée, Lily déambulait une fois de plus au rez-de-chaussée, ne sachant comment occuper sa soirée. Aucun programme télévisé ne la tentait, il ne lui restait rien de nouveau sous la main à lire, et il était encore trop tôt pour aller se coucher.

De toute façon, songea-t-elle avec amertume, à quoi bon chercher le sommeil ? Aussitôt qu'elle fermait les yeux, elle voyait s'afficher dans sa mémoire le visage furieux de Case, tel qu'il lui était apparu lorsqu'elle l'avait repoussé.

Lorsque cela se produisait, il lui arrivait de culpabiliser, mais elle n'était pas prête pour autant à lui céder. La crainte de n'être pour lui qu'une passade restait fortement ancrée en elle. Peut-être, se disait-elle, n'était-elle devenue attirante à ses yeux que parce qu'elle était la seule femme disponible sur place... Avec le visage qui était désormais le sien, comment aurait-elle pu imaginer qu'un homme puisse éprouver du désir à son égard pour toute autre raison ?

En désespoir de cause, ne sachant comme occuper son temps autrement, elle marcha jusqu'à la porte d'entrée et sortit sur le porche. Après avoir refermé, elle se tourna vers la nuit noire. Une chouette hulula dans le lointain et parut saluer son arrivée. Lily se surprit à sourire. Le fait pour une citadine comme elle de pouvoir goûter aux joies de la nature était un des rares aspects de son séjour dans l'Oklahoma dont elle avait à se féliciter.

La température avait baissé de manière spectaculaire avec le crépuscule. Si les journées étaient étouffantes, les nuits restaient fraîches et vivifiantes. Lily pouvait sentir l'humidité ambiante se déposer sur ses bras nus. Pour mieux en profiter, elle alla s'asseoir sur la balancelle qu'un souffle de vent agitait.

Le siège craqua doucement sous son poids lorsqu'elle y prit place. D'un coup de talon, Lily lança le mouvement de balancier et se laissa bercer, oubliant sur-le-champ tout ce qui n'était pas cette délicieuse nuit de printemps.

Appuyé contre un piquet de clôture devant la maison, certain que Lily ne pouvait d'où elle était surprendre sa présence dans la pénombre, Case se délectait du spectacle qu'en toute innocence elle lui offrait. La tête rejetée en arrière, poussant du pied la balancelle, elle se délectait des odeurs, des couleurs et des sons de la nuit, comme aurait pu le faire n'importe quelle femme native de ce pays.

Sa petite Californienne ne cessait décidément pas de le surprendre. Lorsqu'elle avait débarqué dans son ensemble rose, il n'aurait pas parié un dollar qu'elle resterait plus d'une semaine. Il ne lui avait fallu que quelques jours pour lui démontrer à quel point il s'était trompé à son sujet. Non contente d'être jolie, elle était également la cuisinière la plus efficace et la plus compétente qu'il eût jamais embauchée.

Hélas, songea-t-il avec abattement, il n'y avait pas que le patron en lui pour se satisfaire de sa présence au ranch. Les nuits étaient longues et solitaires depuis qu'elle était là. De tout son corps et de toute son âme, il n'aspirait plus qu'à lui faire l'amour encore et encore.

Ce n'était là que la moins irréaliste des fantaisies qu'il nourrissait dans le secret de ses pensées. Quant à lui, il était certain de pouvoir passer auprès d'elle sans se lasser bien plus qu'une nuit — et sans doute même toute une vie.

Case étouffa un grognement de frustration et quitta son poste d'observation. Les mains glissées dans ses poches, il marcha la mort dans l'âme jusqu'au porche, prenant soin de gravir lourdement les quelques marches afin d'annoncer son arrivée.

Comme il s'y était attendu, Lily sursauta et se dressa d'un bond en entendant quelqu'un venir à elle. Il se sentit vaguement coupable d'interrompre un de ses trop rares moments de détente, mais il avait déjà trop retardé l'annonce qu'il avait à lui faire.

Il n'était plus qu'à quelques pas lorsqu'elle le reconnut enfin et lâcha avec un soupir de soulagement :

— Ah ! C'est vous... Vous m'avez fait peur.

En guise de salutation, Case souleva le bord de son habituel Stetson noir et le remit soigneusement en place. Puis, il alla se percher sur la rambarde, et commença sans préambule.

— Je voulais vous dire que j'ai décidé d'accorder demain à mes hommes un jour de congé exceptionnel.

— Pourquoi ? s'étonna-t-elle d'un air inquiet. Quelque chose ne va pas ? Il n'y a déjà plus assez de travail ?

Case n'avait pas manqué de noter la nuance de panique dans le ton de sa voix. Cela lui redonna immédiatement courage, et il eut l'impression qu'un énorme poids venait de lui être ôté des épaules. Si Lily redoutait de voir son engagement au ranch Longren prendre fin, elle ne devait pas être insensible à ses charmes autant qu'elle aurait aimé le lui faire croire...

— Non, pas du tout..., répondit-il. Un des gars de l'équipe a eu le pied salement écrasé aujourd'hui. Il sera bientôt remis, mais cela ne serait pas arrivé si tout le monde avait été plus reposé. Sans compter que plusieurs autres n'ont pas l'air au mieux de leur forme. Vu le travail qu'il nous reste à abattre, j'ai pensé que ce serait mieux de décréter un jour de repos, de manière à pouvoir reprendre nos activités en pleine possession de nos moyens.

— Oh ! Je vois...

Dans la pénombre, Case eut un sourire satisfait. Il était évident qu'elle était soulagée, ce qui confirmait avec éclat son impression précédente.

— Vous pouvez donc faire ce qui vous plaira de votre journée de demain, conclut-il. Dormir tard, prendre un des véhicules du ranch pour aller faire du shopping en ville, aller vous balader dans la campagne... A vous de voir. Tout ce que je vous demande, si vous quittez la propriété, c'est de me dire où vous comptez vous rendre et l'heure approximative de votre retour. Au moins, que je puisse savoir par où commencer les recherches si vous disparaissez une fois de plus...

— O.K., boss ! répondit-elle d'un air taquin.

Case eut l'impression de rêver. Il lui était difficile d'en avoir l'assurance dans l'obscurité, mais il aurait juré qu'elle lui souriait...

— Désolé..., grogna-t-il en lui rendant son sourire. Je ne voudrais pas paraître me mêler de ce qui ne me regarde pas, mais c'est juste que vous êtes nouvelle dans le coin. Je m'en voudrais si vous vous perdiez...

— C'est trop gentil ! répliqua-t-elle sur le même ton. Cela fait toujours plaisir de savoir qu'on pense à vous.

— Oh, je ne risque pas de vous oublier, Lily Brownfield. Vous seriez même surprise d'apprendre combien de fois par jour — mais surtout combien de fois par nuit ! — je pense à vous.

S'il n'avait pas fait si noir, sans doute Case aurait-il eu la satisfaction de la voir rougir comme une pivoine. Elle parut en tout cas en rester saisie, car elle ne se risqua ni à protester ni à lui répondre.

Satisfait de son petit effet, il tourna les talons et regagna la maison. Après une telle sortie, songea-t-il avec l'impression d'être vengé, il ne serait peut-être plus le seul à manquer de sommeil...

Le lendemain, Lily ne se rendit nulle part. Elle avait grand besoin de se reposer, et elle préféra opter pour une journée de farniente au soleil.

Après un réveil tardif à 9 heures du matin, elle décida de se passer de petit déjeuner et sortit s'allonger sur une chaise longue, munie d'un jus de fruit et d'un livre qu'elle avait emprunté dans la bibliothèque bien fournie de Case.

Ses jambes et ses bras étaient nus. Quant au reste, elle n'était vêtue que d'un mini-short rose et d'un débardeur à dos nu assorti, qu'elle n'avait jamais portés qu'en Californie. Sur la plage, c'était la tenue idéale. Mais dans un ranch perdu au beau milieu de l'Oklahoma, unique femme à des miles à la ronde au milieu d'une bande d'hommes esseulés, elle ne pouvait manquer de se sentir un peu nerveuse…

Haussant les épaules de sa couardise, elle s'étala de tout son long sur la chaise longue et s'efforça de se raisonner. Le temps des pionniers faisait à présent partie du folklore, et elle n'avait sûrement pas à craindre pour sa vie. La seule chose qui était en danger, c'était son cœur, et Lily commençait peu à peu à se faire à cette idée…

Debout devant la fenêtre de la cuisine, Case observait Lily lézarder en toute impudeur au soleil. Sans doute n'y avait-il chez elle, là-bas en Californie, rien de plus naturel, mais il était heureux qu'aucun de ses hommes ne fût présent sur le ranch pour assister au spectacle…

Une fois encore, il en vint à se demander si ses rêves de la voir rester un jour en Oklahoma ne relevaient pas purement et simplement de l'utopie. Malgré tout son courage et toute sa bonne volonté, Lily Brownfield n'avait rien d'une fille de la campagne. Elle était née en ville, y avait grandi, effectué ses études et toute sa carrière professionnelle.

Dans ces conditions, se demanda-t-il avec étonnement, d'où pouvait lui venir cette quasi-certitude qu'elle accepterait son offre s'il lui demandait de rester ? Ce qui lui semblait évident, c'est qu'il ne la laisserait en tout cas pas partir sans avoir au moins essayé.

Le bruit d'un véhicule descendant à faible allure l'allée conduisant au ranch lui fit quitter son poste à l'arrière de la maison. Pestant contre les importuns qui ne respectaient pas la tranquillité d'autrui, il gagna la porte, sortit sur le porche, et prit appui de son bras levé sur l'un des pilastres pour observer l'arrivée des visiteurs.

Une voiture noire de location fit bientôt halte devant la maison. Il en sortit cinq hommes de haute stature, assez impressionnants, qui le mirent immédiatement sur ses gardes. Un homme âgé mais manifestement au mieux de sa forme, aux cheveux sombres et à l'attitude de patriarche, semblait mener le groupe. Deux jeunes hommes qui lui ressemblaient lui emboîtaient le pas, immédiatement suivis par deux plus jeunes encore, manifestement jumeaux et aussi blonds que Lily.

Saisi par un sombre pressentiment, ce fut sans aménité particulière que Case les accueillit.

— Messieurs ? lança-t-il quand ils ne furent plus qu'à quelques pas de lui. Vous cherchez quelqu'un ?

Les cinq hommes s'arrêtèrent au bas des marches, clignant des paupières pour résister au soleil déjà haut dans le ciel. Case ne put s'empêcher de sourire de ses craintes injustifiées les concernant. Les inconnus semblaient bien plus sous le choc que dangereux et décidés à s'en prendre à lui...

— Est-ce ici, le ranch Longren ? demanda le plus âgé de tous.

— Oui, répondit-il tranquillement. Je suis Case Longren. Que puis-je pour vous ?

— Nous arrivons tout droit de Californie pour parler à Lily Brownfield, reprit son interlocuteur. Est-elle ici ?

Morgan Brownfield avait posé la question par acquis de conscience, pour ne pas avoir fait toute cette route pour rien. Il s'attendait que l'homme lui réponde par la négative, tant il ne pouvait imaginer sa petite fille chérie, si brillante et si bien éduquée, réduite à jouer les cantinières pour une bande de cow-boys dans un ranch perdu.

En recevant sa lettre laconique annonçant ses intentions, il s'était concerté avec ses fils. Ensemble, ils lui avaient laissé trois semaines pour donner de ses nouvelles. Quand à l'issue de ce délai ils n'avaient toujours rien vu venir, ils avaient décidé d'un commun accord de venir en prendre par eux-mêmes.

— Oui, elle est ici..., reconnut Case Longren d'un air renfrogné. Mais si l'un d'entre vous est ce salaud d'avocat qu'elle a failli épouser, alors vous pouvez prendre vos cliques et vos claques, quitter ma propriété sur-le-champ et rentrer chez vous en Californie. Me suis-je bien fait comprendre ?

Cole Brownfield plissa ses yeux noirs, échangea avec ses frères un regard entendu et épia à la dérobée la réaction de son père. Apparemment, Lily avait trouvé en son nouveau patron un autre homme prêt à se battre pour son honneur. D'une certaine manière, cela n'était pas pour le surprendre.

Morgan Brownfield ne sut que répondre. Avec ses manières abruptes à la limite de l'impolitesse, cet homme avait manifestement de Todd Collins la même opinion que lui. C'était tellement inattendu qu'il en resta un moment sans voix. Quand il finit par la récupérer, il partit d'un grand rire et s'exclama :

— Monsieur Longren, je ne sais que vous dire mis à part que vous êtes un homme avec qui je pourrais m'entendre. Dieu merci, je n'ai rien de commun avec ce rat malfaisant de Collins. Je m'appelle Morgan Brownfield et voici mes fils Cole, Buddy, et les jumeaux, J.D. et Dusty. J'ai oublié de vous dire que Lily est ma fille...

Case sourit avec soulagement et se précipita au bas des marches du porche, la main tendue devant lui.

— Lily va être ravie de vous voir, assura-t-il en serrant des mains à la volée. Et si vous voulez me faire plaisir, appelez-moi Case. Laissez vos affaires dans la voiture, nous nous en occuperons plus tard. Lily est dans la cour, à l'arrière de la maison. C'est jour de congé pour tout le monde, vous ne pouviez donc mieux tomber...

La dernière des inquiétudes de Morgan s'envola avec ces quelques mots. Cet homme solide aux manières directes et au regard franc lui avait fait d'emblée une impression favorable, et pas uniquement parce qu'il avait de Todd Collins la même impression que lui. Puis, l'intuition que sa petite Lily Kate et son nouvel employeur pouvaient être liés par bien plus qu'un contrat de travail s'imposa à lui, et il se mit à observer leur hôte avec un intérêt renouvelé.

Cole s'avança pour serrer à son tour la main de Case Longren, déjà certain que si sa sœur ne se fourvoyait pas une fois encore dans ses choix sentimentaux, il ne tarderait pas à être des leurs.

— Nous avons déposé nos bagages dans un motel de Clinton, expliqua-t-il.

— L'un de vous pourra aller les récupérer tout à l'heure, répliqua Case. Vous êtes mes invités. Dieu sait qu'il y a bien assez de chambres dans cette grande maison vide pour vous tous. Cela sera plus facile pour tout le monde, et vous pourrez ainsi passer plus de temps en compagnie de Lily.

Aucun des membres de la famille Brownfield ne jugea utile de le contredire. Ils n'avaient manifestement plus pour seule envie que de pouvoir serrer dans leurs bras leur bien-aimée Lily — ce que Case pouvait comprendre on ne peut mieux, même si ce n'était pas pour les mêmes raisons...

Il prit leur tête et ils contournèrent la maison en passant par le porche. Arrivés à l'arrière du bâtiment, Cole fut le premier à apercevoir les longues jambes nues de sa sœur. Allongée sur un transat, elle leur tournait le dos.

Un sourire attendri apparut sur ses lèvres. Depuis toujours, Lily Kate était plus assoiffée de lumière et de chaleur qu'un lézard...

— Lily Kate, lança-t-il d'un ton gouailleur, tu dois être la seule personne au monde à préférer l'Oklahoma aux plages de Californie pour prendre un bain de soleil !

Lily sursauta et se redressa sur son transat, laissant tomber sur le sol le livre qu'elle lisait. Lentement, elle se retourna pour faire face aux nouveaux venus. Case eut l'impression que son cœur cessait de battre. Il aurait donné une année de sa vie pour obtenir d'elle une seule fois le regard d'adoration qu'elle adressait à son frère aîné.

— Cole ! s'exclama-t-elle d'une voix tremblante. Oh, mon Dieu... Papa ! Buddy, les jumeaux — vous êtes tous là ? Mais...

Lily renonça à poursuivre. Submergée par un trop-plein d'émotions, elle enfouit son visage entre ses mains et laissa échapper un sanglot.

Cinq hommes rivalisant d'attentions et de paroles tendres l'entourèrent aussitôt pour la consoler. Même si elle n'avait aucune raison d'être, Case se surprit à en concevoir une certaine jalousie.

4.

Morgan Brownfield regardait Lily faire de la place pour lui et ses fils à la table dressée dans la cuisine du ranch. Elle manipulait les chaises et empoignait ses frères pour les placer à sa guise avec une aisance et une bonne humeur nées de l'habitude.

S'il n'avait pu voir la cicatrice qui lui barrait toujours le visage, il aurait juré qu'il avait retrouvé sa fille telle qu'il l'avait connue et aimée depuis sa naissance. La jeune femme effacée et silencieuse qu'elle était devenue après son accident et la trahison de Todd Collins n'était plus qu'un souvenir.

Un petit soupir de contentement lui échappa. Il ne pouvait qu'être ravi de la voir enfin reprendre confiance en elle et retrouver goût à la vie. C'était ce qu'il avait espéré et ce pour quoi il avait tant de fois prié. Et à en juger d'après l'attitude de leur hôte, Morgan se doutait qu'il devait être en partie crédité de ce petit miracle.

Case Longren ne quittait pratiquement jamais Lily du regard. En fait, il avait tout d'un homme envoûté par elle. Pourtant, il se tenait en permanence à distance respectueuse de son employée, selon des règles apparemment établies bien avant l'arrivée de la famille Brownfield.

Intrigué, Morgan se cala confortablement sur sa chaise, ravi à l'idée de pouvoir observer le jeu du chat et de la souris dans lequel semblaient engagés ces deux-là…

Un peu à l'écart de ses invités, Case n'avait d'yeux que pour Lily. Aux aguets, il ne ratait aucun des échanges de ce match de ping-pong verbal et badin qui semblait l'opposer en permanence à ses frères.

La voir se démener ainsi, libre et heureuse, lui donnait l'occasion de constater à quel point elle était à présent différente de la jeune femme réservée et sur la défensive qui avait débarqué chez lui quelques semaines plus tôt.

Bronzée et souriante, elle ne détournait plus le visage dès qu'elle se trouvait confrontée au moindre regard. A tel point qu'elle donnait presque l'impression d'avoir oublié sa cicatrice, même si celle-ci demeurait toujours aussi visible.

Alerté par une sorte de sixième sens, Case tourna la tête et surprit le regard insistant du père de Lily posé sur lui. Il s'efforça de ne pas broncher, espérant ne pas paraître aussi coupable qu'il se sentait l'être.

Il était aussi à espérer que Morgan Brownfield ne pouvait lire en lui à livre ouvert. Qu'aurait-il pensé en découvrant que le nouvel employeur de sa fille passait le plus clair de son temps à s'imaginer au lit avec elle ?

— Le déjeuner est prêt ! s'exclama joyeusement Lily. Et comme par hasard, plus ponctuelle qu'une horloge, voilà l'équipe…

Case vit Cole, le moins expansif des frères Brownfield, ouvrir de grands yeux étonnés en découvrant la petite bande d'hommes affamés qui s'attroupait devant la porte.

La veille, à leur arrivée, les frères et le père de Lily avaient pu bénéficier de sa disponibilité et de son attention exclusives. Mais aujourd'hui, le travail ayant repris, ils allaient devoir se faire à l'idée de la partager.

— Lily Kate ? fit Cole en se renfrognant. Ne me dis pas que tu as autant de bouches à nourrir tous les jours !

— Et même trois fois par jour..., précisa-t-elle en riant. Si tu t'étais levé à une heure décente ce matin, espèce de grand paresseux, tu aurais déjà eu l'honneur de les rencontrer. Mais je te rassure, ce n'est pas aussi astreignant que tu sembles le croire. Il s'agit juste de préparer cinq à six fois plus de nourriture que quand je vous préparais vos repas à la maison. A présent, assieds-toi et surveille tes manières. Je ne voudrais pas que ces cow-boys s'imaginent que je viens d'une famille de sauvages !

Case tenta de masquer son sourire amusé sous sa main. L'expression scandalisée des frères de Lily était savoureuse. A l'évidence, ils ne pouvaient supporter l'idée que leur sœur ne les trouve pas parfaits en tout.

En marmonnant leur mauvaise humeur, ils se redressèrent néanmoins sur leurs chaises, alors que les membres de l'équipe les rejoignaient dans un joyeux raffut.

Case enviait à Lily sa liberté de ton vis-à-vis de ses frères. Il devait être rassurant pour elle de savoir que, quoi qu'il arrive, elle pourrait toujours bénéficier de leur soutien et de leur amour inconditionnels. Il était quant à lui fils unique, et sa mère avait quitté son père alors qu'il effectuait ses études à l'université.

Après cette désertion, plus rien ne l'avait attendu chez lui qu'un père aigri et désabusé, qui avait maintenu le ranch à flot uniquement dans le but de lui en confier la direction aussitôt que possible.

Dès que cela avait été fait, Chuck Longren était allé noyer son désespoir dans un océan d'alcool. Aux yeux de son fils, il était déjà mort bien avant que son cœur usé ait cessé effectivement de battre, quelques années plus tard.

Case n'avait pas la moindre idée de l'endroit où sa mère pouvait se trouver ni même si elle était toujours de ce monde. Pour être honnête, il devait reconnaître que c'était le cadet de ses soucis.

Lily Brownfield était la première femme à compter véritablement pour lui depuis très longtemps. Malheureusement, c'était pour l'heure un intérêt à sens unique…

En sa présence, elle oscillait entre une attitude agréable mais distante et une franche hostilité. La nuit précédente encore, il avait passé une bonne partie du temps qu'il aurait dû consacrer au sommeil à redouter qu'il n'en soit jamais autrement, hélas…

Lily était heureuse de constater l'excellent accueil que les hommes de Case réservaient à sa famille. Il ne fallut pas attendre longtemps pour que J.D. et Dusty soient invités à venir se faire la main à la castration et au marquage des veaux.

Les jumeaux, flattés de l'invitation et convaincus de l'importance d'une telle expérience sur leur C.V., acceptèrent sans hésiter. Lily les écouta manifester leur enthousiasme en souriant. Connaissant leur obstination, il lui semblait évident que les pauvres bêtes allaient passer un sale quart d'heure.

J.D. et Dusty ne renonçaient jamais avant d'exceller dans tout ce qu'ils entreprenaient. De tous ses frères, ils étaient ceux qui avaient le plus l'esprit de compétition, entre eux aussi bien que vis-à-vis des autres.

Le déjeuner était à présent terminé. Comme d'habitude, l'équipe avait fondu sur les plats et les avait vidés comme aurait pu le faire un essaim de sauterelles d'un champ de blé. Lily était toujours étonnée de l'abondance et de la qualité des repas que Case tenait à mettre à leur disposition.

Il était certes dans son intérêt que ses hommes travaillent le ventre plein et le cœur content, mais cette générosité était un trait marquant de sa personnalité, pas seulement un calcul avisé.

Depuis la veille, elle l'avait discrètement observé réagir à la présence de ses frères et de son père. Elle en avait conclu qu'en dépit de leurs différences d'origine géographique et d'éducation, ils étaient de la même trempe — obstinés et sûrs d'eux-mêmes mais dotés d'un grand sens de l'écoute ; forts et agressifs mais capables de tendresse et de compassion.

A cela s'arrêtaient les ressemblances. L'intérêt que Lily portait à sa famille ne ressemblait en rien à celui que suscitait en elle Case Longren. Elle aimait profondément son père et ses frères, mais ce sentiment filial et fraternel n'était rien comparé au trouble qui s'insinuait en elle chaque fois qu'il se trouvait à proximité.

Et quand ses yeux d'un bleu si intense se posaient sur elle, ce n'était pas le respect dû à son patron qui faisait fondre la couche de glace qui lui emprisonnait le cœur. Elle aurait été incapable de dire s'il fallait y voir un tour que lui jouaient ses sens ou la naissance de sentiments plus profonds, mais elle était certaine que cela n'avait pas grand-chose à voir avec les bonnes manières qu'elle devait à la parfaite éducation qu'elle avait reçue…

Lily ferma les yeux et se retourna vers la montagne de vaisselle sale qui l'attendait. Pour venir à bout de sa tâche, il lui fallait remettre à leur place les songeries concernant Case Longren — c'est-à-dire dans les limbes de sa conscience.

Distraitement, elle répondit au salut des derniers hommes qui quittaient la cuisine pour retourner au travail, entraînant les membres de sa famille dans leur sillage. Elle n'avait pas de temps à perdre en pensées frivoles. Et elle n'avait aucune intention de mettre de nouveau un homme en position de pouvoir la blesser, comme elle avait commis l'erreur de le faire avec Todd.

Elle en était là de ses cogitations moroses lorsqu'une voix masculine, basse et profonde, retentit derrière elle. Avec un petit cri de frayeur, elle lâcha d'un coup dans l'évier la marmite emplie d'eau savonneuse qu'elle tenait en mains, provoquant une grande gerbe mousseuse qui aspergea le meuble de cuisine et le devant de son corsage.

Sans s'émouvoir de sa mésaventure, Case s'avança vers elle et dit :

— C'est bon de vous voir rire enfin, Lily...

— Pour l'amour du ciel, Case ! protesta-t-elle en tentant vainement d'éponger avec un torchon l'eau de vaisselle avant qu'elle n'atteigne le sol. Vous m'avez fait peur... Je n'avais pas l'impression qu'il restait quelqu'un ici.

— Désolé.

En fait, Case ne regrettait absolument pas de s'être attardé, et encore moins d'avoir provoqué l'incident qui rendait le corsage trempé de Lily, moulé à ses formes, quasiment transparent... Il aurait dû l'être, mais il ne l'était pas.

Elle était si belle ainsi, tellement irrésistible, qu'il l'aurait s'il s'était écouté immédiatement prise dans ses bras pour se coller à elle aussi intimement que la toile de sa blouse l'était à ses seins.

— Regardez ce que vous avez fait ! lança-t-elle d'un ton accusateur en tirant sur son col.

— Je regarde, répondit-il tranquillement. Mais si vous pouviez voir ce que je vois, vous préféreriez sans doute que je détourne les yeux.

Case lutta pour ne pas éclater de rire en voyant le visage de Lily se crisper sous l'effet de la fureur et passer par une douzaine de nuances de rouge.

— Si vous étiez un gentleman, s'indigna-t-elle, vous ne regarderiez pas.

Embarrassée, elle se tourna vers le mur pour se dérober à son regard.

— Vous vous trompez, Lily Kate... Seul un fou refuserait d'admirer une jolie femme quand il en a l'occasion. Un gentleman sait rendre hommage à la beauté.

Lily oublia de respirer ou de s'offusquer du fait qu'il avait employé le surnom qu'on lui donnait dans sa famille. Jolie ! Comment pouvait-il la trouver jolie ?

Comme de sa propre volonté, sa main s'éleva vers sa cicatrice. Elle n'eut pas le temps de la cacher sous sa paume. La main de Case s'était refermée autour de son poignet pour l'en empêcher.

— Je croyais vous avoir dit de ne plus jamais vous cacher.

S'emparant de son autre main, il la fit pivoter entre ses bras pour lui faire face. Sans se résoudre à croiser son regard, Lily hocha la tête pensivement. Elle n'aurait pas supporté de découvrir de la pitié sur son visage.

C'était bien plus le désir qui animait Case à cet instant, et il dut batailler pour ne pas lui lâcher la bride. Entre le pouce et l'index, il lui saisit le menton pour l'amener doucement à le regarder.

— Vous avez failli me faire oublier ce que j'étais venu vous dire, dit-il à mi-voix. Ne prévoyez rien d'autre que des sandwichs pour ce soir. Les hommes se débrouilleront. Je vous emmène, vous et votre famille, dîner à l'extérieur.

Le plaisir que cette nouvelle procura à Lily s'évanouit instantanément. Elle n'était pas sortie en public depuis son accident. L'appréhension la fit se raidir entre les bras de Case.

— Je ne pense pas que ce soit...

— Je ne vous demande pas votre avis, l'interrompit-il. Je n'ai même pas envie de l'entendre. Ce n'est pas comme si j'exigeais de vous un effort particulièrement difficile. J'aurais pu vous demander de me rejoindre dans mon lit... Je me suis contenté de vous inviter à dîner, qui plus est avec cinq chaperons ! S'il vous plaît, Lily... Ne me faites pas l'affront de refuser.

S'il n'avait pas mentionné son lit, Lily n'aurait pas été si désarçonnée. Ce fut l'image que ce mot suffit à éveiller dans son esprit qui lui fit perdre pied et oublier ce qu'elle avait été sur le point de dire. Case avait refermé ses bras autour d'elle et il paraissait vain d'espérer lui résister. Néanmoins, elle parvint à hausser les épaules et marmonna :

— Vous pourriez me le demander jusqu'à ce que votre langue en tombe sur le sol, Case Longren, votre lit resterait le dernier endroit au monde où j'accepterais de vous rejoindre.

Elle fit une tentative pour le fusiller d'un regard hautain, qui échoua lamentablement, et ce fut d'une voix bougonne qu'elle conclut :

— Néanmoins, puisque vous l'avez demandé gentiment, je suppose que je ne peux refuser votre invitation à dîner... du moment que mon père et mes frères nous accompagnent.

Un grand sourire apparut sur les lèvres de Case. C'était une petite victoire, mais elle était néanmoins appréciable. Il était condamné à se satisfaire de tout ce qu'il pourrait obtenir d'elle, et pour l'heure, un dîner sous surveillance était ce qu'il pouvait espérer de mieux.

Il attendit qu'elle se résolve enfin à croiser son regard pour conclure d'une voix douce :

— Même un dîner en compagnie d'un régiment serait un tête-à-tête avec vous du moment que nous sommes ensemble.

Case pencha lentement la tête vers elle. Fascinée par ces lèvres idéalement dessinées qui s'approchaient des siennes, Lily attendit qu'il l'embrasse avec un mélange d'espoir et de résignation.

Mais au lieu du baiser attendu, il prit une profonde inspiration et souffla d'un coup sur sa joue. Une minuscule bulle de savon qui s'y accrochait encore prit son envol. Sans lui laisser le temps de dériver, Case éleva la main et la fit éclater entre le pouce et l'index.

Lily eut l'impression que ce bruit presque inaudible avait résonné à ses oreilles. A moins qu'elle n'ait entendu se fissurer la glace qui figeait son cœur ?...

Buddy Brownfield engloutissait de pleines fourchettes de salade.

— Alors ? demanda-t-il à sa sœur sans interrompre son festin. Il paraît que nous sommes tous invités au barbecue samedi soir ?

Lily, qui entendait parler de ce barbecue pour la première fois, ne sut si elle devait paniquer à l'idée de la quantité de nourriture qu'il lui faudrait préparer ou commencer par corriger les manières défaillantes de son frère.

Visiblement, songea-t-elle, les hommes de la famille étaient restés trop longtemps sans femme auprès d'eux pour les empêcher de glisser sur leur pente naturelle...

— Buddy..., répondit-elle sèchement. Tu ne t'en es pas encore débarrassé, n'est-ce pas ?

La question resta suspendue au-dessus de la table, comme le bout de salade resté coincé aux commissures des lèvres de son frère. Interrompu en pleine mastication, celui-ci leva les yeux de son assiette et la considéra d'un air interrogateur.

— De quoi parles-tu ? marmonna-t-il.

— De ta mauvaise habitude de parler la bouche pleine et d'en mettre partout.

Buddy rougit violemment et s'empressa d'enfourner la laitue récalcitrante. Après avoir convenablement avalé, il adressa à sa sœur un sourire débonnaire et s'excusa.

— Désolé, sœurette. Tu devrais revenir plus souvent nous donner des cours de rattrapage. Il y a bien trop d'hommes vivant seuls dans cette grande maison.

— Ce n'est pas à moi qu'il faut le reprocher ! plaisanta Lily. Je ne parviens pas à comprendre pourquoi quatre jeunes hommes séduisants et dans la force de l'âge comme vous peuvent rester célibataires. Soit vous êtes trop égoïstes et centrés sur vous-mêmes pour partager la vie d'une femme, soit il y a dans vos choix personnels quelque chose que vous m'avez caché...

Case étouffa un rire irrépressible dans sa serviette alors qu'une brochette de regards choqués autour de la table accueillait cette déclaration. Plus que jamais, il était envieux de la complicité sans concessions et sans apprêt qui régnait dans la famille Brownfield. S'il n'avait eu d'autre motif plus impérieux, cela lui aurait suffi pour avoir envie d'y faire son entrée...

Cole, le premier, parvint à surmonter son indignation pour répliquer avec dignité :

— Je ne pense pas qu'aucun de nous ait quoi que ce soit à se reprocher dans ce domaine. Simplement, nous n'avons pas encore trouvé la femme qu'il nous faut. Dois-je te rappeler que tu n'as pas toi non plus trouvé l'homme idéal ? Tu sais que nous haïssions tous Todd « le fourbe » depuis le premier jour. Il s'est avéré que nous n'avions pas totalement tort à son sujet, ce qui tend à prouver qu'il reste quelque espoir pour nous... comme pour toi.

Avec un sourire entendu, Cole tourna la tête vers son voisin de table. Se prêtant au petit jeu, Case lui rendit son sourire et éleva son verre à sa santé.

Pétrifiée par cette sortie, Lily préféra se réfugier dans la contemplation de son assiette. L'innocente plaisanterie de son frère la replongeait dans un abîme de perplexité.

Jamais elle ne s'était autant trompée qu'au sujet de Todd Collins. C'était précisément ce qui la faisait douter aujourd'hui de ses réactions vis-à-vis de celui qui dans son cœur tentait de prendre la place de son ex-fiancé.

A la dérobée, Lily observa la salle bondée, imaginant tous les regards braqués sur son visage défiguré. Nerveusement, elle lissa sur ses flancs la robe fourreau de soie rose qu'elle avait choisie pour cette soirée et constata avec soulagement que personne ne regardait dans sa direction.

En un geste réflexe, sa main s'envola vers sa joue balafrée. Puis elle se souvint de l'avertissement de Case, laissa retomber son bras sur la table et se tourna vers lui. Comme elle s'y était attendue, elle découvrit ses yeux bleus perçants fixés sur elle. Déterminée à ne pas ciller, Lily pointa le menton et se força à le défier du regard, rejetant d'un geste machinal la masse de ses cheveux derrière son épaule.

Case retint son souffle en voyant la chevelure de Lily glisser comme une coulée de miel dans son dos. Une fois de plus, il regretta de ne pouvoir la débarrasser de tous ses vêtements, pour qu'elle puisse enfin paraître à ses yeux, habillée de cette seule parure dorée, dans toute sa glorieuse nudité.

Il était à ce point perdu dans ses pensées qu'il faillit ne pas entendre la réprimande que Morgan Brownfield adressait à son fils.

— Tu n'avais pas à remettre ça sur le tapis, Cole...

— Non, papa..., intervint Lily. Cole a raison. Que puis-je invoquer pour ma défense ? Comme J.D. l'a si bien dit un jour, j'étais éblouie, et comment faire dans ces conditions pour y voir clair ?

Case vit la tristesse assombrir le beau regard vert de Lily. Il aurait voulu la prendre dans ses bras pour la consoler, mais il n'en avait pas le droit, alors il décida de se contenter de moins que cela.

Lily retint son souffle et écarquilla les yeux quand la main de Case, se glissant sous la nappe, vint s'emparer de celle qu'elle avait posée sur sa jambe. En dépit du soin qu'elle avait pris de masquer ses émotions, comprit-elle, il avait capté dans le ton de sa voix, par une lueur dans son regard, peut-être, la souffrance et la colère que sa mésaventure lui inspiraient toujours.

Sur son visage, elle vit passer l'expression d'une profonde sollicitude et d'une grande tendresse qui ne put la laisser indifférente. Sous la table, sa main large et calleuse enserrait la sienne en une étreinte infiniment douce et réconfortante.

Morgan surprit le regard ému qu'échangeaient Lily et son patron. Soudain, il se demanda en se renfrognant si sa fille n'était pas en train de passer d'une relation problématique à une autre...

Après tout, ils ne savaient pratiquement rien de ce Case Longren, mis à part qu'il avait réussi dans la vie, qu'il travaillait dur, et qu'il semblait avoir pour elle une véritable adoration. Mais n'était-ce pas également ainsi que leur était apparu Todd Collins ?

Une chose, cependant, jouait en faveur du rancher : il n'aurait pu être plus indifférent à la longue cicatrice rouge qui barrait la joue gauche de Lily. Pour l'avoir bien observé, Morgan savait que cette attitude n'avait rien d'affecté. En fait, l'homme se conduisait comme si la balafre à ses yeux n'existait même pas.

Morgan soupira et saisit son verre pour le vider d'un trait. Il savait qu'il ne servait à rien de s'inquiéter outre mesure pour sa fille. Elle était adulte à présent, et il l'avait élevée pour qu'elle ne laisse personne décider à sa place et pour qu'elle assume ses décisions.

Tout ce qu'il pouvait faire, conclut-il pour lui-même, c'était rester vigilant et prier pour qu'elle n'ait pas à souffrir de nouveau comme elle avait déjà souffert...

Dans le silence qui s'était établi autour de la table, Buddy insista de nouveau, comme si rien n'était venu le distraire de sa préoccupation première :

— Alors ? Qu'en est-il de ce barbecue ?

En adressant à Lily un dernier sourire de réconfort, Case retira sa main et répondit :

— C'est une sorte de tradition bien établie. Tous les ans, les voisins et amis plus ou moins directs du ranch apportent toutes sortes de bonnes choses à manger et à boire, tandis que je fournis la viande. Duff, mon chef d'équipe, est un virtuose du barbecue. La seule chose dont il refuse de s'occuper, c'est de la friture de veau.

— La friture de veau ? s'étonna Lily qui n'avait jamais entendu parler d'un tel mets. De quoi s'agit-il, exactement ?

La réponse qu'en termes choisis Case lui fit la plongea dans un certain effroi.

— Vous voulez dire que vous mangez..., commença-t-elle. Vous cuisinez ce qui... Des gens acceptent vraiment d'avaler ce qui était...

Autour d'elle, les rires et les commentaires se faisaient de moins en moins discrets.

— ... les organes reproducteurs de ces pauvres bêtes ! conclut-elle.

Saisie par la nausée, elle porta la main à sa bouche, à deux doigts de vomir.

— Seigneur, Lily ! s'exclama Case, incapable de contenir son hilarité. Vous êtes impayable... C'est la première fois que j'entends décrire en termes aussi raffinés les...

Lily s'empressa de l'interrompre.

— Quel que soit le nom que vous leur donnez, s'indigna-t-elle, vous ne me ferez jamais avaler de pareilles... choses. Et je ne peux imaginer que quiconque ayant un minimum de bon sens accepte d'y goûter !

La tête rejetée en arrière, Case redoubla d'hilarité. Il n'y pouvait rien, continuer de taquiner sa jolie Californienne montée sur ses grands chevaux constituait une tentation trop puissante pour être ignorée.

— Vous vous rappelez quand vous êtes arrivée ? reprit-il quand il eut récupéré son souffle. Je me demandais si vous n'alliez pas nourrir mes hommes avec des germes de soja et des graines de tournesol... Si cela peut vous aider, pourquoi ne pas considérer les... *choses* de ces « pauvres bêtes » comme des graines de hamburger ? Après tout, si la nature avait eu le dernier mot, c'est bien ce qu'elles auraient donné. Qu'en pensez-vous ?

Lily recula sa chaise et se leva d'un bond.

— J'en pense, répondit-elle distinctement en le fixant droit dans les yeux, que vous pouvez parfois vous montrer aussi subtil, drôle et léger qu'un taureau en rut ! J'en pense aussi que je ferais mieux de vous laisser poursuivre entre hommes cette intéressante conversation. Je vais me remettre un peu de poudre sur le nez.

Au milieu des éclats de rire masculins qui redoublaient autour de la table, Lily prit aussi dignement qu'elle le put le chemin des toilettes. En fait, songea-t-elle avec un sourire amusé, plutôt que de se repoudrer elle aurait mieux fait de prendre la poudre d'escampette.

Avec six hommes autour d'elle qui s'entendaient comme larrons en foire, il ne lui fallait pas escompter ce soir avoir le dernier mot...

Au cours des quelques jours suivants, le rassemblement du bétail au ranch Longren prit une nouvelle ampleur. Mais petit à petit, en fin de semaine, la préparation du barbecue à venir commença à occuper tous les esprits.

Lily était soulagée, quant à elle, que cet événement lui occasionne une soirée de repos supplémentaire. Elle n'aurait pas à préparer l'habituelle montagne de nourriture, seulement quelques tartes aux fruits et quelques gâteaux en guise de contribution personnelle au buffet.

Naturellement, elle avait refusé tout net d'avoir quoi que ce soit à faire dans la préparation des petites pièces de chair ovoïdes et blanchâtres destinées à devenir les fameuses « fritures de veau ». Le seul fait de se rappeler leur origine la faisait frémir...

Pauvres bêtes ! Aucune des explications rationnelles de Case ne parvenait à ébranler sa compassion à leur égard. Elle avait beau comprendre qu'il ne servait à rien de conserver trop de taureaux dans un élevage, qu'il pouvait même en résulter un certain danger, le moyen d'y remédier lui paraissait toujours aussi scandaleux.

C'était en tout cas un sujet de discussion qui la mettait mal à l'aise. Elle se serait sentie plus dans son élément s'il lui avait fallu discuter avec son employeur des fluctuations du marché boursier, mais elle n'avait pas choisi le bon endroit ni le bon emploi pour cela.

Le cours du bœuf et les techniques d'élevage étaient en effet pour tous ici d'importance aussi vitale que la météo. Plus elle avait à y vivre, plus elle se rendait compte que l'Oklahoma était un état d'esprit avant d'être un Etat de l'Union...

— Lillleeeee !

Le cri horrifié de Buddy dans sa chambre dévala les escaliers et parvint sans difficulté jusqu'aux oreilles de sa sœur dans la cuisine.

Avec un soupir, Lily leva les yeux au plafond et essuya ses mains pleines de farine à un torchon. D'un coup d'œil, elle vérifia la cuisson des tartes qu'elle avait enfournées quelques minutes plus tôt. Elles en étaient à un stade où elles pouvaient encore se passer de son attention.

Il lui fallait monter voir ce que son frère voulait. A en juger d'après son appel désespéré, le connaissant, il pouvait tout aussi bien s'être coupé un doigt qu'éraflé un ongle...

En traversant les pièces spacieuses du rez-de-chaussée pour gagner l'étage, elle laissa son regard errer comme à son habitude sur les meubles et la décoration. Elle avait aimé dès son arrivée l'ambiance presque victorienne de la grande bâtisse. A l'évidence, rien n'avait changé ou presque depuis que Case était né, mais cela ne faisait qu'ajouter au charme de l'endroit.

Tout y était toujours propre, bien rangé et accueillant. Elle n'y était en l'occurrence pas pour grand-chose. Case louait les services d'une entreprise de nettoyage qui s'occupait de l'entretien. Une équipe, discrète et efficace, passait chaque semaine. Ils faisaient leur travail, s'arrangeaient pour ne pas la gêner quand elle était occupée, et disparaissaient aussi tranquillement qu'ils étaient arrivés.

Au début, la présence autour d'elle de deux hommes et d'une femme déambulant dans leurs combinaisons vertes lui avait paru déconcertante. A présent, elle y était parfaitement habituée.

Elle était même reconnaissante du fait de n'avoir que de la cuisine à s'occuper. La maison était énorme, et une femme seule aurait été condamnée pour y faire le ménage à y passer ses journées. Parfois, il lui arrivait de songer que c'était une honte que Case Longren y habite seul.

— Lillleeeee !

Cette fois, Buddy semblait à l'agonie… Sans s'attarder davantage, Lily grimpa les escaliers quatre à quatre.

— J'arrive ! cria-t-elle avant de déboucher sur le palier. Que se passe-t-il ?

Son frère se trouvait debout devant la porte de sa chambre. D'une main tendue devant lui il tenait par le col une chemise blanche, et de l'autre une cravate-lacet à la mode cow-boy.

Avec un sourire affectueux, elle approcha et le vit tendre vers elle les deux pièces de vêtement d'un air désemparé.

— Il manque un bouton au col…, expliqua-t-il. En plus, Case m'a prêté ce truc, mais je ne sais absolument pas comment faire le nœud.

— Bon sang, Buddy ! protesta-t-elle. J'avais l'impression à t'entendre que tu étais à l'article de la mort…

Son sourire lunaire, assorti d'un haussement d'épaules, était ce qu'elle pouvait attendre de mieux en guise d'excuses.

Lily soupira, résignée. Deuxième de ses frères par l'âge, Buddy était le moins armé pour faire face aux problèmes de la vie quotidienne. Il vivait dans un monde d'ordinateurs, de logiciels et de réalité virtuelle qui s'accommodait mal des contingences humaines.

C'était un programmeur de talent — certains disaient même de génie — mais il serait sans doute le dernier à se marier, s'il y parvenait un jour. Il fuyait toute relation personnelle comme la peste, et la seule femme à trouver grâce à ses yeux était sa sœur.

— Un problème ? demanda soudain Case derrière eux.

Lily pivota sur ses talons et le vit penché par la porte ouverte de la salle de bains, encore ruisselant de l'eau de la douche qu'il venait de prendre, vêtu pour seul vêtement d'une serviette nouée autour de la taille.

— Oooops ! fit-il en agrippant la serviette comme pour s'assurer qu'elle ne risquait pas de tomber. Je ne savais pas que vous étiez en haut, Lily. J'étais sous la douche et j'ai entendu quelqu'un crier. J'ai voulu m'assurer que tout allait bien.

— Désolé..., intervint Buddy. Il manque un bouton à ma chemise, et je ne sais pas nouer cette cravate.

Case lui répondit par un vague hochement de tête, mais il n'avait d'yeux que pour Lily. Elle avait rougi et paraissait gênée, mais elle semblait également incapable de détourner le regard. Et en découvrant sur son visage quelque chose de plus que la gêne, quelque chose qui ressemblait fort à de l'intérêt — mieux encore, à de la fascination — il sentit l'espoir renaître en lui.

— Dans ma chambre, il y a un nécessaire à couture dans le tiroir du haut de la commode ainsi qu'une boîte à boutons, indiqua-t-il à son intention. Servez-vous. Pour ce qui est de la cravate, je m'en occuperai lorsque Buddy sera prêt. Il y aura ce soir trop de jolies dames dans l'assemblée pour prendre le risque qu'il ne se présente pas sous son jour le plus séduisant !

En regardant Case disparaître dans la salle de bains, Buddy déglutit péniblement, les yeux écarquillés d'effroi. Avant qu'il ait eu le temps de mettre au point un prétexte pour ne pas se montrer au barbecue, Lily ordonna :

— Donne-moi cette chemise !

Il la lui tendit, mais aussitôt après se réfugia en hâte dans sa chambre, dont il referma soigneusement la porte derrière lui. Lily savait qu'il faudrait plus que l'attrait de la nourriture pour le convaincre tout à l'heure d'en sortir.

Case, songea-t-elle en se dirigeant vers sa chambre, avait eu tort de mentionner la présence de femmes à cette soirée. C'était le meilleur moyen pour que son frère décide de ne pas y participer.

Elle pouvait comprendre sa nervosité. Elle-même avait du mal à se remettre de la vision inattendue que Case venait de lui offrir. Il lui aurait fallu plus de force de caractère qu'elle n'en possédait pour ne pas s'attarder sur ces étendues de peau bronzée, sur ces longs bras et ces interminables jambes musclées, sur cette satanée serviette... et sur ce qu'elle lui avait caché.

Furieuse contre elle-même, Lily pénétra en trombe dans la chambre de Case. Mais elle n'avait pas fait deux pas qu'elle se figea en plein élan. Elle n'avait jamais passé le seuil de cette pièce, et découvrir le lit du maître de maison était un choc auquel rien ne l'avait préparée.

Jamais elle n'avait vu de lit à baldaquin aussi haut et aussi large. Mais plus stupéfiante encore était la parure de lit qui s'y trouvait. Si on lui avait raconté que Case Longren, ce cow-boy austère, ce dur à cuire aux rudes manières, dormait sous un couvre-lit de satin noir, jamais elle n'y aurait cru...

Ses mains tremblaient lorsqu'elle saisit dans le tiroir qu'il lui avait indiqué la bobine de fil. En s'y reprenant à deux fois, elle parvint à en couper une longueur. Mais les images troublantes qui l'assaillaient ne l'aidèrent en rien à enfiler son aiguille. Agacée de sa maladresse, Lily porta le fil à ses lèvres pour l'humidifier et faciliter son passage dans le chas.

L'épaule appuyée contre le chambranle de la porte, Case regardait Lily s'échiner avec une frustration croissante à enfiler son aiguille. Sa concentration n'avait d'égale que la frustration que semblaient lui inspirer ses échecs répétés.

Il trouvait le spectacle touchant et ne l'aurait pour rien au monde interrompu, mais lorsqu'il la vit pointer un bout de langue rose pour humecter son fil, il en conçut un tel trouble qu'il préféra signaler sa présence.

— Besoin d'aide ?

Lily sursauta et laissa tomber sur le sol l'aiguille et le bouton qu'elle tenait en main. Avec un petit bruit agaçant, celui-ci alla rouler sous la commode.

Remise de sa surprise, Lily se laissa tomber à quatre pattes et se mit à la recherche de l'aiguille et du bouton. Ce faisant, elle laissa fuser un soupir d'agacement et lança d'une voix exaspérée :

— Bon sang, Case ! Me surprendre au moment le moins indiqué semble devenir une habitude chez vous...

Le bras passé sous la commode, Lily trouva le bouton sous ses doigts en même temps qu'elle vit les pieds nus et les jambes habillées de jean de Case apparaître à côté d'elle. Après avoir récupéré l'objet de ses recherches, elle accepta la main qu'il lui offrait pour l'aider à se relever.

Le problème qui se posa alors à elle fut de constater avec émoi qu'à part son jean il ne portait rien d'autre. Incapable de détourner les yeux, Lily contemplait la poitrine d'homme la plus large, la plus bronzée et la plus diablement tentatrice qu'il lui eût jamais été donné de voir.

— Vous l'avez trouvé ? s'enquit-il d'un air innocent, sachant parfaitement l'effet qu'il produisait sur elle.

— Trouvé ? répéta-t-elle d'un air absent sans lever les yeux. Quoi donc ?

— Le bouton.

— Oh, oui ! Le bouton... Le voilà.

Elle se rendit compte de ce qu'elle faisait en agitant le bouton devant elle et leva enfin les yeux. Dans ceux de Case, elle découvrit une lueur amusée qui lui fit honte et suscita en elle l'envie de s'enfouir sous le couvre-lit de satin noir pour ne plus jamais en sortir. Alors qu'elle était à sa merci, sous le charme de sa virile présence, il s'amusait encore à la taquiner...

Machinalement, sa main s'éleva vers sa joue blessée, mais l'avertissement muet qu'elle lut sur son visage la dissuada de conclure son geste.

— Combien de fois devrai-je vous répéter de ne plus vous dérober à mon regard, Lily ?

Lily ouvrit la bouche pour protester puis se ravisa. Elle aurait pu tout aussi bien poser sa candidature à la présidence des Etats-Unis, cela se serait révélé aussi futile...

Sans rencontrer de résistance, Case lui prit le bouton d'une main, l'aiguille de l'autre, et les posa sur la commode avec un soin excessif.

— Bas les armes..., murmura-t-il.

L'instant d'après, il fondait sur elle pour l'entourer de ses bras.

Lily se sentit fondre dans un océan de douceur, de force et de chaleur. La joue appuyée contre sa poitrine, elle entendait battre avec force et régularité contre son oreille le cœur de Case. Ce bruit lui semblait presque plus intime et émouvant que le contact de son corps à demi nu contre le sien, ou que l'odeur enivrante et fraîche de sa peau.

— Que pensez-vous être en train de faire ? protesta-t-elle, sans trop savoir comment elle y était parvenue.

— Chut ! lui intima-t-il à mi-voix. Ne parlez pas. Vous allez tout gâcher.

— Case...

Elle ne put en dire plus.

Case captura ses mains dans les siennes et les noua dans son dos, l'obligeant à s'accrocher à lui comme il s'accrochait à elle. Elle aurait pu, bien sûr, ne pas se laisser faire, dénouer ses doigts et s'écarter de lui, mais elle sentit au contraire qu'elle lui rendait son étreinte avec force et passion. Alors, elle renonça à lutter et sut qu'elle était perdue.

Encouragé par sa réaction, Case laissa ses lèvres dériver sur le visage de Lily, jusqu'à emprisonner sous la sienne sa bouche tendre et douce. Avec appréhension, il se figea dans l'attente qu'elle le repousse avec violence, mais rien ne vint. Bien au contraire, elle se coula plus intimement contre lui et pencha la tête pour se prêter avec une volupté évidente au baiser.

Dans un gémissement rauque, Case redoubla d'ardeur. La réponse de Lily… Voilà à quoi il rêvait depuis des semaines, ce qu'il n'osait plus espérer. Hélas, à peine avait-il atteint son but qu'il lui fallait y renoncer. Dans moins d'une heure, les invités du barbecue arriveraient par petits groupes, sans parler du reste de la famille Brownfield qui ne se trouvait qu'à quelques portes d'eux.

Incapable de se faire à l'idée de mettre un terme au baiser, Case laissa ses mains descendre des épaules de Lily jusqu'à ses seins, qu'elles caressèrent de manière suggestive avant d'aller se poser sur ses hanches. Enfin, avec un soupir de regret, il parvint à la repousser doucement.

— Ma première pensée chaque matin au réveil est pour vous…, confessa-t-il en la couvant d'un regard d'adoration. Ainsi que ma dernière pensée le soir avant de m'endormir. Mais Dieu m'en soit témoin, je dois renoncer pour l'instant à vous le prouver, sans quoi vos protecteurs vont me pendre comme un chien devant tous mes voisins…

Lily frissonna, surprise de la souffrance que lui infligeait cette séparation brutale après de si tendres prémices. Prenant soudain conscience qu'elle avait répondu à ses avances en toute spontanéité, elle se fit honte et baissa piteusement la tête. Qu'allait-il penser ? Qu'elle était mûre pour tomber dans son lit ?

— Je suis désolée..., murmura-t-elle.

— Il n'y a pas de quoi.

Frustré, Case s'empara de sa main, la posa sur ses abdominaux sculptés, et la fit lentement descendre jusqu'entre ses hanches.

— Comme vous pouvez le constater, dit-il en l'y pressant fortement, ce serait plutôt à moi d'être désolé. Mais il n'en ira pas toujours ainsi entre nous, Lily. Pas si vous me laissez vous prouver que certains hommes sont dignes de confiance.

Lily rougit violemment, trop embarrassée pour retirer sa main, puis se reprit et la fit remonter le long du torse de Case, jusqu'à se poser à l'endroit où battait son cœur. Levant les yeux, elle s'efforça de soutenir son regard sans ciller.

— Ce n'est pas une affaire de confiance, dit-elle. Ce qui m'inquiète, c'est ce que je vois chaque fois que je croise un miroir. Je ne pense pas que vous continueriez longtemps à m'accorder votre première pensée du matin, Case, si vous découvriez au réveil cette face de cauchemar sur l'oreiller voisin du vôtre. C'est cela qui m'inquiète.

Sans attendre de réponse, elle se détourna, ramassa le bouton, l'aiguille et la chemise sur la commode puis sortit sans rien ajouter.

— Si un jour il commet l'erreur de croiser ma route, murmura Case en la regardant sortir de sa chambre, je jure de faire payer à Todd Collins ce qu'il vous a fait.

*
* *

Confrontée au flot incessant de nouveaux arrivés, porteurs de plats à distribuer sur les tables dressées sous les arbres de la cour principale du ranch, Lily sentit peu à peu son appréhension céder du terrrain.

Les effluves du feu de noyer et de la grillade de bœuf surveillés jalousement par Duff embaumaient l'air surchauffé de cette fin d'après-midi. Bientôt, le crépuscule arriverait, et avec lui fraîcheur et pénombre. Elles seraient les bienvenues. Même si elle faisait de son mieux pour assumer sa cicatrice, il tardait à Lily de ne plus se sentir exposée en pleine lumière aux regards de tous.

Elle et sa famille ne cessaient d'être présentées aux invités qui continuaient d'arriver à flots, jusqu'à ce que Case renonce et les laisse finalement se présenter eux-mêmes aux derniers retardataires.

Lily n'avait pas manqué de remarquer les regards étonnés ou insistants que lui valait la balafre sur sa joue gauche, mais aucune moquerie ni aucun mot déplacé ne parvint jusqu'à elle. L'intérêt qu'elle suscitait n'était pas lié à un sentiment d'horreur ou de dégoût, mais bien plus à une curiosité bienveillante pour le drame qui l'avait manifestement frappée.

A plusieurs reprises, elle eut l'impression qu'on attendait d'elle qu'elle s'explique sur l'origine de sa blessure, mais nul ne le lui demanda franchement. Respectant son mutisme, les gens passaient alors à autre chose, comme si son silence suffisait à répondre à leurs questions muettes.

Tant et si bien qu'au bout d'un moment Lily put se mêler aux conversations sans la moindre gêne. Il lui fallait prêter attention aux meuglements des veaux nouvellement parqués dans les corrals pour se rappeler qu'elle était à présent comme eux marquée pour la vie d'un signe distinctif...

La foule des invités avait déjà largement fait honneur aux plats apportés par les uns et les autres lorsque Duff, rouge et radieux, cria depuis son poste devant le barbecue :

— C'est prêt ! Vous pouvez venir vous servir…

Dans la minute qui suivit, sa courte stature fut engloutie par la cohorte des invités pressés de goûter aux quartiers de bœuf grillés, dont le fumet titillait depuis trop longtemps les papilles gustatives de tous.

Cole Brownfield les regarda faire en souriant, décidé à attendre un moment plus propice pour aller se servir à son tour. Toute la soirée, il avait été impressionné par la chaleur et l'amabilité de ces gens qui les avaient accueillis les bras ouverts, sans réticence aucune.

A l'évidence, songea-t-il avec soulagement, Lily avait trouvé l'endroit idéal pour guérir de ses blessures, visibles ou invisibles. Ce n'était pas en Californie, royaume du paraître et de l'apparence, qu'elle aurait pu bénéficier d'une telle chaleur humaine ni d'une telle ouverture d'esprit.

Qui plus est, cette ambiance paraissait communicative… Du coin de l'œil, Cole observait son frère Buddy, en grande discussion avec une jeune femme d'allure austère et sérieuse qui tout naturellement était venue prendre place à côté de lui. Il devait presque se pincer pour y croire… Très à l'aise, son cadet ne paraissait pour une fois ni paniqué ni intimidé. Soit la nouvelle venue faisait preuve d'une habileté diabolique, soit son professeur nimbus de frère avait bien changé !

Cole lui aussi avait bénéficié de ce climat de confiance. Si ce barbecue avait été organisé à L.A., il aurait déjà été à cette heure repéré comme officier de police, encensé par les uns et observé comme une bête de foire, vilipendé par les autres et traité avec mépris, mais en tout cas jugé et soigneusement tenu à distance.

Ici, personne ne s'intéressait à ce qu'il faisait pour gagner sa vie. Il était simplement reconnu et accepté comme le frère aîné de Lily, la nouvelle cuisinière du ranch Longren. Du moins eut-il cette impression jusqu'à ce que l'accoste sans façons un petit bout de femme appelé Debbie Randall. Avec elle, il s'était senti immédiatement évalué, apprécié... et adopté.

Avec force blagues et sourires, la jeune femme avait fait la conquête de Morgan, avait su mettre Buddy à l'aise, et avait failli s'évanouir de plaisir en découvrant que J.D. et Dusty étaient acteurs. Depuis, elle avait reporté sur eux toute son attention, ce qui n'était pas pour déplaire à Cole. Il n'avait nullement besoin d'avoir une jeune beauté de l'Oklahoma au caractère bien trempé et au tempérament de feu collé à ses basques... Il avait déjà suffisamment à faire à s'inquiéter au sujet de sa sœur.

Il gardait un œil sur les festivités, souriant en silence de l'aimable badinage de ses frères autour de lui, et l'autre sur Lily, qui tentait sans grand succès depuis quelques minutes de se fondre dans la pénombre. Case Longren contrariait tous ses efforts en ce sens, et de cela, Cole lui était reconnaissant.

Il avait tout de suite apprécié ce grand cow-boy d'allure taciturne. Il lui paraissait évident que si sa sœur voulait bien se détendre et laisser les choses se faire, une relation sérieuse pourrait se nouer entre eux.

— Qu'en penses-tu, p'pa ? demanda-t-il à son père qui se penchait à côté de lui pour remplir à la bouteille un grand verre de thé glacé. Plutôt encourageant, non ?

Après avoir vidé son verre, Morgan s'adossa à sa chaise et tapota son ventre d'un air satisfait.

— J'en pense, répondit-il, que je vais devoir me mettre en quête de bicarbonate de soude avant d'aller au lit. Jamais vu autant de bonnes choses rassemblées au même endroit…

— Je parlais de Lily…, précisa Cole sans la quitter des yeux.

Son père reprit son sérieux et considéra sa fille d'un air pensif. Tellement elle riait à propos de quelque chose que Duff venait de dire, elle était presque pliée en deux, appuyée sur le bras de Case.

L'un des jumeaux, qui passait par là, en profita pour enfourner dans sa bouche ouverte un gros morceau de viande, stoppant net son fou rire. Le raffut qui s'ensuivit fit plaisir à voir.

Lorsque Lily avait quitté la Californie, non seulement elle n'aurait pas été capable de rire aussi librement au milieu d'une telle foule, mais elle ne se serait certainement pas non plus vengée de son frère comme elle venait de le faire.

— Je pense qu'elle est en bonne voie de guérison pour ce qui est des blessures intérieures, répondit enfin Morgan. Mais je ne sais pas si elle est prête à vivre avec le souvenir bien visible que lui a laissé son accident.

— Je pense que l'homme qui se trouve à côté d'elle pourrait l'y aider, p'pa…, reprit Case. Alors s'il te plaît, avant notre départ, ne l'accable pas cette fois de conseils de prudence. Laisse-la faire ses propres choix, prendre les décisions qu'elle doit prendre, sans chercher à toute force à la faire rentrer à la maison pour y rester avec nous.

Choqué par ce qu'il venait d'entendre, Morgan se tourna vers son fils aîné et demanda d'un air pincé :

— Es-tu bien conscient de ce que tu me demandes ?

— Je sais ce qui risque de se passer, répondit Case avec assurance. J'espère même que Lily saura ne pas passer à côté de sa chance cette fois. Je pourrais prendre un pari sur Case

Longren. Regarde-le bien… S'il n'est pas encore amoureux d'elle, il en est si près que cela ne fait aucune différence !

Morgan hocha la tête et garda les yeux fixés un long moment sur le couple formé par sa fille et leur hôte. Il était vrai qu'ils semblaient être faits l'un pour l'autre. Pourtant, il ne pouvait s'empêcher de ressentir en les observant un pincement au cœur. Sa petite Lily Kate avait déjà beaucoup souffert, et il ne pouvait supporter la perspective de la voir souffrir encore.

— Je suis d'accord avec toi, Cole, répondit-il enfin en se tournant vers son fils. Et je suivrai ton conseil… pour cette fois. Mais Dieu vienne en aide à l'homme qui s'avisera de faire souffrir Lily de nouveau !

— Tu n'as pas à me dire cela, p'pa… Rappelle-toi : c'est toi qui as dû m'empêcher de filer à L.A. arranger le portrait de ce satané Todd Collins. Je me fiche de savoir quel âge elle a. Lily Kate reste et restera ma petite sœur.

Case regarda Lily s'éclipser en catimini des festivités et se diriger vers la maison. Après avoir grimpé les marches du porche, elle contourna celui-ci, sans doute pour entrer par la porte de la cuisine.

Sans hésiter, il laissa tomber son assiette jetable à moitié pleine dans un baril qui faisait office de poubelle et la suivit alors que retentissaient les premiers accords de *Shenandoah*.

Pete, grimpé sur une table, venait de se mettre au violon. En hâte, on faisait de la place autour de lui pour improviser une piste de danse. Sans doute, songea-t-il, ne fallait-il pas chercher plus loin les raisons de la fuite précipitée de celle qui aurait pu devenir sa cavalière…

— Lily ? cria-t-il à la cantonade en pénétrant dans la cuisine.

Sa réapparition dans la pièce aussitôt qu'il eut crié le prit par surprise.

— Que vous arrive-t-il ? demanda-t-elle en enfilant un lainage. Sommes-nous à court de glaçons ? Dois-je préparer un peu plus de limonade ?

Figé sur place, Case répondit la première chose qui lui passa par la tête.

— Où étiez-vous passée ?

— J'avais un peu froid. Je suis rentrée chercher de quoi me couvrir.

— C'est donc ça..., murmura-t-il. Je pensais que... Peu importe ce que je pensais.

Il ne tenait pas plus que cela à se rendre ridicule en lui avouant qu'il avait imaginé qu'elle ne voulait pas danser en public avec lui.

— Puisque nous sommes ici, reprit Lily en se dirigeant vers le réfrigérateur, nous pourrions en profiter pour rapporter quelques bouteilles. De quoi sommes-nous à court ?

Par la porte ouverte, un filet de lumière passait qui l'éclairait à contre-jour et la rendait dans la pénombre plus adorable que jamais. Case avait l'impression de sentir son sang bouillir dans ses veines.

— De patience ! lança-t-il de manière impulsive.

Lily rougit violemment. En marchant lentement pour la rejoindre, Case la vit baisser les yeux et se dit qu'il aurait dû résister. Ce n'était sans doute pas très honorable d'abuser de la situation. Mais il n'était qu'un homme après tout, et en sa présence il ne risquait pas de l'oublier...

— Venez..., dit-il à mi-voix en l'enveloppant dans ses bras.

— Case..., murmura-t-elle. On pourrait nous voir.

— Voir quoi ? grogna-t-il. Vous et moi en train de danser dans le noir ? Quel mal y a-t-il à cela ?

— De danser ? répéta Lily, surprise.

Elle tendit l'oreille, et alors seulement parut s'apercevoir du violon de Pete qui jouait en sourdine, et dont le filet de musique aigrelette et entraînante s'insinuait dans la pièce par la porte ouverte.

— Je peux ?

Case s'était reculé d'un pas et gardait suspendue sa main dans la sienne, comme s'il n'attendait plus que sa réponse, en parfait cavalier.

Lily prit une profonde inspiration. Elle sut qu'elle aurait sans doute à regretter sa décision plus tard, mais elle était aussi incapable de lui résister que d'empêcher le vent de souffler.

— J'en serais honorée..., répondit-elle dans un souffle.

De nouveau, elle se glissa entre ses bras accueillants, posa sa joue contre sa poitrine, et attendit. Il l'entraîna dans une valse, leurs pieds glissant sur le sol carrelé dans une parfaite harmonie. Il conduisait, elle se laissait conduire, et rien, jamais, ne lui avait paru plus simple ni évident. A cette minute, Lily l'aurait volontiers suivi en enfer sans lui poser de questions si l'envie lui en était passée par la tête.

La musique était ancienne, la mélodie délicieuse, et Lily retint son souffle en se laissant entraîner par Case à travers toute la cuisine, puis sur le porche où le violon de Pete se mêla à la voix nostalgique d'un homme qui s'était mis à chanter. D'avant en arrière, de long en large, ils arpentèrent l'espace réduit du porche, masqués par la pénombre et noyés dans la douceur de la nuit.

Le souffle de Case lui caressait l'oreille. Lily se mordit la lèvre pour s'empêcher de tourner la tête vers lui. Elle ne voulait pas qu'il l'embrasse, voulait encore moins être attirée par lui. Plus que tout, elle ne voulait plus souffrir. Pourtant, elle ne pouvait s'empêcher d'aspirer à plus que cette simple danse, à mieux que ce contact ténu de leurs deux corps à peine serrés l'un contre l'autre.

Lily laissa échapper un soupir et se sentit malgré elle se couler un peu plus contre lui entre les bras de Case. La musique jouait toujours, mais leurs pieds avaient à présent cessé de se mouvoir. Incapable d'éviter plus longtemps son regard, elle releva les yeux et se noya dans un océan de bleu si intense que lui vint l'envie de pleurer.

Pour ne pas sombrer, elle se força à dire quelques mots, qui se perdirent entre les lèvres de Case. Soudain, il n'y eut plus pour elle que sa bouche posée sur la sienne, ses mains explorant fiévreusement son corps. Elle se sentit soulevée et poussée contre un mur, où elle resta suspendue contre lui, ses pieds ne touchant plus terre. Alors, dans un ultime éclair de conscience, elle comprit qu'il lui fallait réagir avant d'avoir à le regretter...

Case se sentait sur le point de dévaler une pente sur laquelle plus rien ne pourrait l'arrêter. En vain, il essaya de se reprendre. Lily était douce, chaude, tendre, consentante contre lui. Déjà, il avait obtenu d'elle bien plus que ce qu'il aurait pu espérer la veille. Mais ce n'était pas assez...

— Lily..., murmura-t-il d'un ton implorant.

— Non ! répondit-elle, avant qu'il ait eu le temps de lui demander quoi que ce soit.

Case poussa un soupir résigné. En douceur, il la laissa glisser contre le mur jusqu'à ce que ses pieds touchent le sol. Comme pour se faire pardonner, il prit le temps de la recoiffer, puis posa le menton sur son front.

— Un beau jour, Lily Kate, vous n'aurez plus ni l'envie ni le courage de me dire non.

La souffrance que dénotaient ces quelques mots fit mal à Lily, mais la conviction qui les animait lui donna quelque espoir. Si seulement elle avait pu s'y accrocher…

Elle commençait à croire en lui, un tout petit peu, mais arriverait-elle un jour à croire suffisamment en elle pour leur donner une chance ?

Pour l'heure, rien ne lui semblait moins sûr.

5.

Lily déposa une touche de blush au sommet de chacune de ses pommettes, s'efforçant d'ignorer la cicatrice.

En cette belle matinée de dimanche, alors que son père et ses frères n'avaient pas encore regagné la Californie, leur présence lui donnait le courage d'accomplir un geste dont elle rêvait depuis son arrivée en Oklahoma. Aujourd'hui, elle se rendait à l'église…

Il y aurait du monde, pour assister à l'office.

Devant le miroir de sa coiffeuse, Lily prit une profonde inspiration et effectua une dernière inspection critique de son visage.

D'autant que pour ce qui lui restait à faire, il lui fallait mettre tous les atouts de son côté…

— Aller à l'église ? Moi ?

Lily soutint calmement le regard de Case et attendit que le choc initial que lui avait causé sa proposition s'estompe. Lorsqu'elle le jugea prêt à lui prêter de nouveau attention, elle poursuivit :

— Oui, vous… Ainsi que moi et ma famille. Quand j'étais en Californie, j'y allais tous les dimanches, vous savez.

Pour lui assener le coup de grâce, elle darda sur lui un regard sévère qui le fit se dandiner nerveusement devant elle.

— Pourquoi n'iriez-vous pas ? insista-t-elle. C'est contre vos principes, ou ce n'est tout simplement pas dans vos habitudes ?

— Cela l'était autrefois, marmonna-t-il en évitant son regard. Il y a une éternité... lorsque mes parents vivaient encore ensemble. Cela doit faire au moins...

— Raison de plus pour ne pas tarder plus longtemps ! l'interrompit-elle en hochant vigoureusement la tête.

Pour mieux faire passer le message, elle décida d'atténuer sa remarque par un sourire candide assorti d'une question innocente.

— Vous n'êtes pas d'accord avec moi ?

Case fourra les mains au fond de ses poches. Le visage de pureté virginale qu'elle lui offrait ne le trompait pas une seconde. Certes, on ne pouvait rêver femme plus douce qu'elle. On ne pouvait lui enlever non plus le mérite de rester envers et contre tout droite et digne.

C'était évident, Lily Brownfield demeurait en toute circonstance une lady. Mais plus il la côtoyait, plus il suspectait quant à lui que sous ces dehors arrangeants se cachaient une volonté de fer et une énergie indomptable. Pour l'homme qui aurait l'honneur et la chance de partager sa vie, conclut-il pour lui-même, le mélange promettait d'être détonant...

— Je pense que vous avez raison, Lily Kate..., répondit-il enfin avec flegme. Il est grand temps qu'un certain nombre de choses changent dans ce ranch. Faites-moi signe quand vous serez prête à partir. Je le serai aussi.

Lily le regarda tourner les talons et s'éloigner avec un pincement au cœur. Elle préférait ne pas s'attarder sur ces paroles à double sens. Il ne faisait aucun doute pour elle que son attitude à l'égard de Case faisait partie de ces « choses » qu'il voulait voir changer...

— Nous allons être en retard ! s'impatienta Lily, au bas de l'escalier, en regardant les hommes de la famille Brownfield descendre les marches.

Son père, qui s'était mis pour l'occasion sur son trente et un, venait en tête. Lui aussi avait l'habitude de se rendre à l'église le dimanche, chez lui à Laguna Beach.

Quand elle lui avait exposé son idée, il y avait tout de suite adhéré avec enthousiasme, curieux de partager la pratique religieuse de ces cow-boys de l'Oklahoma, si éloignés par le style de vie de ses habituels voisins de congrégation.

Les jumeaux venaient ensuite. Blonds comme les blés, bronzés comme des surfers, les yeux verts pleins d'une tranquille assurance, ils auraient pu poser pour une publicité à la gloire de la jeunesse californienne...

Comme à leur habitude, ils étaient habillés exactement de la même manière, y compris dans le choix des couleurs vives de leurs vêtements sportswear à la pointe de la mode. A n'en pas douter, leur entrée ne passerait pas inaperçue à l'église, surtout s'il se trouvait quelques cœurs féminins à prendre dans l'assistance...

Cole sautillait de marche en marche derrière eux, une main posée sur la rampe, l'autre serrée autour du poignet de Buddy pour l'obliger à suivre le mouvement. Agrippé à une console de jeux portative, celui-ci se laissait entraîner tel un enfant perdu dans son monde, inconscient de ce qui l'attendait et manquant se rompre le cou dans l'escalier à chaque instant.

Lorsqu'il arriva sur la dernière marche devant elle, Lily tendit la main et ordonna d'une voix tranquille :

— Donne-la-moi…

Buddy releva les yeux, lança quelques regards étonnés autour de lui, manifestement surpris de voir où il se trouvait, et ouvrit la bouche pour protester. Il n'allait jamais nulle part sans avoir une de ses précieuses machines sous la main. Mais la détermination de Lily était sans faille. Il dut le lire dans son regard, car il lui tendit la console après l'avoir éteinte avec un soupir résigné.

Depuis le palier du premier, Case observait la scène avec attention, souriant de voir une fois de plus à l'œuvre la main ferme et aimante avec laquelle Lily faisait marcher ses cinq hommes à la baguette. L'un après l'autre, ajustant leurs vêtements et leurs cols, ils passèrent devant elle pour obtenir son approbation.

En la regardant remettre en place une mèche de cheveux, désigner d'un doigt accusateur un lacet défait, rajuster un nœud de cravate, Case se sentit un peu triste pour elle. En plus du deuil auquel il lui avait fallu faire face au sortir de l'enfance, la mort prématurée de sa mère avait constitué pour Lily un passage de relais, qui l'avait fait entrer dans l'âge adulte de manière prématurée.

Après en avoir terminé avec son petit monde, elle leva la tête, s'apprêtant sans doute à l'appeler. Quand elle l'aperçut en haut de la volée de marches, elle en resta bouche bée et écarquilla les yeux.

L'avertissement acerbe qu'elle avait été sur le point de lancer à l'intention de Case mourut sur les lèvres de Lily. Dès qu'elle le vit, les yeux fixés sur elle, elle sentit son cœur faire un bond dans sa poitrine et ses poings se serrer. Et quand il se mit à descendre lentement les marches, elle eut beau essayer de détourner le regard, rien n'y fit et elle resta à l'admirer béatement, telle une midinette croisant la route de la star de ses rêves…

La toile légère de son pantalon kaki moulait ses cuisses de manière évocatrice à chaque pas qu'il faisait. Ses souliers noirs brillaient d'un éclat sans défaut, manifestement polis jusqu'au miroir en son honneur. Quand il éleva ses bras dans son dos pour mettre en place le col de sa chemisette à carreaux, les muscles gonflèrent et jouèrent souplement sous sa peau. Enfin, en ayant terminé avec ses préparatifs, il descendit les dernières marches quatre à quatre.

Lily secoua la tête pour se reprendre. C'était dimanche, ils se rendaient tous à l'église, et elle était censée se trouver dans un état d'esprit pieux et recueilli. Il était temps de se repentir des transgressions de la semaine écoulée, et de prendre de bonnes résolutions pour celle à venir.

Hélas, voir cet homme qui se mouvait comme un fauve et la transperçait d'un seul regard de ses yeux bleus suscitait en elle des idées et des envies qui n'avaient rien à faire dans la maison du Seigneur…

En arrivant à la hauteur de Lily, Case remarqua qu'elle avait les joues roses. Certes, elle s'était maquillée… mais, comprit-il avec satisfaction, elle était surtout troublée.

Cela lui faisait du bien de constater *de visu* qu'il pouvait lui arriver à lui aussi de lui faire un certain effet. Ce n'était que justice, selon son point de vue, puisqu'elle l'avait ensorcelé pour sa part depuis le premier jour où elle avait franchi les portes du ranch.

Cole, qui avait observé depuis le début avec intérêt ces échanges de regards entre sa sœur et leur hôte, demanda d'un air dégagé :

— Qui part avec qui ?

Avant que Lily ait pu prendre des dispositions contraires, Case s'empressa de suggérer :

— Lily pourrait monter dans le pick-up avec moi. Vous cinq pourriez prendre votre voiture et nous suivre. Ainsi, tout le monde serait à l'aise et nous arriverions sans un faux pli pour l'office.

— En ce qui me concerne, c'est parfait comme cela..., décréta Morgan. Nous vous suivons, Case.

Sans attendre que sa fille se rebiffe, il tourna les talons et se dirigea vers la porte, ses fils marchant dans ses pas comme une portée de canetons montés en graine.

— Vous l'avez fait exprès pour que nous restions seuls ! lança Lily d'un ton accusateur après leur départ.

— Comment l'avez-vous deviné ? s'étonna-t-il d'un air faussement ingénu.

Son impudence la laissa sans voix. Il lui parut plus digne de ne pas insister et elle prit les devants vers la sortie.

— Dépêchons-nous ! lança-t-elle sèchement par-dessus son épaule. Sans quoi, nous serons en retard à cause de vous.

— Oui, m'dame ! répondit Case avec empressement dans son dos.

Elle aurait voulu être fâchée, mais Lily ne put s'empêcher d'en sourire.

Ils roulèrent en convoi jusqu'à un carrefour, un peu avant Clinton, où Case obliqua sur la gauche, tournant le dos au centre-ville.

— Où allons-nous ? s'étonna Lily.

Elle s'était attendue à ce que l'église se trouve dans la ville même et trouvait assez inquiétant ce changement de direction.

— A l'église, comme convenu, répondit-il sans quitter la route des yeux. Je vous conduis à celle où j'ai été baptisée. J'ai supposé que c'était là que vous vouliez…

— C'est parfait ! l'interrompit-elle dans un souffle.

En ce qui la concernait, l'idée d'un Case Longren bébé était trop troublante pour qu'elle prenne le risque de s'y attarder…

Quelques virages plus tard, la petite église de campagne fut en vue, nichée au cœur du seul bouquet d'arbres à des kilomètres à la ronde.

Lily commençait vaguement à regretter son initiative. En l'observant à la dérobée, elle se rendait compte que plus ils approchaient du but, plus le visage de Case se figeait. Manifestement, songea-t-elle, ce retour aux sources devait lui coûter bien plus qu'elle aurait pu s'en douter.

Case balaya du regard les alentours poussiéreux de la petite église. Rien ne semblait avoir changé au cours de toutes ces années où il s'était tenu éloigné de ce lieu. Tout était conforme à son souvenir.

Au bas des marches du perron, le même panonceau peint à la main se balançait sur une chaîne rouillée, accrochée à deux poteaux mangés par la rouille eux aussi. Les buissons qui s'efforçaient de fleurir sous les hautes fenêtres à vitraux paraissaient miteux, comme ils l'avaient été chaque été aussi loin qu'il pouvait se souvenir.

L'ouest de l'Oklahoma subissait un climat bien trop sec pour que la plupart des plantes ornementales puissent prospérer. Mais ses habitants continuaient pourtant d'y croître et de s'y multiplier comme ils l'avaient fait depuis la naissance de l'Etat. Au prix d'un dur labeur et d'une volonté farouche, ils parvenaient à ne pas laisser ce pays trop plat et trop sec avoir le dessus sur eux.

— Nous y sommes…, annonça-t-il d'une voix absente, comme s'il était utile de le préciser.

— Vous êtes méthodiste !

Lily avait fait ce constat non sans surprise, mais avec une certaine satisfaction.

— Moi aussi…, ajouta-t-elle dans un sourire.

— Cela nous fait une chose de plus en commun.

Case se laissa absorber par sa beauté sereine. Mais alors qu'il pensait être le seul à redouter de faire son entrée dans l'église, il vit le sourire de Lily se figer sur ses lèvres et sa main tremblante s'élever vers sa cicatrice.

A son tour, il lui adressa un sourire rassurant et tendit la main pour lui effleurer la joue.

— Allons-y…, murmura-t-il. Je crois que cela va nous faire du bien à tous les deux.

Comme c'était à prévoir, leur entrée groupée dans l'église fit sensation et leur valut les regards curieux ou intrigués de tous.

Mais le premier effet de surprise passé, chacun prit bien soin d'éviter de les espionner et on se poussa sur les bancs pour leur faire de la place. Ce qui en disait long, songea Lily en s'asseyant, sur l'amabilité et l'hospitalité des habitants de l'Oklahoma.

D'abord convaincue de s'attacher tous les regards, elle se rendit vite compte que l'attention collective se tournait plutôt vers ses frères. Elle ne s'était pas trompée en présumant qu'ils conquerraient les cœurs à prendre de la contrée.

Voir un jeune célibataire débarquer dans une petite ville tranquille était déjà un événement, alors quatre d'un coup… Sans compter, conclut-elle pour elle-même non sans une certaine fierté, que les frères Brownfield n'étaient pas du genre à passer inaperçus.

J.D. et Dusty assumaient sans la moindre gêne l'intérêt qu'ils suscitaient. Parce qu'ils étaient jumeaux autant qu'à cause de leur métier, être au centre de tous les regards leur avait toujours paru être la chose la plus naturelle au monde.

Buddy, lui, avait tout de suite paniqué, ce qui n'avait rien d'étonnant étant donné la nervosité que les femmes lui inspiraient. Bien vite, il était venu se mettre à l'abri entre son père et sa sœur. S'il avait pu disparaître tout à fait entre eux, il l'aurait sans doute fait sans hésiter.

Cole était encore celui de ses frères qui semblait le plus à l'aise. Par déformation professionnelle, sans doute, il gardait sur le visage son masque impassible de flic irascible. Mais en l'observant plus attentivement, Lily nota les coups d'œil nerveux qu'il lui arrivait de lancer à la dérobée de l'autre côté de l'allée centrale.

Suivant la direction empruntée par son regard, elle tomba sur le visage aux yeux sombres et malicieux de Debbie Randall, qui ne se gênait pas, quant à elle, pour dévisager l'aîné des Brownfield tout à son aise.

Songeant que celui-ci n'avait plus qu'à bien se tenir, Lily rendit à la jeune caissière son sourire complice.

— Et le Seigneur dit : *Tu ne commettras pas l'adultère !*

La voix tonnante du pasteur enfla jusqu'à la véhémence. Il cria plus qu'il ne récita le commandement divin à la foule des assistants médusés.

Cole se surprit à se tortiller sur sa chaise et se donna une contenance en croisant les jambes. Avec un sourire, il songea que la mauvaise conscience le travaillait bien inutilement et se força à chasser de sa mémoire les yeux bruns et rieurs de Debbie Randall. Il eut cependant du mal à ne pas laisser ses yeux s'envoler de temps à autre de l'autre côté de l'allée…

Case fit passer doucement son bras sur le dossier du banc de bois et résista à l'envie de laisser sa main se refermer sur l'épaule de Lily pour la serrer contre lui. Les paroles de l'homme de Dieu ne suscitaient dans son esprit qu'un vague ennui.

Ce qu'il ressentait pour Lily Brownfield ne devait pas grand-chose à la luxure, et avait tout à voir avec l'amour. Le fait de le constater ne lui faisait plus peur à présent.

Il s'était assis du côté de son visage abîmé par la cicatrice, se plaçant inconsciemment entre elle et l'assemblée pour la protéger. Il avait tout de suite senti sa tension. Mais plus le temps passait, plus elle se relaxait. A tel point que lorsque le pasteur entama la dernière partie de son sermon, il aurait juré qu'elle avait tout oublié pour ne plus penser qu'au message qu'il était en train de délivrer.

Un rayon de soleil perça soudain la petite fenêtre à vitrail située au-dessus de la chaire et pointa dans la direction de Case. Il ne put s'empêcher longtemps de tourner la tête pour voir où le trait de lumière s'était posé. Il n'eut pas à chercher loin pour le découvrir.

Dans les cheveux de Lily, cette couronne tressée qu'elle avait enroulée ce matin-là haut sur son crâne, un arc-en-ciel coloré reproduisant le motif du vitrail se déployait. On y trouvait un bleu aussi pur, une coulée d'or liquide qui se mêlait à celle de sa chevelure, quelques taches d'un rouge aussi vif, et un vert aussi somptueux et chargé d'espoir que celui des yeux de Lily.

Sous le coup de l'émotion, Case chercha son souffle. Ce matin, il venait d'avoir une révélation intérieure.

Il était amoureux de Lily.

Dorénavant, conclut-il, il ne lui restait plus qu'à ne pas lui laisser d'autre choix que de l'aimer en retour...

Massée dans l'allée principale de la minuscule église, l'assemblée se dirigeait au pas vers la sortie. Pressés les uns contre les autres, les fidèles en profitaient pour se saluer et échanger les dernières nouvelles de la semaine, avant de pouvoir à leur tour serrer la main du pasteur.

Debout derrière Cole Brownfield, Debbie savait que pour le moment il ne s'était pas rendu compte de sa présence. Cela lui laissait toute latitude pour apprécier le balancement de ses épaules sous sa chemise vert pâle et pour admirer ses longues jambes musclées sous son pantalon bleu marine.

— Hello ! murmura-t-elle finalement au-dessus de son épaule, s'amusant de le voir sursauter.

— Oh ! répondit Cole en se tournant à demi vers elle. C'est vous...

— Un sermon du tonnerre, pas vrai ?

Avant qu'il ait pu lui répondre, Debbie se laissa pousser contre son flanc par des gens pressés de rentrer chez eux préparer leur repas dominical.

Cole se mordit la lèvre pour ne pas se mettre à jurer. Les seins avantageux de la jeune femme se retrouvaient collés contre son bras, et elle ne semblait pas pressée de mettre fin à ce contact.

Songeant que cette diablesse aurait pu venir à bout de la patience d'un saint et qu'il n'avait jamais aspiré à la sainteté, Cole soupira et tourna la tête vers la porte pour évaluer anxieusement la distance qui leur restait à parcourir avant de revoir la lumière du jour.

— C'était bien, répondit-il enfin.

Quand il daigna de nouveau lui accorder son attention, Debbie lui adressa un autre sourire conquérant. En ce qui la concernait, c'était le meilleur sermon qu'elle eût jamais entendu. Elle ne se féliciterait jamais assez d'être arrivée ce matin-là à surmonter sa réticence à se rendre à l'église.

Cependant, voyant enfin le pasteur se profiler dans sa ligne de mire, elle en vint à se demander de quoi diable il avait bien pu parler... Elle se rappelait qu'il s'était appesanti sur un des dix commandements, mais elle n'aurait su dire lequel.

Dès que Case Longren était entré dans l'église, suivi de Lily, de ses frères et de son père, le prêche avait perdu tout intérêt pour elle. Ce qui ne l'empêcha nullement de serrer vigoureusement la main du prédicateur entre les siennes quand son tour fut venu et de le féliciter avec une sincérité confondante.

— Magnifique sermon, frère Donald ! Vraiment... Il m'a touchée.

Le brave homme se rengorgea, soulagé qu'une de ses ouailles au moins ait prêté attention à la parole de Dieu ce matin-là. Après l'arrivée inopinée de ces paroissiens peu communs venus de Californie, il avait pourtant eu la nette impression de prêcher dans le désert...

— Case ! Cela fait plaisir de te voir parmi nous ce matin.

Reconnaissant une voisine qui avait participé la veille au barbecue, Lily afficha un sourire de circonstance, s'apprêtant à se détourner discrètement. Case l'empoigna par le coude et ne lui en laissa pas le temps.

— Je suis moi aussi ravi de vous revoir ici, Mildred..., répondit-il. Vous vous rappelez Lily, n'est-ce pas ?

— Mais certainement ! s'exclama la brave femme en se tournant vers elle. C'est vous qui avez préparé cette tarte aux pommes avec une couche de biscuit croustillant entre la pâte et le fruit, n'est-ce pas ? Dieu que c'était bon ! Il faudra me donner votre recette — si ce n'est pas un secret, bien sûr. Mon homme n'a pas cessé de chanter les louanges de votre pâtisserie durant tout le trajet du retour…

— Je vous remercie, répondit Lily en lui rendant son sourire. Et je serai heureuse de vous communiquer cette recette. Je la tiens de ma mère, qui elle-même la tenait de la sienne…

— Fantastique ! s'enthousiasma Mildred en lui posant une main sur l'avant-bras. Si cela ne vous dérange pas, je vous passerai un petit coup de fil dans la soirée. Je reçois de la famille demain soir, et j'aimerais beaucoup leur faire goûter ce délice au dessert.

Pendant que la voisine s'éloignait sur le tapis d'herbe desséchée qui tenait lieu de pelouse autour de l'église, Case resserra l'emprise de sa main autour du coude de Lily.

— Je vous remercie…, dit-elle en cherchant son regard.

— De quoi donc ? s'étonna-t-il.

— D'avoir bien voulu venir. D'être ici ce matin avec moi.

Il garda le silence un instant, et quand il lui répondit, l'intensité de son regard et la ferveur perceptible dans le ton de sa voix obligèrent Lily à détourner les yeux.

— Si vous le décidiez, Lily, je pourrais être là, auprès de vous… pour toujours.

Le cœur serré, Lily ne lui répondit pas et s'arrangea pour libérer doucement son bras. Avisant son père qui discutait avec le pasteur sur le porche comme il aurait pu le faire avec un ami de longue date, elle se précipita vers lui.

— Papa ! lui lança-t-elle. Nous ferions mieux d'y aller tout de suite, ou je n'aurai pas le temps de préparer le repas de midi.

Morgan hocha la tête, serra chaleureusement la main du pasteur pour lui faire ses adieux, et descendit les marches pour rejoindre sa fille. Alors seulement, il nota ses yeux brillants et ses joues empourprées.

Relevant la tête, il aperçut à quelques pas leur hôte qui posait sur elle un regard d'une particulière intensité. Avec amusement, il songea alors que si son intuition de père ne le trompait pas, Case Longren venait de faire à Lily une déclaration qu'elle n'avait pas envie d'entendre.

— Nous ne rentrons pas au ranch pour manger, l'informa-t-il. Nous allons tous déjeuner à Clinton. Je sais grâce à Case que c'est ton jour de congé, et cela me permet de lui rendre son invitation de l'autre soir.

— Mais je ne sais pas si…

Pour mettre un terme à toute objection, Morgan alla entourer d'un bras affectueux les épaules de sa fille et les secoua doucement.

— Allez, laisse-toi faire ! protesta-t-il. Dépêchons-nous d'emmener tes frères loin d'ici avant qu'ils ne déclenchent une émeute et que l'on nous chasse d'ici à coups de fusil. J'ai déjà vu un ou deux pères anxieux les dévisager d'un œil mauvais en les voyant rôder autour de leurs filles.

Lily s'efforça d'ignorer la présence de Case, mais cela lui fut impossible lorsqu'il vint la rejoindre, le visage empreint d'une résolution à toute épreuve.

— Vous êtes prête ? demanda-t-il.

Mais il n'attendit pas sa réponse pour la guider fermement en direction du parking.

*
* *

Il était déjà fort tard. Lily ne cessait de jeter des regards anxieux sur la pendulette électronique du four en essayant de se convaincre qu'il n'y avait pas à s'inquiéter.

Case avait été absent une bonne partie de l'après-midi et toute la soirée. Quand la nuit était tombée, elle s'était attendue à le voir débarquer dans la cuisine à tout moment. Mais il n'avait pas donné signe de vie, et elle ne pouvait s'empêcher de redouter que quelque grave problème lui fût arrivé.

Ils étaient tous dans le salon en train de discuter en regardant un vieux film à la télévision lorsque Duff avait fait son entrée en trombe dans la maison. Dans le hall, il avait crié quelque chose à propos d'une clôture éventrée et de bétail enfui qui avait fait bondir Case sur ses pieds.

A ses frères qui proposaient leur aide, il avait répondu qu'il y avait bien assez d'hommes présents sur le ranch pour résoudre le problème. Les Brownfield étaient là pour rendre visite à Lily, avait-il ajouté avant de sortir précipitamment, il préférait donc qu'ils demeurent auprès d'elle et profitent au maximum de leur séjour.

Sans grand enthousiasme, ils s'étaient donc forcés les uns et les autres à faire comme si de rien n'était. Lily était parvenue à donner le change jusqu'à ce que chacun se retire dans sa chambre. A présent, dans la cuisine, il ne restait plus qu'elle pour attendre et s'inquiéter.

Etouffant un soupir, elle se rendit pour la dixième fois à la fenêtre et écarta le rideau. La nuit était impénétrable et il ne lui fut pas possible de discerner autre chose que les carrés de lumière projetés par les carreaux éclairés de l'intérieur sur le plancher du porche.

Déçue, Lily laissa retomber le rideau et marcha jusqu'au comptoir de l'évier. D'un grand geste, elle ouvrit le tiroir à couverts et entreprit de le remettre en ordre. Même s'il n'en avait aucunement besoin, il lui fallait s'occuper les mains et l'esprit.

La même question revenait encore et toujours lui hanter l'esprit. Où Case pouvait-il bien se trouver à cette heure tardive ? L'anxiété faisait battre son cœur à coups redoublés dans sa poitrine. Elle avait l'estomac si serré qu'elle n'avait quasiment rien pu avaler durant le repas.

Sans grand succès, elle essayait de se convaincre qu'elle avait tort de s'inquiéter, que Case connaissait son métier, qu'il était juste en retard et avait sans doute dû faire face à une situation critique. Mais plus elle tentait de combattre son appréhension, plus celle-ci gagnait du terrain.

Lorsqu'elle en vint à envisager de réveiller son père pour partager avec lui son angoisse et tenter de le convaincre de partir à la recherche de Case, Lily se figea. Admettre qu'elle s'en faisait pour son patron revenait à admettre qu'elle avait pour lui des sentiments.

Or, elle ne *voulait pas* qu'il en soit ainsi. Le dernier homme pour qui elle s'était laissée aller à des sentiments, justement, l'avait abandonnée. Elle en avait trop souffert pour prendre le risque de renouveler un tel fiasco.

Elle venait de remettre en place la dernière fourchette et s'apprêtait à ranger le casier dans le tiroir quand la porte arrière s'ouvrit à la volée. Surprise en pleine songerie, Lily sursauta, lâchant du même coup ce qu'elle tenait en mains. Dans un bruit de ferraille malmenée, tout un service de couverts en acier se répandit à ses pieds sur le carrelage.

Fatigué comme il l'était, Case, sur le seuil, parvint à s'en amuser.

— C'est le meilleur accueil que l'on m'ait fait au cours de cette pénible journée...

— Vous m'avez fait peur ! gémit-elle d'un ton accusateur.

Elle se baissa pour commencer à ramasser fourchettes, couteaux, cuillères et petites cuillères. Après avoir refermé la porte, Case vint la rejoindre et s'agenouilla près d'elle pour lui prêter main-forte.

Avec un claquement de langue agacé, Lily protesta sèchement :

— Je peux m'en occuper... C'est moi qui ai causé ce chantier, à moi de réparer les dégâts.

— Parfois, deux paires de mains valent mieux qu'une et c'est faire preuve d'humilité que d'accepter d'être aidé. Ne discutez pas avec moi, je suis bien trop fatigué ce soir pour le supporter.

Alertée par la lassitude perceptible dans le ton de sa voix, Lily releva les yeux pour le dévisager. Des plis soucieux ridaient son front. Les commissures de ses lèvres plongeaient vers le bas. Une fine couche de poussière blanche recouvrait sa peau comme ses vêtements et la fatigue rendait presque gris ses yeux habituellement si bleus.

D'une main ferme mais douce, elle s'empara des quelques couverts qu'il avait déjà ramassés.

— Allez prendre un bain, lui conseilla-t-elle gentiment. Je vous ai gardé votre repas au chaud.

Le cœur battant, Case se recula et prit appui sur ses talons, cherchant au fond des yeux de Lily ce qu'il espérait tant y trouver. Hélas, il n'y découvrit que l'habituel souci qu'elle se faisait pour lui et soupira de déception en se redressant.

— Je ne serai pas long.

Sur ce commentaire laconique, il fit volte-face et quitta la pièce.

Lorsqu'il fut sorti, Lily se remit à l'ouvrage, plus pensive que jamais. Quelque chose d'autre que la fatigue tracassait Case Longren. Elle l'avait senti dès leur sortie de l'église ce matin-là. Quelque chose avait changé en lui entre leur arrivée à l'office et leur départ. De manière subtile et impalpable, il n'était plus le même homme.

Elle ne pensait pas qu'une subite révélation mystique en était la cause. Cela ne lui ressemblait guère. Elle n'avait pas la moindre idée de ce qui avait pu provoquer cette évolution. Peut-être même, après tout, s'imaginait-elle tout cela.

Néanmoins, elle se promit de redoubler de vigilance pour tenter de déterminer dans les jours à venir si son intuition était fondée ou non.

Lorsque Case revint dans la cuisine, de fines gouttes d'eau coulaient encore sur son ventre nu. Sachant que Lily l'attendait, il avait fait au plus vite pour la rejoindre, sans prendre le temps de se sécher convenablement. La ceinture de son jean n'était pas boutonnée, et ses cheveux encore humides serpentaient en mèches noires sur sa nuque et son front lorsqu'il vint prendre place à la table de la cuisine.

— Désolé de n'avoir pas fait d'effort vestimentaire pour le dîner..., dit-il pour s'excuser du choc que son apparition avait manifestement causé à Lily. Aussitôt que j'aurai fini de manger, j'ai l'intention de plonger au fond de mon lit.

Non sans difficulté, Lily parvint à détourner les yeux de ce torse sculpté complaisamment offert à ses regards et se dirigea vers le four dans lequel elle avait conservé au chaud le repas de Case.

— Aucune importance..., dit-elle d'une voix qui sonna faux à ses propres oreilles. Ne vous en faites pas pour moi, avec quatre frères à la maison, j'ai l'habitude.

Hélas, songea-t-elle, le torse nu de Case était loin de la laisser aussi indifférente que celui de ses frères. Elle en était tellement émue et ses mains tremblaient tant qu'un peu de sauce avait coulé sur le flanc du grand bol brûlant qu'elle posa devant lui.

— Désolée..., marmonna-t-elle en se précipitant vers l'évier pour aller y chercher de quoi essuyer les dégâts. Je vous ai gardé également au chaud du pain de maïs, mais j'ai peur qu'il soit un peu desséché. Ce genre de plat ne se réchauffe pas à volonté. J'ai toujours pensé que...

Avant qu'elle ait eu le temps de s'éclipser après avoir essuyé le bol, Case l'attrapa par le poignet.

— Faites-moi plaisir, Lily..., dit-il d'une voix posée. Tout est très bien ainsi. Ne vous mettez pas dans de tels états pour moi.

La voyant piquer du nez, il eut peur de s'être montré trop abrupt et précisa en lui lâchant le bras :

— Vous comprenez, je ne suis guère habitué à ce que quelqu'un s'inquiète de savoir quand je vais rentrer ou même si je vais rentrer.

— Mais je ne me suis pas...

En butte à son regard perçant, elle n'eut pas la force de mentir et baissa les yeux.

— Bon, d'accord..., marmonna-t-elle. Je me suis un peu inquiétée, mais je me suis tranquillisée en me disant que vous connaissez votre travail et savez ce que vous faites. Ce que je ne voulais pas, c'est qu'après une telle journée vous alliez au lit sans manger.

Un sourire étrange passa sur les lèvres de Case. Un sourire qui semblait dire que la faim qui le tenaillait ne serait pas pour autant rassasiée quand il se mettrait au lit.

— Je vous remercie, Lily..., murmura-t-il. Je vous en suis très reconnaissant.

Elle se sentit rougir et se tourna vers le tiroir ouvert, dont le contenu s'étalait toujours dans un beau désordre sur le sol carrelé fraîchement lavé.

— Maintenant, dit-elle d'un air morose, il va me falloir relaver tout cela avant de le ranger…

— Si vous ne le faites pas, intervint Case entre deux bouchées, ce n'est pas moi qui vous dénoncerai !

Intriguée, Lily pivota sur ses talons et capta le regard de défi qu'il lui lançait. L'idée d'une telle transgression, comme un secret de gamins entre eux, était trop tentante pour être ignorée.

— Promis juré ? insista-t-elle avec un sourire mutin.

— Promis juré ! répondit Case solennellement. Ma parole est solide, Lily. Je ne la trahis jamais. C'est quelque chose dont vous devriez vous souvenir… pour l'avenir, bien sûr.

Lily rougit de plus belle et se retourna pour ramasser en vrac les couverts et les poser sur le comptoir. Pendant qu'il poursuivait son repas en silence, elle s'activa à ranger chaque chose à sa place, sans rien laver mais non sans avoir essuyé chaque ustensile avec un torchon propre.

Elle achevait sa tâche lorsqu'elle entendit la chaise de Case racler le sol. Comprenant qu'il avait terminé, elle se retourna et annonça vivement :

— Eh bien, voilà ! Il ne me reste plus qu'à laver votre bol et vos couverts et nous pourrons…

— Laissez tomber, l'interrompit-il.

D'un pas décidé, il marcha jusqu'à l'évier et fit couler un filet d'eau dans la vaisselle sale.

— Demain est un autre jour, reprit-il en se tournant pour lui faire face. Vous vous en occuperez en même temps que la vaisselle du petit déjeuner.

Lily s'apprêtait à répliquer, mais elle commit l'erreur de soutenir son regard un instant. Elle y découvrit une lueur que justifiait bien plus la tendresse que l'envie d'en découdre à propos d'un peu de vaisselle sale.

Bien vite, elle détourna la tête pour soustraire à ses yeux sa cicatrice.

— Bon sang, Lily ! s'exclama-t-il d'une voix sourde. J'aimerais que vous arrêtiez de me faire ça...

Lily se força à croiser de nouveau son regard, surprise d'y découvrir une réelle colère.

— Je... je ne comprends pas, balbutia-t-elle. De quoi voulez-vous...

— Vous ne comprenez pas ? l'interrompit-il. Eh bien, je vais vous l'expliquer. Chaque fois que je vous regarde, vous me jugez en fonction des actions d'un autre homme que je ne connais même pas. Je n'aime pas cela du tout. Je dois même vous dire que je *déteste* cela...

Lily s'apprêtait à protester mais se tut en comprenant que cela lui était impossible. Comment contester ce qui n'était que la stricte vérité ?

Faute de mieux, elle s'apprêtait à s'excuser de sa conduite, mais cela lui fut également impossible.

Le baiser que Case lui donna la prit par surprise. Pourtant, pour être honnête, elle devait bien s'avouer que quelque part au fond d'elle-même elle s'y était attendue et l'avait même espéré. Peut-être était-ce la raison pour laquelle elle avait gardé le silence, et que loin de s'enfuir, elle s'était avancée pour le rejoindre lorsqu'il avait fait un pas vers elle.

Les bras de Case s'étaient refermés autour d'elle, fermes et rassurants. Elle n'avait plus la moindre envie de quitter cet abri très sûr. Timidement, Lily leva les mains jusqu'à la poitrine nue de Chase, puis les laissa retomber. Elle avait failli se pendre à son cou, mais le courage lui en avait manqué.

Comme déçu par ce rendez-vous manqué, Case mit fin au baiser et soupira longuement. Lily sentit qu'il la libérait de son étreinte..., mais, au dernier moment, il parut changer d'avis et revint s'emparer de sa bouche. Ses lèvres étaient chaudes, tendres, douces, obstinées. Il s'y attardait le goût du pain de maïs beurré et l'arôme du café juste bu.

Soudain, Lily sentit la morsure de la faim au creux de son ventre — une faim qu'aucune nourriture n'aurait pu apaiser. Frissonnante, elle se prêta au baiser avec ardeur.

Les lèvres de Case posées sur les siennes, diaboliquement habiles, mettaient à mal ses résolutions. Avec une patience et une détermination sans faille, elles l'apprivoisaient mieux que n'auraient pu le faire de longs discours. Fermes et possessives, elles délaissèrent sa bouche, glissèrent le long de son menton, et s'attardèrent contre son cou, à l'endroit où son pouls battait la chamade.

— Case…

Alerté par la nuance d'hésitation dans le ton de sa voix, Case se figea, tous les sens aux aguets. Il lui semblait avoir perçu quelque chose d'autre, quelque chose qui lui semblait inconcevable et ressuscitait l'espoir en lui. Par un suprême effort, il parvint à s'arracher à elle.

— Oui ?

Effarée par ce qu'elle avait été sur le point de dire, Lily recula d'un pas, chancela sur ses jambes et détourna le regard. Elle ne pouvait se permettre de dire ce genre de choses, ne pouvait même se permettre d'y penser. Pourtant, le regret de n'avoir pas eu le courage de lui demander de l'entraîner dans son lit s'attarda en elle, même quand elle s'entendit répondre à Case dans un souffle :

— Rien… Rien du tout. Il se fait tard. Vous feriez mieux d'aller vous coucher.

Case faillit se mettre à hurler. Pour résister à son envie de décocher un violent coup de poing dans le mur, il ferma les yeux et compta mentalement jusqu'à dix. Quand il rouvrit les paupières, Lily avait quitté la pièce.

6.

Une chaussure, une ceinture et une brosse à dents serrées contre elle, Lily descendit les escaliers quatre à quatre et cria :

— Buddy ! Tu as oublié la moitié de tes affaires…

Case, qui avait pénétré dans le hall avec l'objectif de sortir une nouvelle cargaison de bagages, oublia ce qu'il était venu faire dès qu'il aperçut Lily. Un instant, il se prit à rêver de ce que serait sa vie s'il pouvait être accueilli chaque soir en rentrant chez lui avec tant d'enthousiasme. C'était un rêve auquel il n'était pas prêt à renoncer, même si elle semblait désormais décidée à ignorer chaque regard qu'il lui adressait.

Ce matin, Lily avait coiffé ses cheveux en une natte épaisse qui se balançait dans son dos. Sa peau avait bronzé depuis son arrivée, formant un contraste étonnant avec les teintes de miel et de lait naturelles de sa chevelure blonde blanchie par le soleil. La petite robe sage jaune pâle qu'elle avait revêtue ajoutait encore à l'impression de jeunesse et de vitalité qui se dégageait d'elle.

Quittant son poste d'observation, Case se mit dans le passage de manière à la réceptionner dans ses bras alors qu'elle atteignait la dernière marche, tout essoufflée.

— Lily chérie, vous allez tomber la tête la première dans cet escalier si vous ne faites pas plus attention ! lança-t-il d'une voix enjouée. Croyez-en quelqu'un qui sait de quoi il parle…

Rougissante et confuse, elle tourna une fois de plus la tête pour dissimuler sa joue abîmée et tenta de se détourner.

Lily se trouvait encore sous le coup de leur rencontre nocturne dans la cuisine. A la faveur d'un nouveau jour, elle n'en revenait pas d'être passée si près de lui accorder ce qu'il voulait, certaine que cela aurait représenté sa perte.

— Arrêtez ça…, marmonna-t-elle. Quelqu'un pourrait nous voir. De toute façon, je ne suis pas votre « Lily chérie ».

— Ça, ce n'est pas faute de vous l'avoir suggéré ! grommela Case. Et je me fiche pas mal que quelqu'un puisse nous voir.

Sur ces mots, il fit demi-tour, les poings serrés, et sortit précipitamment, la laissant plantée là. Sans doute aurait-il été bien surpris, songea Lily, s'il avait pu deviner le tumulte qu'il provoquait en elle chaque fois qu'il la prenait ainsi dans ses bras.

Même si ce n'était plus une primeur pour elle, elle ne parvenait pas à s'habituer à l'idée d'être serrée, avec tant de fougue et de force, contre une poitrine de cow-boy. Los Angeles ne l'avait pas préparée à un homme tel que Case Longren…

Pour se ressaisir, Lily prit une profonde inspiration. Son père et ses frères s'en allaient ce jour-là, ce qui expliquait sans doute sa nervosité, mais en partie seulement. Il y avait autre chose, sur quoi elle ne parvenait pas à mettre le doigt. Du moins n'y était-elle pas parvenue jusqu'à ce que Case la surprenne au bas de l'escalier.

Soudain, tout lui paraissait clair et évident. Ce n'était pas seulement le départ de sa famille qui la mettait dans tous ses états, mais aussi et surtout ce qu'il impliquait. De nouveau et pour de longues semaines, elle allait se retrouver seule dans cette maison, avec un homme qui avait juré de la séduire, et à qui elle ne pouvait prétendre rester indifférente…

Avant que les Brownfield ne débarquent par surprise pour faire diversion, elle avait réussi à le maintenir à distance. Mais curieusement, leur séjour avait pour ainsi dire précipité les choses, et elle avait cédé au piège tentateur des bras de Case bien plus souvent qu'il n'eût été raisonnable de le faire. Que risquait-il de se produire, dans quel nouveau piège allait-elle se précipiter, aussitôt qu'ils seraient partis ?

— Lilleeeee ! cria Buddy d'une voix de fausset dans la cour. Nous partons…

Lily marcha jusqu'à la porte avec des semelles de plomb. Soudain, l'envie lui vint de tout plaquer et de s'enfuir. Après tout, il n'était pas trop tard et rien ne l'obligeait à rester. Elle pouvait rentrer à Los Angeles maintenant, avec sa famille — ils comprendraient sans qu'elle ait même besoin de leur en expliquer les raisons. Pour le peu de temps qui restait avant la fin de la saison, Pete pourrait la remplacer aux fourneaux.

Avant même d'avoir repoussé la moustiquaire pour sortir sur le porche, elle sut que c'était ce qu'elle avait de mieux à faire et prit sa décision.

Dès l'instant où Lily passa le seuil de la maison, les quelques affaires de son frère précieusement serrées contre elle, Case ressentit la panique qui la submergeait. Un rapide coup d'œil à Morgan Brownfield lui apprit qu'il n'était pas le seul à l'avoir remarquée.

Avec un regard empli de reconnaissance, Buddy fourra ce complément de bagage dans un sac débordant déjà de toutes parts et murmura :

— Merci, sœurette... Qu'est-ce que je vais devenir sans toi ?

Lily lui sourit et hocha la tête. C'était la parfaite ouverture dont elle avait besoin, mais son père, en intervenant d'une voix sévère, l'empêcha de s'y précipiter.

— C'est bien ce qui cloche avec toi, mon garçon... Il va falloir te mettre dans le crâne une bonne fois pour toutes que nous avons déjà abusé trop longtemps de la bonne volonté et de la patience de Lily. Regarde ce que cela a fait de nous : une bande de mollassons incapables de se moucher le nez sans son aide ! Cela va nous faire du bien de devoir de nouveau nous débrouiller par nous-mêmes.

Morgan fit une pause dans son petit discours et se tourna vers sa fille. Il avait immédiatement compris en découvrant cet air de gamine apeurée sur son visage qu'elle s'apprêtait à tout lâcher.

Il ne pouvait plus le nier, Cole avait vu juste. Lily avait besoin de mener cette expérience à son terme. Elle avait déjà souffert de trop d'interruptions, de trop de ruptures dans sa vie pour pouvoir s'en permettre une autre. Plus que tout, elle avait besoin de terminer, d'une manière ou d'une autre, ce qu'elle avait commencé ici.

Emporté par un élan de tendresse paternelle, il la prit dans ses bras, cala sa tête sous son menton comme lorsqu'elle était petite fille, et conclut à mi-voix en lui caressant les cheveux :

— Ce sera une bonne chose pour toi également de ne plus nous avoir sur le dos et de n'avoir à t'occuper que de toi. Tu me promets de prendre bien soin de toi et de nous donner de temps en temps de tes nouvelles... D'accord, ma chérie ?

Figée entre les bras de son père, Lily garda le silence un instant. Ses paroles venaient contrecarrer ses plans. Après tout, sa présence ne semblait plus autant nécessaire dans la maison de son père qu'elle l'avait cru jusqu'alors. Peut-être même n'y était-elle plus la bienvenue…

Désarçonnée, elle se tourna vers Cole et le dévisagea avec inquiétude. Il était son frère aîné, celui avec qui elle avait le lien le plus fort. Lui saurait d'instinct ce qui était bon ou non pour elle.

Cole la prit à son tour dans ses bras. Elle se pendit à son cou et il la fit tournoyer dans les airs, comme il le faisait autrefois, lorsqu'ils étaient encore enfants et que rien ne semblait devoir les séparer un jour.

— Tout va bien se passer, Lily Kate…, lui murmura-t-il à l'oreille. Ecoute ce que te dit ton cœur, fais ce qu'il te dit, et tout ira bien. Ne perds plus ton temps à ruminer sur le passé. L'avenir s'ouvre tout grand devant toi.

Après l'avoir reposée sur ses pieds, il la prit par surprise en déposant un baiser rapide sur ses lèvres et en tirant sa natte dans son dos.

— Je t'aime, sœurette.

— Je t'aime aussi, Cole… Je vous aime tous !

Des larmes dans la voix, Lily dut prendre sur elle-même avant de pouvoir poursuivre sur un ton enjoué :

— Et je suis très heureuse que vous ayez décidé de mettre le nez dans mes affaires en débarquant ici à l'improviste. Sans compter que si vous n'étiez pas venu, je n'aurais jamais pu assister à cet étonnant spectacle de voir les jumeaux aux prises avec le bétail du ranch Longren…

Les intéressés firent mouvement vers elle dans un bel ensemble et J.D. sortit de la poche de poitrine de sa chemise une enveloppe qu'il lui tendit.

— Tiens, sœurette..., dit-il. C'est pour Debbie Randall, ton amie de Clinton.

Lily ne put s'empêcher de trahir son étonnement. Elle savait que la petite caissière du supermarché avait remarqué ses frères lors du barbecue et les avait pris en chasse durant toute la soirée, mais elle n'aurait jamais imaginé que l'un d'eux pût en être déjà avec elle aux petits mots doux...

— Ce n'est pas ce que tu t'imagines, intervint Dusty avec un sourire amusé. Nous lui communiquons l'adresse de notre agent ainsi qu'une lettre d'introduction pour elle. Elle songe à devenir actrice et pourrait se décider à venir faire un tour en Californie. Nous avons juste décidé de lui donner un petit coup de main dans la mesure de nos possibilités.

— Oh, non ! gémit Morgan. Elle aussi se laisse prendre à ce miroir aux alouettes ? Vous savez bien que l'attrait de la gloire et des paillettes n'est pas la meilleure des raisons pour venir en Californie. La moitié de la population de ce pays s'imagine qu'il suffit de remonter Hollywood Boulevard pour devenir une star...

— Allons, p'pa..., dit Cole d'un ton conciliant. Les jumeaux ont cru bien faire. Si elle se décide à venir, Debbie se rendra vite compte que le don de la comédie n'est pas donné à tout le monde. J.D. et Dusty sont nés avec. Voilà des années qu'ils nous font tout un cinéma. La seule différence, c'est qu'à présent ils sont payés pour ça...

La joyeuse pagaille qui s'ensuivit arracha à Lily un sourire attendri. Machinalement, elle glissa la lettre dans la poche de sa robe, se promettant de la remettre à la première occasion à sa destinataire... sans manquer de l'interroger au passage sur cette vocation qu'elle ne lui aurait jamais supposée.

Soudain, avant qu'elle ait eu le temps de s'y préparer, avant qu'elle ait pu songer au moindre prétexte pour les retenir un peu plus longtemps près d'elle, les cinq hommes embarquèrent dans leur voiture de location.

Quelques instants plus tard, ils bifurquaient au bout de l'allée poussiéreuse du ranch en direction de la route menant à Oklahoma City où les attendait leur avion. Tant qu'ils n'eurent pas totalement disparu à sa vue, elle leur adressa de grands gestes d'adieu avec les bras.

— Ça va aller ? s'inquiéta Case en la voyant essuyer une larme discrètement.

— Bien sûr ! répondit-elle avec une gaieté forcée. Pour quelle raison cela n'irait-il pas ? Après tout, je les reverrai bientôt. Dans moins d'un mois, vos hommes repartiront chez eux, et vous n'aurez plus besoin d'une cuisinière à demeure au ranch Longren…

Case se raidit et serra les dents. Les mots que venait de prononcer Lily lui faisaient aussi mal que le ton désinvolte qu'elle avait employé pour les dire. Avant de tourner les talons pour se diriger vers les corrals où le travail l'attendait, il ne put s'empêcher de lancer avec véhémence :

— Ne vous croyez pas obligée de montrer à quel point cela vous fait plaisir !

Lily en resta bouche bée. En se retournant pour le regarder s'éloigner, elle cligna des paupières et lutta contre le soleil matinal. Des gouttes de sueur perlaient sur son front et au bas de son dos, mais elle n'aurait pu affirmer que la chaleur étouffante en était seule responsable.

Incapable de détourner les yeux de cette puissante silhouette qui s'éloignait d'elle à grands pas rageurs, Lily résista vaillamment à l'envie de rejoindre Case. S'il y avait certaines choses qu'elle n'était pas prête à admettre concernant ce Longren, elle ne pouvait nier qu'il était le plus sexy des hommes…

Pour se protéger de la lumière trop vive, elle mit une main en visière sur son front et se demanda quelle mouche avait pu le piquer pour réagir ainsi à son innocente remarque. Une voix venue du cœur lui souffla qu'elle connaissait la réponse à cette question. Elle préféra l'ignorer.

Son cœur était très mauvais conseiller. Une fois déjà, il l'avait menée dans la mauvaise direction. Et s'il s'était trompé une fois, il pouvait fort bien se tromper encore lorsqu'il affirmait que Case Longren était amoureux d'elle, et qu'elle n'était pas si loin de l'être également de lui…

En ce dimanche, jour de congé pour tout le monde, Lily s'ennuyait. Elle s'était levée tard, renonçant à assister au service religieux dominical, et regrettait à présent de n'avoir pas su se montrer plus courageuse. La balade pour se rendre à l'église lui manquait, le sermon du pasteur lui manquait, et s'il lui fallait être tout à fait honnête avec elle-même, la compagnie des paroissiens lui manquait plus que tout encore.

Son rendez-vous du dimanche avec la petite église de campagne avait fini par devenir cher à son cœur. Elle y était accueillie à bras ouverts, et ce bain de chaleur humaine lui faisait du bien.

Avant son accident, Lily avait toujours été très ouverte aux autres. Dans son cercle d'amis, elle était la première à se porter candidate pour organiser une rencontre chez elle ou à rendre service en accueillant quelqu'un. La cicatrice qu'elle avait ramenée de l'hôpital avait mis un terme brutal à tout cela.

A présent, la crainte que les autres remarquent sa balafre sans chercher à vraiment la connaître la poussait à restreindre autant que faire se pouvait les contacts extérieurs. S'astreindre chaque dimanche à se rendre à l'église était une sorte de thérapie douce. S'asseoir au milieu de toute une assemblée d'étrangers sans baisser la tête et sans craindre leur jugement la réhabituait peu à peu à s'exposer en public.

Seule dans la grande maison de Case, ne sachant que faire d'autre, Lily descendit l'escalier et déambula dans tout le rez-de-chaussée. Une fois de plus, dimanche ou pas, le maître de maison avait dû s'absenter pour une urgence indéterminée et elle savait pouvoir disposer de toutes les pièces pour elle seule. Finalement, peut-être parce que c'était là que sa présence s'attardait le plus, elle aboutit dans son bureau.

Longuement, elle laissa ses yeux caresser l'ameublement et le décor typiquement masculins. Cette pièce était la seule de toute la maison à ne pas être peinte en blanc. Un lambris de pin verni, ancien, noueux et d'une belle couleur miel, recouvrait tous les murs.

Lily, en bonne citadine, avait un faible pour tout ce qui dans la maison mettait en valeur le bois et la pierre. Rien n'aurait pu lui paraître plus chaleureux et accueillant qu'un beau parquet de chêne ou un encadrement de cheminée taillé dans le marbre.

Son regard s'attarda un instant sur les bibliothèques de bois sombre, de chaque côté de l'âtre, où s'alignaient tous les livres de la maison. Elle joua un instant avec l'idée de dénicher un thriller qui pourrait la tenir en haleine avant d'y renoncer bien vite. Elle se sentait trop frustrée et nerveuse pour se contenter d'une activité aussi passive que la lecture.

D'un air rêveur, elle caressa du doigt le cabinet vitré aux portes verrouillées où Case enfermait toutes les armes du ranch. L'une après l'autre, elle les examina avec attention, admirant leurs couleurs et leurs formes, leurs types et leurs particularités. La sœur d'un flic de L.A. ne pouvait porter à une collection d'armes, aussi belle puisse-t-elle être, un intérêt uniquement esthétique…

Avec amusement, elle nota que l'un des fusils de chasse accrochés au râtelier était identique à celui de son frère Cole. Son épaule était restée endolorie une semaine durant quand il s'était juré de lui apprendre à tirer et ne l'avait laissée en paix que lorsqu'elle avait réussi à atteindre le cœur de la cible.

En s'entraînant depuis de temps à autre avec lui, elle était parvenue à devenir assez bonne au tir, mais l'idée de chasser lui procurait des frissons de dégoût. Rien n'aurait pu la forcer à tirer sur quoi que ce soit de vivant, même dans le but de nourrir sa famille.

Elle préférait aller au supermarché choisir un morceau de viande que d'autres s'étaient donné la peine de faire parvenir jusqu'à elle. Ainsi, elle n'avait pas à se couper l'appétit en songeant à la bête qu'il avait fallu tuer pour qu'elle puisse vivre et pouvait se concentrer sur ses recettes de cuisine…

— Miss Lily !

Le cri strident que venait de pousser Duff la fit sursauter et mit un terme brutal à sa rêverie. Le premier instant de surprise passé, elle prit conscience qu'il avait paru affolé. Saisie par un sombre pressentiment, elle se précipita hors du bureau pour se porter à sa rencontre.

— Je suis ici ! cria-t-elle en surgissant dans la cuisine à l'instant où il s'apprêtait à en sortir par la porte arrière. Que se passe-t-il ?

— Dieu merci, vous n'êtes pas sortie…, marmonna-t-il en ôtant son chapeau modèle géant de son crâne dégarni. J'avais peur que vous ne soyez pas là.

Alors seulement, Lily remarqua le sang qui maculait sa chemise et poussa un cri d'effroi.

— Qu'est-il arrivé ? demanda-t-elle d'une voix blanche en se précipitant vers lui. Vous êtes blessé ? Votre chemise est pleine de sang…

— Pas moi, répondit Duff avec une grimace douloureuse. C'est le patron. Il essayait de séparer une vache de son veau et elle n'a pas du tout aimé ça.

— Où est-il ? murmura Lily, prise de panique. Est-ce que c'est grave ? Je dois appeler une ambulance ?

— Surtout pas ! s'écria Duff. Il nous botterait les fesses si nous lui faisions ce coup-là… Attrapez plutôt la trousse de secours dans la salle de bains et suivez-moi. Il n'a pas voulu me laisser regarder sa blessure, mais si on ne fait rien pour la désinfecter, il risque des ennuis. En guise de bouillon de culture, rien de pire qu'une étable… J'en sais quelque chose, j'ai failli un jour y perdre un bras !

Le chef d'équipe sur ses talons, Lily se précipita dans la salle de bains, qu'elle commença à fouiller en vain jusqu'à ce que Duff lui désigne une boîte de bois frappée d'une croix rouge. Après s'en être saisie, elle le suivit en courant jusque dans la cour, priant à chaque pas pour que la blessure de Case ne soit pas trop sérieuse. Si elle devait l'être cependant, se promit-elle, il prendrait illico la direction de l'hôpital, d'accord ou pas…

Le soleil était à mi-chemin entre le zénith et l'horizon lorsqu'ils contournèrent l'étable pour en rejoindre l'entrée principale. La lourde boîte d'urgence cognait péniblement contre les jambes de Lily. Une violente brise s'était levée après le déjeuner et arrachait avec obstination à la terre desséchée de longs panaches de poussière.

Dans l'urgence de l'instant, elle n'y prit pas garde et se retrouva la bouche pleine de terre rouge qu'elle recracha sans façon en courant. Il n'était plus temps de s'inquiéter de la correction de ses manières. Elle était trop obsédée par l'inquiétante quantité de sang répandue sur la chemise du petit homme qui galopait devant elle à une vitesse surprenante.

Enfin, ils passèrent les portes grandes ouvertes de l'étable. Les yeux de Lily mirent quelque temps à s'accoutumer à la pénombre ambiante avant de pouvoir se poser sur Case. Assis sur une botte de paille, il tentait avec un mouchoir de contenir le flot de sang qui s'écoulait d'une longue entaille à l'arrière de son bras.

En les entendant approcher, il leva la tête et grimaça de dégoût.

— Je t'avais demandé de ne pas embêter Lily avec ça ! reprocha-t-il à Duff, qui n'en menait pas large. Tu devais juste rapporter la boîte de premier secours… Que penses-tu qu'elle pourrait faire dont tu ne serais pas capable ? Me faire un bisou pour me consoler ?

— Oh, fermez-la un peu ! s'impatienta Lily.

S'agenouillant près de lui, elle ouvrit la boîte sur le sol et se mit à la recherche de compresses et d'antiseptique avec la célérité d'une infirmière accomplie.

Case eut l'impression d'avoir mal entendu et se sentit soudain fiévreux. Etait-il déjà en train de délirer ? Il était impensable que de telles paroles aient pu être prononcées par la très digne et très polie Lily Brownfield…

— Qu'avez-vous dit ? murmura-t-il.

— J'ai dit : fermez-la ! répondit-elle sans même lever les yeux vers lui. Vous, les hommes, êtes bien tous les mêmes dès que vous êtes confrontés à la souffrance ou la maladie. Je n'ai jamais compris pourquoi… Mon père et mes frères sont exactement comme vous. Quant à ce « bisou » consolateur, joli cœur, autant vous dire tout de suite qu'il va falloir vous en passer ! Vous ne pourrez en revanche pas échapper à des points de suture.

A ces mots, Case sentit le sang refluer de son visage et sa tête se mit à tourner. Il n'y avait rien qu'il détestait autant que les points de suture. L'aiguille recourbée avec laquelle les médecins vous recousaient comme un sac de blé troué n'était déjà pas très rassurante, mais celle avec laquelle ils anesthésiaient la blessure avant d'opérer lui semblait pire encore !

— Comment cela est-il arrivé ? s'enquit Lily.

Penchée sur la blessure, elle l'examinait soigneusement à la lueur d'une lampe torche que Duff braquait d'une main tremblante dans sa direction. Il ne lui fallut pas plus que cet examen sommaire pour constater qu'elle était longue et, en deux endroits au moins, très profonde. Sans en être tout à fait certaine, elle avait eu l'impression de voir le muscle exposé à nu.

Ce fut Pete, qui observait la scène à distance, qui répondit à sa question.

— Cette maudite vache a coincé le boss contre une clôture de fils barbelés. Puis, pour faire bonne mesure, elle lui a donné un grand coup de tête dans le ventre.

Case, appréciant modérément d'entendre relater une fois de plus l'incident, marmonna quelques jurons indistincts entre ses dents. Il détestait être pris en défaut, et aux prises avec cette bête, il s'était senti plus démuni que jamais.

— Cela vous fait-il mal quand vous respirez ? demanda Lily.

Case comprit où elle voulait en venir. En raison du coup de tête, ces côtes pouvaient avoir souffert.

— Pas vraiment. Je…

Mais avant qu'il ait eu le temps de poursuivre, il sursauta et gémit de douleur tandis qu'elle faisait couler directement dans la blessure un filet d'antiseptique.

— Mais ça, reprit-il avec véhémence, ça fait mal !

— Ne soyez donc pas si douillet !

Case s'apprêtait à protester, mais quand il leva la tête et découvrit au fond de ses yeux une lueur de défi et sur sa joue la balafre livide, il se ravisa et décida de supporter son sort en silence. C'était bien là, songea-t-il amèrement, le moins qu'il pouvait faire...

— A présent, poursuivit Lily, dois-je vous conduire à l'hôpital ou puis-je laisser un de vos hommes le faire ? Je serais plus rassurée d'y aller moi-même, mais je connais mal les routes et j'ai peur de me perdre, au retour, quand vous serez trop abruti par les calmants pour m'indiquer le chemin.

— Je m'en charge ! annonça Duff aussitôt. Ne bougez pas, boss. Je vais chercher mon pick-up.

Heureux de la tournure prise par les événements, le chef d'équipe sortit en esquissant un curieux pas de côté, à la Charlie Chaplin.

Lily n'eut pas le temps de s'en amuser. Avec inquiétude, elle voyait le visage de Case pâlir de minute en minute. Elle savait que l'état de choc consécutif à l'accident n'y était sans doute pas pour rien, mais il ne fallait pas non plus négliger le fait qu'il avait perdu beaucoup de sang.

— Vous auriez du jus d'orange dans le réfrigérateur du dortoir de l'équipe ? lança-t-elle à Pete.

Sans lui répondre, celui-ci hocha vivement la tête et décampa pour aller en chercher.

Case la regardait d'un air excédé, comme si elle venait de réclamer qu'on offre au blessé un bouquet de fleurs.

— Quand je vais donner mon sang on me fournit du jus de fruit et des cookies après la collecte, expliqua-t-elle sans s'offusquer de sa réaction. Je doute que vous soyez très porté sur les cookies, mais avec tout le sang que vous avez perdu le jus d'orange pourra vous remonter. Sans compter qu'il vous permettra de résister à la nausée.

— Comment savez-vous que...

Avec un sourire un peu triste, Lily lui adressa un clin d'œil.

— Je suis passée par là avant vous. Vous vous rappelez ?

Puis, sans lui laisser le temps d'ajouter un mot, elle appela un des hommes et lui ordonna de tenir le bras de Case en l'air pendant qu'elle enveloppait précautionneusement la plaie avec toute la gaze disponible. Elle achevait de faire tenir le tout avec un bandage serré lorsque Pete revint, porteur du jus d'orange demandé.

Avec plaisir, Lily vit le blessé vider la moitié du flacon et son visage reprendre progressivement des couleurs. Duff passa la tête par la porte de l'étable sur ces entrefaites et se mit à crier :

— Il faut y aller, patron ! Pas une minute à perdre... Votre taxi est avancé.

Pour la forme, Case soupira, levant les yeux au ciel, et fit une tentative pour se mettre debout. Aussitôt, le sol sembla se dérober sous ses pieds. Il serait tombé si Pete et Lily, le soutenant chacun d'un côté, n'étaient venus à son secours.

— Tenez-vous à moi ! ordonna-t-elle.

Songeant que rien n'aurait pu lui faire plus plaisir, Case prit appui avec reconnaissance sur ses frêles épaules, posant la joue au sommet de son crâne. Ses cheveux dégageaient une odeur de cannelle, et il comprit avec regret qu'il allait rater la tarte aux pommes prévue au menu du soir.

Pendant que Pete le soutenait de son mieux du côté de son bras blessé, Lily entoura du sien la taille de Case et ils purent s'avancer ainsi à petite allure en direction de la cour. Tous ensemble, avec l'aide de Duff, ils parvinrent à l'installer sans trop de problème dans l'habitacle du véhicule. Quand ce fut fait, le blessé laissa retomber sa tête sur le dossier du siège et ferma les yeux, manifestement sonné.

— Ne vous inquiétez pas, Miss Lily..., lança Duff en contournant le véhicule pour se mettre au volant. Je vais bien m'occuper de lui. Vous n'avez qu'à rentrer à la maison pour vous changer, maintenant.

Surprise, Lily baissa les yeux et s'aperçut alors seulement qu'elle avait les mains trempées du sang de Case, de même que ses vêtements, maculés de taches rouges aux endroits où leurs corps étaient entrés en contact.

Pendant que le pick-up démarrait, elle hocha la tête machinalement et le regarda partir. Il avait quitté la cour et elle s'apprêtait à suivre le conseil de Duff quand un des hommes encore présents au seuil de l'étable s'avança vers elle et lui posa la main sur l'épaule. De l'autre, il lui tendit la boîte de premier secours qu'ils avaient pris soin de ranger et de refermer et dit :

— Vous vous êtes bien débrouillée, Miss Lily... Vraiment bien. Je n'aurais pas fait mieux. Vous auriez fait un excellent cow-boy.

Avec un sourire d'excuse, il s'empressa de rectifier :

— Je veux dire... une excellente cow-girl.

— Merci, répondit-elle avant de tourner les talons, un sourire aussi large que le Texas illuminant son visage.

Elle était à présent rassurée et pouvait s'estimer heureuse de la tâche accomplie. Case s'en sortirait avec plus de peur que de mal. A moins qu'une radio ne décèle d'autres dégâts sur ses côtes, il n'aurait bientôt plus qu'une cicatrice pour lui rappeler ses déboires.

Le mot « cicatrice » la fit se figer sur place au seuil de la cuisine. Pourquoi lui semblait-il aussi anodin dès lors qu'il s'appliquait à quelqu'un d'autre ? Naturellement, ce n'était pas sur le visage que Case aurait à porter la sienne. Mais elle n'en demeurerait pas moins impressionnante, vilaine, et ne s'effacerait jamais.

Un doute, peu à peu, s'insinuait en elle. Etait-il possible que les autres ne prêtent pas plus d'importance à la cicatrice qui lui barrait la joue gauche qu'elle-même n'en prêtait à celle de Case ? En définitive, avait-elle laissé la réaction égoïste de Todd Collins déformer sa propre perception des répercussions de son accident sur son existence ?

En hâte, Lily gagna la salle de bains du rez-de-chaussée. Elle n'avait plus qu'une idée en tête. Après avoir rangé la boîte de premier secours, elle alluma le plafonnier, le néon du miroir, et dévisagea avec attention la femme qui lui faisait face, s'efforçant de la considérer d'un œil neuf, sans a priori.

La cicatrice était toujours là, bien sûr, mais était-elle réellement aussi visible, aussi essentielle qu'elle se l'était imaginé ? Etait-elle réellement la première *et* la dernière caractéristique que les gens qui la croisaient voyaient en elle, ou simplement un élément parmi d'autres ?

Lily se pencha jusqu'à ce que son nez touche presque la glace. Lentement, elle tourna le visage d'un côté, puis de l'autre. En toute honnêteté, il lui fallait bien reconnaître que le premier profil évoquait grâce et beauté, alors que le second ne pouvait que faire penser à quelque toile abstraite. Elle avait l'impression de se regarder dans un miroir brisé, et cette image lui donnait la nausée.

Rageusement, elle éteignit l'interrupteur du néon et ouvrit grand les robinets du lavabo pour se laver les mains et les avant-bras du sang de Case. Il ne servait à rien, décida-t-elle, de chercher à se voiler la face. La cicatrice qui lui avait volé son visage était bien là pour rester. Et aucun artifice, aucun regard d'homme, aussi aimant et indulgent puisse-t-il être, n'y pourraient rien changer.

Le dîner se termina au ranch Longren sans que le pick-up bleu de Duff ne fasse son apparition dans la cour. Après en avoir terminé avec ses obligations, Lily s'assit en haut des marches du porche pour l'attendre, les coudes sur les genoux et le menton posé au creux des mains.

Les yeux fixés sur l'horizon plus sombre de minute en minute, elle guettait l'apparition de phares dans le lointain. Le soleil avait disparu. Déjà, les grillons débutaient leur concert nocturne. Derrière les corrals, dans leur prairie, plusieurs vaches meuglaient à fendre l'âme pour déplorer la perte de leur veau nouvellement sevré. Quelque part vers l'ouest, quelques chiens aboyaient, sans doute sur la piste d'un lapin qui avait commis l'erreur de ne pas regagner son terrier avant la nuit.

Tout ici était tellement différent du monde qu'elle avait connu ! songea-t-elle avec émerveillement. Pourtant, ce pays lui semblait déjà étrangement familier. A L.A., elle aurait été à cette heure-ci sur sa terrasse, en train d'admirer les derniers feux du couchant sur l'océan, mais la paix n'aurait pas été si complète. En ville, il y avait toujours une sirène pour se faire entendre quelque part, et des gens pour faire du bruit dans la rue ou la maison voisine.

Bien que n'ayant pas été élevée à la campagne, Lily avait l'impression de s'être en quelques semaines parfaitement adaptée au climat sec et aux grands espaces de l'Oklahoma. Elle ne voulait même pas imaginer combien lui manqueraient tout cet espace et ce silence quand il lui faudrait en repartir. Et elle refusait absolument d'admettre que Case

Longren lui manquerait plus encore. Cela, elle préférait ne pas y songer.

Perdue dans ses rêveries, Lily avait oublié de surveiller l'approche du pick-up de Duff, qui la surprit en débouchant brusquement au carrefour qui marquait la limite du ranch. Un soupir de soulagement lui échappa. Enfin, ils étaient de retour !

Le véhicule s'était à peine immobilisé dans la cour que déjà Lily ouvrait la portière passager.

— Vous allez bien ? demanda-t-elle d'une voix anxieuse en se penchant à l'intérieur.

La veilleuse intérieure étant hors d'usage, les phares allumés constituaient la seule source d'éclairage. Tout ce qu'elle put discerner du visage de Case dans la pénombre, ce fut une paire d'yeux bleus rendus par la douleur plus pâles et plus fixes qu'elle ne les avait jamais vus.

Case n'avait jamais été aussi heureux de voir un visage se pencher vers lui de toute son existence. Il souffrait le martyre et avait passé le trajet du retour à s'abîmer en prières et en malédictions muettes. Si Duff était la crème des hommes, il n'y avait aucun doute qu'il était également le pire des conducteurs. Aucune ornière, aucun virage trop serré ne lui semblaient à éviter…

— Je vais bien, répondit-il à retardement en s'arrangeant pour faire passer une de ses jambes à l'extérieur du véhicule.

— Ne le croyez pas, Miss Lily ! intervint Duff. Il n'a pas voulu prendre de médicaments après que la plaie a été suturée et il est plus malade qu'un chien. Le docteur dit qu'il lui faudrait avaler quelque chose avant d'aller dormir. Cela pourrait l'aider à combattre la nausée due à toutes les piqûres qu'ils ont dû lui faire pour anesthésier la blessure.

— Merci, docteur Kildare..., marmonna Case entre ses dents.

— Aidez-moi à le rentrer dans la maison, ordonna Lily. Ensuite, je me débrouillerai.

— Je ne veux pas être porté comme un paquet ! protesta Case. Laissez-moi simplement prendre appui sur vous. Je veux rentrer chez moi sur mes deux pieds, en marchant.

— Vous en êtes sûr ?

— Parfaitement.

— Alors allons-y, dur à cuire... Je suppose qu'il vous tarde d'être dans votre lit.

Lily se pencha un peu plus dans l'habitacle, offrant son épaule à Case, qui l'entoura de son bras valide et parvint ainsi aidé à sortir sans gémir de douleur.

— Merci, Duff..., lança-t-il par-dessus son épaule. On se voit demain.

— J'y compte bien, patron ! répondit gaiement le chef d'équipe.

Aussitôt que Lily et Case se furent suffisamment éloignés du pick-up, Duff se hâta d'aller garer la camionnette sous son hangar. Il lui tardait à présent de regagner le dortoir pour raconter au reste de l'équipe, autour d'une bonne bière, son odyssée aux urgences de l'hôpital de Clinton et tous les détails de l'opération du patron...

Une fois parvenus dans sa chambre, Case lâcha l'épaule de Lily et se laissa tomber de tout son long sur le lit. Peu lui importaient ses vêtements tachés de boue et de sang séché. Au point où il en était, le couvre-lit de satin noir n'avait pas plus de valeur à ses yeux qu'un vieux sac en toile de jute.

— Oh, Case ! protesta-t-elle à mi-voix. Vous allez tacher votre beau couvre-lit.

— Je le ferai laver, marmonna-t-il d'une voix pâteuse. Et si ça ne part pas, j'en achèterai un autre. Je suis bien trop crevé pour me soucier de ça.

— Au moins, laissez-moi enlever vos bottes !

Avant qu'il ait pu protester, elle avait déjà mis son projet à exécution et conduit les bottes terreuses dans le couloir, à la porte de la chambre.

Sans lui demander son avis, Lily entreprit ensuite de le débarrasser de sa chemise. Si les boutons-pressions ne lui posèrent aucun problème, elle eut en revanche plus de mal à ne pas laisser ses doigts s'attarder sur les étendues de chair brune et satinée qu'elle mettait à nu. Cela lui était d'autant plus difficile qu'elle avait un motif légitime pour le faire. Il était manifeste que Case n'aurait pu se déshabiller seul…

Doucement, elle souleva son épaule pour faire glisser la première manche. Il roula sur le côté en grognant pour l'y aider. Bientôt la chemise reposa en tas sur le sol, au-delà de toute réparation possible. Ce que le fil de fer barbelé avait épargné, les ciseaux des médecins pressés de travailler à leur aise l'avaient achevé.

Un énorme hématome qui passait par différentes nuances de pourpre et de noir s'étendait sur son ventre et sur son flanc gauche, souvenir du coup de tête que la vache lui avait donné. Machinalement, Lily l'effleura du bout des doigts, avant de bien vite ôter la main comme si ce contact avait suffi à l'électriser. Il lui aurait été difficile de prétendre que Case, tout blessé qu'il fût, avait absolument besoin de cette caresse-là…

— Combien de points de suture ? s'enquit-elle, penchée pour examiner le bandage propre et net de son bras.

— Beaucoup trop ! grogna-t-il dans un soupir.

— Pourriez-vous avaler un peu de soupe, si je vous en apporte un bol ?

Case hocha la tête et la regarda quitter la chambre après avoir ramassé sur le sol sa chemise en lambeaux. L'ironie du sort lui arracha un sourire désabusé. Alors qu'il reposait sur son lit demi-nu, avec près de lui Lily toute disposée à le cajoler et le dorloter, il aurait été bien incapable de profiter de la situation…

La pièce se mit à tourner autour de lui. Il jura, ferma les yeux et empoigna le couvre-lit sous ses doigts, s'agrippant à la seule prise solide dont il disposait.

Il détestait se sentir faible et diminué. Mais plus que tout encore, il haïssait l'idée de se mettre au lit dans un tel état de saleté. En plus du sang séché qui le maculait encore, la sueur et la poussière d'une journée de travail avaient fait leur œuvre.

Puisant dans ses ultimes réserves de courage, Case parvint à s'asseoir au bord du lit, à se mettre debout et à gagner la salle de bains qui se trouvait au bout du couloir. Se tortiller hors de son jean ne fut pas une mince affaire, mais il y parvint et put se glisser dans la cabine de douche.

Il accueillit l'eau bouillante qui cascada bientôt sur son corps avec un grognement de plaisir. Il n'était pas assez inconscient pour mouiller son pansement tout neuf. Même s'il n'était pas facile de se savonner à l'aide de sa seule main valide en gardant son bras blessé levé à l'extérieur du rideau, il sut se débrouiller pour y parvenir à force de contorsions.

Case savait que le temps lui était compté. S'il ne voulait pas tourner de l'œil et offrir à Lily le spectacle de son corps nu effondré dans le bac de douche, il lui fallait se presser. Sa fierté d'homme, déjà mise à mal au cours de la journée, n'avait pas besoin de cet affront supplémentaire. Avec un soupir de dépit, il entreprit de se rincer.

*
* *

Lily comprit d'un coup d'œil que la chambre était vide. Posant le bol de soupe sur la table de nuit, elle se rua dans le couloir, avec sur le visage une expression que ses frères connaissaient bien et contre laquelle ils auraient pu mettre Case en garde…

— Que pensez-vous être en train de faire, exactement ? cria-t-elle en surgissant dans la salle de bains.

Au milieu d'un brouillard de vapeur et de gouttelettes en suspension, le bras bandé de Case pointait hors du rideau de douche, en une tentative pathétique pour le maintenir au sec.

— J'ai terminé.

Sa voix eut du mal à couvrir le bruit de l'eau, et il dut fermer les robinets avant de conclure :

— Tendez-moi une serviette.

— Je ferais mieux de vous tendre votre tête sur un plateau, maugréa-t-elle. Mais à quoi cela servirait-il, puisque selon toute vraisemblance elle n'est déjà plus sur vos épaules…

Néanmoins, elle lui tendit la serviette demandée, de façon qu'il puisse s'en saisir sans problème. Et même si elle entretint brièvement la fantaisie de faire le contraire, elle détourna les yeux afin de le laisser sortir de la douche en préservant sa pudeur.

Case sourit et se sécha rapidement avant de nouer l'ample serviette de bain autour de ses reins. L'envie l'avait effleuré de ne pas se couvrir et d'attendre que Lily tourne de nouveau les yeux dans sa direction, mais la tête lui tournait trop pour jouer à ces petits jeux avec elle.

— Il n'y a rien de pire qu'une femme qui pense avoir toujours raison ! lança-t-il pour la punir de le traiter comme un enfant.

D'un pas très digne, Lily regagna le couloir et pointa le doigt en direction de la chambre.

— A présent, au lit, *patron* ! ordonna-t-elle en le fusillant de ses yeux verts, mi-sérieux, mi-rieurs.

En s'exécutant sans trop se presser, Case songea qu'il ne lui déplaisait après tout pas tant que cela d'être traité en grand enfant, du moment que c'était par elle. Il lui était d'autant moins possible de faire la forte tête qu'avant d'avoir pu atteindre la porte, il fut pris d'un vertige qui faillit avoir raison de lui.

Sa vision se brouilla, ses jambes devinrent aussi molles qu'un plat de nouilles cuites à mort par Pete, et il dut se retenir au chambranle pour ne pas tomber. Heureusement, Lily, occupée qu'elle était à ouvrir la literie, ne se rendit compte de rien. Par un dernier effort de volonté, il parvint à gagner le lit dans lequel il se laissa tomber avec un soupir de soulagement.

Aussitôt qu'il fut installé, d'un grand geste elle le couvrit jusqu'à la taille avec le drap et le couvre-lit de satin noir. Puis, la main tendue vers lui, elle lança :

— Donnez-moi cette serviette humide.

Case s'exécuta sans chercher à protester. Faiblement, son bras valide se glissa dans le lit pour dénouer la serviette et la lui tendre. Il se sentait trop faible pour improviser quelque commentaire caustique. En allant prendre cette douche, il avait dépassé ses limites, mais il y avait longtemps qu'il n'avait plus été aussi heureux de se sentir propre.

Lily se pencha sur le lit afin de saisir le deuxième oreiller pour le surélever le temps qu'il boirait sa soupe. Pendant qu'elle était penchée sur lui, il soupira et ce souffle ténu dans son cou suffit à la faire frissonner de la tête aux pieds. Avec une netteté stupéfiante, elle s'imagina nue dans ce lit, corps à corps, peau contre peau avec cet homme qui savait réveiller ses sens d'un infime soupir.

Mortifiée par la tournure prise par ses pensées, Lily se redressa et s'empressa d'installer l'oreiller dans le dos de Case.

— Pourrez-vous tenir ce bol ou avez-vous besoin d'aide ?

Lily se mordit la lèvre inférieure. Elle avait parlé trop sèchement et le regrettait. Case n'avait pas à faire les frais de sa mauvaise humeur simplement parce qu'il parvenait sans le vouloir à susciter en elle des fantasmes indésirables...

Surpris par cet incompréhensible mouvement d'humeur, Case garda le silence et la dévisagea un instant. La douceur de ses attentions à son égard et l'expression de son visage à cet instant suffisaient à démentir la dureté de ses paroles.

— Je pourrai me débrouiller, répondit-il en lui prenant le bol des mains.

Il prit le temps de le vider en quelques gorgées et ajouta :

— Merci de vos bons soins, Lily Catherine. Vous auriez fait une excellente infirmière... en travaillant un peu vos bonnes manières.

Lily ouvrait la bouche pour répliquer vertement, mais ses yeux croisèrent ceux de Case et elle comprit que même dans les affres de la douleur il cherchait encore à la faire sourire. Alors, elle se contenta de lui reprendre le bol et de retirer en douceur l'oreiller supplémentaire de dessous sa tête.

Avant de le laisser, elle ne put s'empêcher de repousser une mèche de cheveux noirs et mouillés qui avait glissé sur son front. Ce faisant, elle y posa brièvement la paume de sa main pour vérifier sa température.

— Vous n'avez pas de cachets à prendre ? s'étonna-t-elle. On ne vous a pas donné d'analgésique, à l'hôpital ?

— Regardez dans la poche de mon pantalon..., marmonna Case, déjà à moitié endormi. Mais vous ne me ferez avaler aucune de ces drogues. Elles me donnent la gueule de bois et j'ai besoin d'être en forme demain. J'ai trop à faire...

Lily se précipita dans la salle de bains, ramassa le jean sur le sol et trouva dans une poche une tablette de comprimés. Le temps qu'elle revienne dans la chambre, Case avait déjà glissé dans un sommeil profond. Pour qu'il les trouve si jamais la douleur le réveillait, elle les laissa bien en évidence sur la table de nuit, à côté d'un verre rempli d'eau.

N'ayant plus aucune raison de s'attarder, elle regagna la porte de la chambre, au seuil de laquelle elle se retourna pour s'autoriser un dernier regard sur Case. Il lui fit tellement pitié, son bras bandé pointant hors du lit loin du reste de son corps, il lui parut d'un coup si vulnérable et solitaire, qu'elle eut envie d'aller se blottir contre lui et de le serrer contre son cœur toute la nuit.

Lily avait des souvenirs précis de la panique qui s'était emparée d'elle lorsqu'elle s'était réveillée à l'hôpital, la nuit suivant son accident, seule dans le noir et dévastée par la douleur. Soudain, l'idée de laisser Case risquer un tel réveil lui parut insupportable.

Sans se laisser le temps d'hésiter, elle courut jusqu'à sa chambre faire un brin de toilette, enfiler son pyjama et une robe de chambre. Avant de sortir, elle prit sous son bras une couverture et son oreiller et regagna la chambre de Case. S'il se réveillait au cours de la nuit, elle serait là pour lui.

En posant son oreiller sur la descente de lit et en s'y couchant en boule, la couverture serrée autour d'elle, Lily préféra ne pas s'attarder sur les raisons qui la poussaient à agir aussi follement. Elle ne voulut pas non plus prêter attention à la voix insistante qui murmurait, en elle, qu'un nouveau pas venait d'être franchi dans leur relation. Elle ne prêtait attention qu'au sommeil agité de l'homme qui reposait dans le lit à côté d'elle.

7.

Lily se réveilla durant la nuit en entendant Case gémir dans son sommeil. A la façon qu'il avait de s'agiter dans son lit, de chercher une meilleure position pour son bras qu'il n'arrivait pas à trouver, elle se doutait qu'il devait avoir mal. Elle suspectait également que l'hématome qu'il portait au ventre, bien qu'il ne s'en soit pas plaint, le gênait autant sinon plus pour dormir que sa blessure.

Quand il ne lui fut plus possible de l'entendre se plaindre sans réagir, Lily se leva de sa couche improvisée, marcha sans faire de bruit jusqu'à la table de nuit, et fit rouler dans sa paume deux comprimés après les avoir sortis de leur blister. Ensuite, avec un luxe de précautions, elle glissa sa main sous la tête de Case pour la relever légèrement et lui glissa à l'oreille :

— Case, chéri, ouvrez la bouche…

Le mot doux lui était venu tout naturellement sur les lèvres. Lily n'eut pas le temps de s'en émouvoir. Comme s'il avait eu sur lui l'effet d'un sésame magique, Case entrouvrit les lèvres sans se réveiller. En hâte, elle fit glisser les pilules sur sa langue, saisit le verre d'eau, et le présenta doucement à ses lèvres.

— Buvez une gorgée, le pressa-t-elle à mi-voix. Ce n'est que de l'eau. Ça vous aidera à dormir.

Case se mit à boire goulûment, tandis que Lily élevait au fur et à mesure le verre, avalant par la même occasion sans s'en apercevoir les deux pilules d'analgésique. Quand il eut terminé, elle reposa le verre et laissa doucement glisser sa tête dans l'oreiller.

— Dormez bien, maintenant..., murmura-t-elle.

Du bout de l'index, elle essuya une goutte d'eau qui perlait au coin de sa bouche, incapable de ne pas s'imaginer l'étancher avec ses propres lèvres. Avant qu'elle ait pu retirer sa main, Case tourna la tête et murmura sans se réveiller des mots inintelligibles contre sa paume.

Le cœur battant, Lily attendit qu'il ait replongé dans un sommeil profond pour se redresser. Elle le savait, au matin il aurait tout oublié de ce qui venait de se passer — s'il en avait même eu conscience. Ce qui était sans doute, conclut-elle, une bonne chose pour elle.

Avant de s'éloigner, elle rajusta les couvertures sur son torse. Incapable de résister à la tentation, elle laissa son regard se repaître quelques instants du spectacle troublant et innocent à la fois que sans le savoir il lui offrait. Même dans la pénombre de la chambre, le contraste formé par ses larges épaules sur le drap ivoire restait saisissant.

Il n'était plus temps de le nier, songea-t-elle dans un accès de lucidité, quelque chose était en train de lui arriver. Quelque chose qu'elle n'avait absolument pas voulu et qui risquait de se révéler lourd de conséquences. Elle était en train de tomber amoureuse de Case Longren, et cela ne pourrait s'achever qu'en désastre pour elle.

Elle avait cru être tombée amoureuse de Todd. Mais les sentiments qu'elle avait éprouvés pour lui n'avaient rien à voir avec ce creux à l'estomac qui se manifestait chez elle chaque fois que Case apparaissait. Il semblait avoir le don de susciter en elle des sensations extrêmes et contradictoires. Il suffisait qu'il s'approche pour qu'elle se sente glacée et brûlante à la fois, désespérée et pleine d'espoir, laide au possible et simultanément la plus belle femme du monde...

Il lui suffisait de regarder ce visage altier, de contempler ces traits sculptés et la masse de ces cheveux noirs, de laisser ces yeux taillés dans l'azur d'un ciel d'Oklahoma transpercer son âme, pour avoir envie de jeter aux orties toutes ses réticences.

Un regret la rongeait : celui de n'avoir pas rencontré Case plus tôt. Si elle avait été au moment de son accident fiancée à lui plutôt qu'à Todd, si elle l'avait eu à ses côtés pour surmonter cette épreuve, si...

Avec un soupir résigné, Lily se détourna du lit et regagna sa couche improvisée. Il lui était impossible de réécrire sa vie à coups d'hypothèses. Les « si » étaient pour les rêveurs, et elle avait décidé de ne plus croire à la force des rêves.

Roulée en boule au pied du lit de Case, incapable de dormir, elle se résigna à attendre l'aurore.

Lily n'avait pas réussi à se rendormir quand les premières lueurs de l'aube s'infiltrèrent derrière les rideaux de la chambre de Case. Après qu'elle lui avait fait avaler les pilules, il ne s'était plus manifesté.

Avant de sortir, son oreiller et sa couverture sous le bras, elle s'autorisa un dernier regard dans sa direction. Couché en travers de son lit, son grand corps sculptant sous le drap des reliefs évocateurs, il paraissait plus apaisé et dormait d'un profond sommeil.

Lily se débarrassa de sa douche et de sa toilette le plus rapidement possible. Elle tenait à préparer un breakfast consistant pour Case et à le lui porter au lit avant que les hommes de l'équipe ne débarquent dans la cuisine pour prendre leur petit déjeuner.

Après la journée qu'il avait vécue la veille, cela n'avait rien que de très normal. Du moins essaya-t-elle de s'en persuader en grimpant l'escalier, chargée d'un plateau copieusement garni.

Elle avait laissé la porte de sa chambre entrouverte. Avant d'y pénétrer, elle s'amusa de le voir, assis contre la tête de lit, tâter prudemment ses abdominaux bleuis par l'hématome.

— Vous êtes réveillé ! s'exclama-t-elle en repoussant le battant du bout du pied, pour le prévenir de sa présence. Ce n'est pas trop tôt...

Bien plus encore que de voir Lily débarquer dans sa chambre à l'improviste, Case fut surpris du plateau chargé de nourritures appétissantes qu'elle lui apportait.

— Qu'est-ce que c'est que ça ? demanda-t-il d'un air suspicieux.

— Votre petit déjeuner.

Lily décida d'ignorer son air outragé. Elle connaissait les hommes. Ils étaient tous pareils. Durs comme pierre quand ça les arrangeait, et aussi désemparés que des enfants dès qu'ils devaient garder le lit pour cause de blessure ou de maladie.

— Mon petit déjeuner ? répéta Case comme s'il n'avait pas compris. Au lit ?

Sous l'effet de la stupéfaction, sa voix avait grimpé de deux octaves.

Méfiant, Case épia la porte ouverte, s'attendant à moitié à voir Duff passer la tête dans l'entrebâillement et rire à ses dépens. Un homme digne de ce nom ne prenait pas son petit déjeuner couché dans un lit ! Du moins, sous le ciel de l'Oklahoma. Sans doute en Californie les mœurs étaient-elles différentes.

A l'embarras d'être traité comme un enfant par Lily se mêlait cependant un certain soulagement. Depuis qu'il avait ouvert les yeux, il redoutait d'avoir à descendre l'escalier sous les yeux de ses hommes, diminué comme il l'était, et de les rejoindre pour le petit déjeuner. Au moins son initiative lui permettrait-elle d'éviter cette première épreuve de la journée. Sans compter qu'il était touché plus qu'il n'aurait voulu l'admettre par cette délicate attention.

— Repliez vos jambes ! lui ordonna-t-elle en se penchant pour poser le plateau muni de pieds sur le lit.

Résigné à se laisser faire, Case s'exécuta et contempla d'un œil gourmand les délices qui l'attendaient.

Satisfaite, Lily le regarda dévorer le plateau des yeux, les bras croisés. Les cheveux emmêlés, la joue encore marquée par l'oreiller, les yeux embrumés sous des paupières lourdes, Case se présentait au réveil sous un jour séduisant et touchant à la fois, auquel aucune femme n'aurait pu résister.

— Vous avez besoin d'autre chose ? demanda-t-elle.

Avec un large sourire, il s'empara de sa fourchette et la dévisagea d'un air espiègle.

— Vous souhaitez réellement que je réponde à cette question ?

Il la toisa de la tête aux pieds, avec sur le visage une expression qui en disait long sur la réponse qu'il aurait pu lui fournir.

Rouge jusqu'à la racine des cheveux, Lily pivota sur ses talons et marcha d'un pas résolu vers la porte.

— Je vois que vous allez beaucoup mieux, maugréa-t-elle, puisque vous avez retrouvé votre sens de l'humour si spécial.

Dans son dos, Case s'écria d'une voix moqueuse :

— Où allez-vous, Lily chérie ? Vous ne voulez donc pas me donner la becquée à la petite cuillère ?

— Vous n'aimeriez pas savoir où je pourrais la mettre, *patron* !

Son rire tonitruant la poursuivit jusque dans le couloir, jusque dans l'escalier, et tout le reste de la journée jusque dans son cœur.

Occupée comme elle le fut, la semaine sembla passer en un clin d'œil. Case se contenta de superviser le travail de ses hommes à distance, sans mettre la main à la pâte. Il ne tenait pas à solliciter trop sa blessure, au risque que ses points de suture se rompent ou s'infectent. En aucun cas il n'aurait voulu compromettre le travail des médecins et repasser par où il était passé. Même le plus aguerri des cow-boys avait le droit de haïr les piqûres…

Lily continua à le dorloter mais s'arrangea pour déjouer toutes ses tentatives de tête-à-tête. Lorsqu'il finissait par renoncer et par lui tourner le dos, sans doute aurait-il été fort surpris s'il avait pu la voir se mordre la lèvre pour ne pas le rappeler à elle.

Vint le samedi et la nécessité pour Lily de se rendre en ville afin d'y effectuer les courses pour la semaine suivante. Il lui aurait été possible d'accompagner Case, qui devait se faire enlever ce jour-là ses fils à l'hôpital, mais elle préféra y aller seule en dépit du temps menaçant.

Quand elle eut terminé ses emplettes, Debbie, profitant de sa pause, vint la raccompagner sur le parking.

— Sale temps en perspective…, grogna-t-elle en scrutant anxieusement le ciel.

Lily leva les yeux vers le plafond nuageux bas et d'un gris plombé qui défilait au-dessus de leurs têtes.

— Il ne faut pas exagérer ! protesta-t-elle pour se rassurer. Il ne pleut pas encore et il n'y a pas le moindre souffle de vent…

— Justement, répliqua son amie avec une grimace. Dans nos régions, c'est souvent le prélude à l'enfer.

Baissant la tête, Debbie prit les mains de Lily dans les siennes et ajouta :

— Je ne voudrais pas t'inquiéter, mais tu ferais mieux de rentrer tout de suite au ranch. Et aussitôt que tu y seras, tu m'appelles pour me prévenir que tu es bien rentrée. C'est promis ?

— Oui, maman…

En plaisantant, Lily avait voulu dédramatiser la situation, mais l'inquiétude que Debbie se faisait de la savoir seule sur les routes par ce temps avait fini par l'impressionner.

Le trajet du retour fut éprouvant pour ses nerfs. Elle passa la moitié du temps les yeux rivés sur la route, et l'autre moitié à observer avec appréhension les nuages de plus en plus lourds de menace qui se bousculaient à l'horizon.

Mais en dépit des sombres pressentiments de son amie, elle parvint au ranch Longren sans encombre. Elle eut même le temps d'appeler Debbie comme promis, de débarquer ses provisions, de commencer à les ranger, avant que la première goutte de pluie ne percute une fenêtre de la cuisine.

Ce soir-là, à la demande de Case, Lily ne prévit pour tout repas qu'un buffet froid copieusement garni, puisque les hommes avaient cessé le travail avant midi en raison du temps. Lui-même se contenta d'empiler quelques sandwichs sur une assiette pour aller les déguster en solitaire sur le porche, sans quitter un instant le ciel des yeux.

Afin de se protéger de la pluie incessante, les membres de l'équipe s'étaient entassés dans des voitures pour rejoindre la grande maison. Aussitôt le repas terminé — et nul ne songea à le prolonger ce soir-là — ils s'empressèrent de rejoindre leurs véhicules pour regagner leur dortoir et la perspective d'une nuit de sommeil plus longue qu'à l'accoutumée.

Après leur avoir dit au revoir, Lily les regarda s'égailler sous l'averse comme une volée de moineaux à la recherche d'un abri. Puis elle s'empressa de ranger la cuisine et quand tout fut terminé, elle prit prétexte de vérifier la fermeture de toutes les fenêtres du rez-de-chaussée pour se lancer à la recherche de Case.

Elle finit par le découvrir dans son bureau. Perché au bord de son fauteuil favori, il fixait l'écran allumé de la télévision avec une intensité qui en disait long sur l'intérêt qu'il portait au programme en cours.

— Je vous souhaite une bonne nuit ! lança-t-elle non sans une certaine dose d'amertume. Je vais me coucher.

Case ne lui lança qu'un bref regard.

— Oui, c'est cela..., répondit-il vaguement. Bonne nuit.

Déçue et même un peu vexée, Lily s'éclipsa en fermant soigneusement la porte du bureau derrière elle. Si une sitcom pouvait se révéler tellement passionnant qu'il le préférait à sa compagnie, songea-t-elle, il méritait de le regarder en paix.

Sans prêter attention aux rocambolesques péripéties du feuilleton qui occupait l'antenne, Case lisait la ligne de script du bulletin d'alerte météo qui défilait en continu dans un bandeau noir sous l'image. Mentalement, il enregistrait la force des vents et leur direction, ainsi que les probabilités d'évolution durant la nuit.

Il détestait les avis de tempête, surtout dans une région où les tornades n'étaient pas rares. Il avait réchappé à l'une d'elles une fois, et il ne tenait pas à tenter sa chance de nouveau.

Toute la soirée et jusque tard dans la nuit, il fit donc des allers et retours entre l'écran de télévision et le porche, scrutant les ténèbres sans se décourager. Il guettait le premier éclair qui lui permettrait de vérifier qu'aucun entonnoir de funeste présage ne se formait à l'horizon sous le plafond nuageux.

Il songeait également à Lily, regrettant de s'être montré si distrait lorsqu'elle était venue lui souhaiter bonne nuit. Quand elle avait passé la tête par l'entrebâillement de la porte, pour une fois il n'avait pas été tenté de la suivre ou de lancer un petit jeu entre eux pour lui voler un baiser. Leur sécurité immédiate le préoccupait trop pour cela.

A cause de son attitude, sans doute Lily avait-elle pensé qu'il était de mauvaise humeur ou même en colère contre elle. Elle aurait été surprise d'apprendre que c'était tout l'inverse. Il préférait ne pas lui dire de quoi il retournait de crainte de l'inquiéter inutilement. Si son ignorance des dangers encourus pouvait lui permettre de passer une bonne nuit, il était prêt quant à lui à sacrifier son sommeil pour garantir que rien ne leur arriverait.

La plupart du temps, il ne résultait d'alertes comme celles-ci qu'une nuit blanche. Toutes les tempêtes n'étaient pas meurtrières, et toutes les tornades — Dieu merci ! — ne convergeaient pas automatiquement sur le ranch Longren…

Mais il suffisait d'une fois, d'une nuit d'inattention, pour ne plus avoir l'occasion de le vérifier. Aller simplement se coucher en priant Dieu d'être toujours là le lendemain pour se réveiller était un acte de foi dont il ne se sentait pas capable, n'en déplaise à Lily…

Lily resta éveillée dans son lit pendant ce qui lui sembla durer une éternité. Finalement, le martèlement hypnotique de la pluie sur le toit eut raison de son insomnie et elle sombra dans un sommeil de plomb.

Un roulement de tonnerre si assourdissant qu'il en ébranla son lit la réveilla en sursaut. Aussitôt après, la voix affolée de Case résonnant à son oreille acheva de la tirer de sa torpeur. Du moins en eut-elle l'impression, car comme dans un rêve, elle se sentit tirée de son lit, enveloppée de sa couverture, et emportée dans ses bras en direction de l'escalier.

Ce ne pouvait être un rêve, se dit-elle, en proie à la panique, car jamais un rêve ne lui avait fait aussi peur. Et lorsque Case ouvrit à la volée la porte de la cuisine et se précipita en courant sous le porche, puis sous la pluie battante, elle eut la certitude qu'elle ne vivait pas un rêve éveillé mais bien plutôt un cauchemar !

— Tenez-vous debout ! hurla-t-il pour se faire entendre au-dessus du fracas incessant du tonnerre et de la pluie percutant le sol. Je dois utiliser mes deux mains pour ouvrir la trappe de l'abri.

Quand ses pieds touchèrent terre, Lily sentit avec angoisse qu'ils étaient plongés dans l'eau jusqu'aux chevilles. Soit il l'avait déposée dans une profonde flaque, soit une inondation était en train de s'abattre sur le ranch. Elle était trop terrifiée, trempée et giflée qu'elle était par un vent violent, pour s'en inquiéter.

Une bourrasque plus forte fit claquer la couverture que Case avait drapée autour d'elle. Elle eut peur de la suivre si jamais elle s'envolait et s'y accrocha désespérément.

Réalisant soudain qu'elle ne pouvait plus le voir ni le sentir près d'elle, elle se mit à crier :

— Case ! Où êtes-vous ?

Instantanément, il se dressa à ses côtés. Un bras passé autour de sa taille pour la serrer contre lui, il brandissait de l'autre une lampe torche qui éclairait une volée de marches en béton s'enfonçant dans le sol.

— Passez devant ! lui cria-t-il dans l'oreille. Il me faut refermer derrière nous. Dès que ce sera fait, nous serons définitivement à l'abri. Tout va bien se passer ! Je vous le promets…

Lily ne se le fit pas dire deux fois. Elle dégringola les quelques marches bien plus qu'elle ne les descendit, sans se soucier de savoir ce qui en bas pouvait l'attendre. Quoi que ce puisse être, songea-t-elle, ce ne pourrait être pire que ce à quoi elle venait d'échapper.

— Vous n'avez rien, Lily Catherine ?

Le visage creusé par l'inquiétude dans la lumière vive de sa lampe torche, Case venait de la rejoindre au fond de l'abri. Elle n'eut pas le temps de lui répondre qu'un martèlement assourdissant fracassa le silence revenu, semblable à celui d'une pluie de pierres s'abattant sur la trappe en fer.

— Qu'est-ce que c'est ? s'inquiéta-t-elle sans pouvoir réprimer un frisson.

Comme si cela avait pu suffire à la réchauffer, Lily serra contre elle sa couverture détrempée.

— Des grêlons, répondit Case.

Et à en juger par le bruit qu'ils faisaient, songea-t-il sombrement, ils devaient être de la taille d'un œuf de poule. Leurs impacts résonnaient dans l'abri vide comme dans la caisse d'un tambour battu par un géant avec la dernière énergie.

Case posa la lampe torche sur une étagère, braquant le faisceau lumineux de manière à éclairer Lily. Cela fait, il la rejoignit et palpa avec inquiétude ses bras et ses jambes pris de tremblements, à la recherche de la moindre blessure. Quand il s'était précipité dans sa chambre pour la tirer sans ménagement de son lit, il n'avait pas eu le loisir d'y mettre les formes et redoutait de lui avoir fait mal sans même s'en rendre compte.

Il se sentait encore coupable de s'être endormi devant la télévision. Il avait fallu pour le tirer du sommeil la voix stridente d'un speaker annonçant la formation et le passage imminent d'une tornade dans les environs de Clinton.

En se ruant sur le porche, il ne lui avait pas fallu plus d'une seconde pour réaliser à la faveur des éclairs qu'ils n'auraient peut-être pas le temps d'atteindre l'abri. Et parce qu'il ne leur restait pas d'autre choix, il s'était tout de même précipité à l'étage, dans la chambre de Lily, décidé à risquer une sortie.

Deux mètres de terre et de béton les séparaient à présent de l'enfer qui se déchaînait en surface. C'était tout ce qui comptait à ses yeux, et un soulagement intense s'empara de lui. Lily était à l'abri de tout danger, même si son silence et ses tremblements persistants n'étaient pas pour le rassurer.

— Répondez-moi, Lily ! insista-t-il d'une voix pressante. Vous allez bien ?

Incapable de prononcer la moindre parole, Lily hocha la tête et cligna des yeux, soudain consciente de la lampe torche aveuglante braquée sur elle.

Bouleversé de la voir si vulnérable et fragile, Case la prit dans ses bras sans lui laisser le loisir de protester. Pour lui communiquer sa chaleur et sa force, il se pressa de tout son corps contre le sien, frissonnant et trempé.

— Je suis désolé, Lily chérie..., murmura-t-il en caressant ses cheveux. Je ne voulais pas vous faire aussi peur, mais il était pratiquement trop tard pour arriver jusqu'ici. Je me suis endormi devant la télé. Je... j'ai bien failli ne pas entendre l'alerte.

— L'alerte ? répéta Lily dans un murmure. Quelle alerte ?

Bien serrée entre les bras de Case, sa chaleur commençant à se communiquer à elle à travers ses vêtements humides, elle avait le plus grand mal à garder les idées claires. Etre aussi proche de lui que deux amants peuvent l'être, après être passée si près du drame et peut-être de la mort, constituait un aphrodisiaque puissant, qui répandait dans ses veines une langueur contre laquelle il lui était difficile de lutter.

— L'alerte météo, répondit Case avec un temps de retard. Vous ne vous en êtes peut-être pas rendu compte, mais nous venons d'échapper à une tornade. Je...

Ce qu'il avait été sur le point de dire se perdit dans un gémissement sourd. De la manière la plus inattendue — et la plus affolante ! — Lily venait de cueillir du bout de la langue une goutte de pluie qui dévalait dans l'échancrure de sa chemise. Instantanément, il se sentit durcir sous la braguette de son Levi's trempé.

— Que diable pensez-vous être en train de faire ? lança-t-il d'une voix sourde.

Case mêla ses doigts aux cheveux humides de Lily et fit pivoter sa tête en douceur, de manière à pouvoir la fixer au fond des yeux. Vastes, sauvages et verts comme une forêt équatoriale, ils semblaient l'inviter à plonger.

— Lily ?

Dans sa bouche, son nom sonnait comme un avertissement autant que comme une prière. Lentement, Lily tourna la tête, contempla par-dessus son épaule le grand lit en fer couvert d'un matelas nu qui tenait tout un coin de l'abri, et revint fixer son regard sur le visage de Case. Avec l'impression d'étouffer, elle se recula, juste assez pour se donner un peu d'air.

Ce fut l'erreur finale, celle qui décida plus sûrement de la suite des événements qu'aucun mot n'aurait pu le faire. Sa chemise de nuit, aussi gorgée d'eau qu'une éponge, après avoir été pressée contre le corps de Case, était devenue transparente. Chaque courbe, chaque rondeur, chaque repli secret de son anatomie lui était plus visible que si elle avait été nue devant lui.

Dans un ultime accès de pudeur, elle fit mine de refermer les pans de la couverture autour d'elle, mais Case tendit la main devant lui pour l'en empêcher. Il avait l'impression d'être aussi sonné que le jour où la vache, en se retournant contre lui, lui avait donné un coup de tête dans le ventre.

Mais cette fois, c'était devant Lily qu'il se sentait démuni et sans défense. Sa beauté, enfin révélée à ses yeux dans son intégralité sous la soie mouillée, l'emplissait d'un désir trop urgent pour pouvoir être raisonné.

Lily vit la main de Case se tendre entre eux, hésitante, puis se figer, immobile, incertaine de ce qui allait suivre. Alors, elle comprit que c'était à elle de prendre la décision pour eux deux. Sans hésiter, elle s'avança à la rencontre de cette main qui se referma sur son sein. Avec un soupir de bien-être, elle posa la tête contre sa poitrine, à l'endroit où battait son cœur.

— Oh, Seigneur ! murmura-t-il. Lily, êtes-vous sûre de savoir ce que vous faites ? Dans à peu près trois secondes, je serai incapable de penser et plus rien ne pourra m'arrêter.

— Ne pensez pas ! répondit-elle en se penchant pour éteindre la lampe torche sur l'étagère. Contentez-vous de ressentir…

Cet ordre chuchoté et la brusque obscurité eurent raison des ultimes hésitations de Case. Il la prit dans ses bras et en deux enjambées rejoignit le lit dans le noir. Il l'y déposa et l'instant d'après, éperdu de reconnaissance, il put sentir sous son corps d'homme tendu par le désir celui de Lily, souple, chaud et offert à ses caresses.

— Lily… Lily… Lily…

Submergé par le besoin de s'enfouir en elle, Case répétait son nom encore et encore, comme une incantation.

— Aide-moi, chérie ! l'implora-t-il. Touche-moi… Aide-moi à t'aimer…

Lily encercla son cou entre ses bras, laissant ses doigts s'égarer sur les muscles bandés de ses épaules. Le besoin de l'accueillir en elle qui la tourmentait, aussi impérieux et aveugle que le cyclone qui se déchaînait au-dessus de leurs têtes, la poussa à arquer le bassin pour mieux sentir Case peser sur elle.

Le tonnerre qui grondait à l'extérieur, le vent qui sifflait dans la bouche d'aération accompagnaient leurs soupirs et leurs gémissements tandis qu'elle se donnait enfin à l'homme qu'elle aimait. Cette nuit, même s'il lui faudrait en payer le prix plus tard, elle ne se sentait plus la force de lui résister.

Cela ne pourrait être que pour un moment, certes, mais Case Longren serait à elle comme aucun homme ne l'avait jamais été. Elle lui ferait oublier qu'elle était loin d'offrir au regard la perfection qu'il méritait. Elle ferait de son mieux pour être l'amante idéale de l'homme idéal.

Case enfouit son visage entre les seins de Lily et gronda sourdement. Il lui fallait maintenir un semblant d'attitude civilisée alors que ne l'habitait plus que le désir primordial et sauvage de prendre ce qu'elle avait à lui offrir. Elle-même ne l'aidait pas en ondulant du bassin sous lui et en répondant à ses audaces par plus d'audace encore. Et quand elle écarta les jambes juste suffisamment pour le laisser se positionner entre elles, il sut qu'il était perdu.

Les doigts de Case se refermèrent sur l'encolure de la chemise de nuit. Il s'échina un moment à défaire quelques boutons, puis n'y tenant plus, tira d'un coup sec. Avec un bruit de tissu déchiré, le vêtement céda et les seins de Lily, enfin libérés, s'épanouirent sous ses mains.

— Case…, gémit-elle. Aime-moi ! Même si ce n'est que pour cette nuit, je t'en supplie, faisons l'amour…

Entre ses lèvres, Case cueillit le mamelon durci d'un de ses seins. Avec un frisson, Lily bomba le torse.

— Pas juste pour cette nuit…, susurra-t-il entre deux baisers. Pour toujours !

Case avait l'impression de se noyer dans un océan de douceur. Seconde après seconde, minute après minute, elle était en train de le rendre fou. Ses mains lui rendaient ses caresses, sa bouche semblait aussi affamée que la sienne, son corps se déchaînait autant que le faisait le sien.

Il en vint même à se demander s'ils avaient réellement eu le temps de gagner l'abri et s'il n'était pas en train d'étreindre la tempête. Il se sentit poussé vers le haut, tiré vers le bas, attiré, repoussé, embrassé, enlacé…

Entre ses bras, Lily se montrait aussi imprévisible et déchaînée que la tornade qui continuait à mugir à deux mètres au-dessus de leurs têtes. La certitude que l'attente qui le minait depuis des semaines prendrait bientôt fin décuplait sa propre détermination.

Le corps de Lily était en feu sous les doigts brûlants de Case. Le sang courait dans ses veines comme un fleuve de lave. La ronde folle dans laquelle il l'avait entraînée en déchirant sa nuisette semblait sur le point de la consumer tout entière.

Plus d'une fois, elle essaya de parler, de le supplier de mettre un terme à cette exquise torture. Mais chaque fois qu'elle ouvrait la bouche, il s'y abreuvait à son souffle, à ses soupirs, si bien qu'il lui devenait impossible d'échapper au brouillard de sensations délicieuses et confuses dans lequel ses mains et ses lèvres semblaient décidées à la noyer.

Puis, sans crier gare, il se redressa et se mit debout. Dans le noir, elle entendit le bruit de toile mouillée que fit sa chemise en tombant sur le sol et le cliquetis de son ceinturon qu'il débouclait. Surprise par le sentiment d'abandon et de perte qui l'avait envahie quand son corps n'avait plus pesé sur le sien, Lily trompa son désarroi en achevant de se mettre à nu elle aussi.

Et dès l'instant où il se recoucha près d'elle, l'entoura de ses bras et reconquit sa bouche d'un baiser passionné, elle fut submergée par un sentiment de soulagement et de gratitude ; un soulagement qui ressemblait fort à celui que l'on ressent en retournant après une longue absence chez soi.

Alors, elle comprit que rien dans son existence précédente ne l'avait préparée à un homme comme lui, et qu'il lui serait bien difficile, passé cette nuit de folie, de faire en sorte de l'oublier.

Tout le corps de Case était noué par le désir. Son sexe tendu et vibrant le faisait presque souffrir. Incapable de différer plus longtemps cet instant, il s'allongea avec un soupir de soulagement sur le corps offert de Lily et se positionna entre ses jambes.

Verrouillant ses chevilles dans son dos, elle répondit à son initiative par une rotation du bassin qui acheva de les unir. Le murmure qu'elle déposa sur ses lèvres en couvrant sa bouche de petits baisers acheva de le convaincre qu'il ne pourrait plus y avoir de retour en arrière possible.

— Je suis en feu, Case… Par pitié, maintenant fais-moi l'amour.

Alors, tout parut s'accélérer. Mais paradoxalement, Lily eut l'impression que l'achèvement de leur plaisir n'arriverait jamais assez vite pour soulager la pression qui semblait sur le point de faire exploser son corps et son cœur. Dans un duel tissé de tendre complicité, leurs corps s'affrontèrent, prirent autant qu'ils donnèrent, se repoussèrent et se reprirent, dans un déchaînement de passion que soulignait en contrepoint le bruit de l'ouragan qui en surface semblait atteindre au même instant son apogée.

Enfin, ils reposèrent nus l'un contre l'autre sur le lit, essoufflés et tremblants, les membres emmêlés, perdus dans cet instant de grand calme qui suit les tempêtes. En lui caressant les cheveux, Case murmura à l'oreille de Lily de doux mots d'amour, des serments si touchants qu'elle fut certaine de ne jamais plus en entendre de si beaux.

Les larmes aux yeux, elle enfouit son visage contre son épaule et planta ses ongles dans son dos, en un futile effort pour retenir ce qui ne pourrait manquer de suivre. Tôt ou tard, il lui faudrait quitter l'abri rassurant des ténèbres et lui faire face, sachant que ce qu'il avait adoré vaudrait moins à ses yeux en pleine lumière.

Lily ne mettait pas en doute le fait que Case l'aimait. Elle n'était pas assez inconsciente pour s'imaginer que ce qui venait de se passer entre eux résultait d'une simple attirance physique. Mais tout s'était passé dans le noir. Il lui était difficile de croire qu'en pleine lumière il aurait pu l'aimer avant tant de passion.

Même si tous les actes de Case, même si toutes ses paroles lui prouvaient le contraire, Lily restait convaincue que son visage défiguré ne pourrait que tôt ou tard être un obstacle entre eux. Il ne pouvait en être autrement. Le scepticisme et l'éloignement demeuraient ses seules armes pour se protéger de l'humiliation d'être un jour rejetée.

Case entendait le vent se calmer à l'extérieur. La grêle avait cessé, et la pluie elle-même était sur le point de rendre les armes.

— On dirait que le gros de la tempête est passé, lança-t-il en posant les jambes sur le sol pour se lever. Je ferais mieux d'y aller voir. Il n'y a peut-être à l'heure qu'il est plus de maison dans laquelle rentrer.

— Oh non ! s'exclama Lily. Tu crois vraiment que...

A tâtons, Case se mit à la recherche de son jean et de sa chemise sur le sol.

— Si c'est le cas, tant pis ! lança-t-il avec fatalisme. Je t'ai près de moi. C'est la seule chose qui m'importe. Tout le reste peut être remplacé, mais toi tu es irremplaçable, ma Lily chérie... Et tu ferais bien de ne pas l'oublier !

Il avait parlé tout en s'habillant. Après avoir remis en place le dernier bouton, il tendit la main vers l'étagère et actionna l'interrupteur de la lampe torche. Sur le visage de Lily, une expression résignée effaça la stupéfaction qui s'y affichait l'instant auparavant.

En un geste réflexe, elle avait ramassé sur le matelas ce qui restait de sa chemise de nuit pour couvrir sa nudité. Mais lorsque Case saisit la lampe pour en promener le faisceau sur son corps, elle prit appui sur un coude et laissa retomber le vêtement.

Un sourire de défi au coin des lèvres, Lily s'apprêtait à orienter son visage de manière à en masquer la partie abîmée, mais un regard de Case suffit à l'en dissuader. Alors, rejetant crânement ses cheveux derrière ses épaules, elle pointa le menton fièrement pour ne rien cacher de son imperfection.

La main de Case qui tenait la torche se mit à trembler, et le pinceau lumineux vacilla dans le noir. Instantanément, le désir fulgura en lui, aussi impérieux que s'ils n'avaient jamais fait l'amour. Comme un homme possédé, il fit un pas vers elle et entreprit de déboutonner sa chemise et son Levi's, s'apprêtant à la rejoindre sur le lit.

Il l'aurait fait sans hésiter si la voix anxieuse de Duff n'avait retenti à cet instant à l'extérieur, aussitôt suivie du piétinement de ses bottes sur la trappe en métal de l'abri.

Affolée, Lily se leva d'un bond et entreprit frénétiquement de passer sa nuisette de soie en piteux état, qu'elle recouvrit sur ses épaules de la couverture humide. Case l'aida de son mieux à remettre autant que faire se pouvait un peu d'ordre dans sa tenue, puis déposa un dernier et rapide baiser pour la rassurer sur ses lèvres plissées par l'inquiétude.

Il se retourna à l'instant où Duff, après avoir ouvert la trappe, arrivait au bas des marches. Pour lui parler, il avança d'un pas et se plaça de manière à s'interposer entre lui et Lily assise sur le matelas.

— Nous avons pu nous mettre à l'abri juste à temps..., expliqua-t-il au chef d'équipe manifestement soulagé. Les autres ? Rien de cassé ?

— Pas le moindre bobo ! s'exclama le petit homme avec satisfaction. On avait établi un tour de garde. Dès que les choses ont commencé à tourner au vinaigre, nous nous sommes tous réfugiés dans la vieille grange.

Sachant que ses hommes connaissaient cette position de repli dans l'un des bâtiments les plus anciens et les plus solides de l'exploitation, Case ne s'en était pas fait outre mesure pour eux. La grange, dont le niveau inférieur était enterré à flanc de colline, avait servi d'abri au cours de ce genre d'alertes à des générations successives de saisonniers.

— Rassurez-vous, boss..., répéta Duff. Tout va bien pour nous. Je ne peux pas en dire autant, hélas, pour le toit de l'étable. Attrapez votre lampe et suivez-moi. La pluie a cessé et j'ai déjà envoyé les gars aux quatre coins du ranch pour constater les dégâts.

— J'arrive, répondit Case. Mais je veux d'abord être sûr que Lily peut rentrer tranquillement à la maison.

— Compris !

Sans s'attarder davantage, Duff tourna les talons et quitta l'abri de sa démarche si particulière, qui les fit sourire tous deux. Après l'enfer qu'ils venaient de vivre, le moindre signe de retour à la normale était une bénédiction.

Case s'apprêtait à se retourner vers elle quand les bras de Lily, venue se placer derrière lui, se refermèrent autour de sa taille. La joue posée entre ses épaules, elle poussa un profond soupir et murmura tristement :

— J'aimerais que cette tornade n'ait jamais eu lieu.

Comprenant à mi-mots ce qui la chagrinait, il se retourna vivement entre ses bras et saisit son menton entre le pouce et l'index pour la forcer à le regarder dans les yeux.

Transpercée par ce regard si bleu et si franc qui avait fini par hanter ses rêves, Lily frissonna de la tête aux pieds.

— Ne dis donc pas de bêtises ! protesta-t-il sèchement. Tout ne fait que commencer entre nous.

Sans lui laisser l'opportunité de répliquer, il fondit sur ses lèvres et lui donna un baiser passionné, qui scellait ce pacte entre eux bien mieux que des mots.

8.

Après l'avoir portée dans ses bras pour lui faire traverser le tapis de grêlons qui les séparait de la maison, Case avait conduit Lily jusque dans sa chambre et lui avait ordonné d'une voix sans réplique :

— A présent, tu dors !

Et à sa grande surprise, c'était exactement ce qu'elle était parvenue à faire, après avoir abandonné ses loques trempées pour le jogging le plus chaud et le plus confortable qu'elle avait pu trouver. Elle avait même dormi d'un sommeil si profond qu'elle n'avait pas entendu Case rentrer après sa tournée d'inspection avec Duff.

La dernière chose à laquelle elle avait pensé, après s'être glissée entre ses draps, c'était qu'elle était heureuse de n'avoir pas arrêté de prendre la pilule étant donné la tournure qu'avaient prise les événements cette nuit-là.

Et la dernière chose qu'elle s'était rappelée avant de fermer les paupières, c'était le sentiment de plénitude qu'elle avait connu lorsque Case avait pris possession de son corps. On ne pouvait rêver meilleure introduction au monde des rêves, et c'était effectivement de cela que durant une bonne partie de sa courte nuit elle avait rêvé...

*
* *

Bien plus tard, l'odeur du café fraîchement passé s'insinua jusqu'à ses narines et réveilla Lily. Le nez froncé, elle se retourna dans son oreiller et ouvrit un œil encore lourd de sommeil, juste pour vérifier qu'elle n'était plus en train de rêver.

Un rayon de soleil venu de la fenêtre l'éblouit et lui prouva que non, elle ne rêvait pas. Le jour était bien levé, et à en juger par la quantité de lumière qui pénétrait dans sa chambre, il devait même l'être depuis longtemps...

— Oh, non ! gémit-elle en tombant de son lit et en jetant un coup d'œil catastrophé à sa pendulette.

Quatre zéros luminescents clignotaient sans fin, indiquant qu'au cours de la nuit le courant avait dû être coupé, puis rétabli, ce qui expliquait que l'alarme n'avait pas fonctionné à l'heure habituelle.

Dans un demi-sommeil, Lily se dirigea au radar vers la salle de bains. Moins de cinq minutes plus tard, elle en émergeait, toujours vêtue du jogging dans lequel elle avait dormi. Enfilant ses chaussons tout en marchant, coiffant ses cheveux avec ses doigts, elle dévala l'escalier et pénétra dans la cuisine en moins de temps qu'il n'en faut pour le dire.

Elle s'était attendue à tout, sauf à trouver Case seul dans la pièce, pieds nus, vêtu d'un pantalon et d'une chemise en jean non boutonnée. Aucun des hommes de l'équipe n'était présent. Il n'y avait que lui, debout devant la fenêtre, absorbé dans la contemplation de la vue qui s'offrait à lui, le front ridé de plis soucieux.

— Mon réveil n'a pas sonné..., dit-elle piteusement tandis qu'il se retournait vers elle. Et je n'ai pas su me réveiller.

— Aucune importance.

Case posa son café sur l'appui de fenêtre et vint vers elle. Ses pieds nus sur le carrelage produisaient un léger bruit qui parut à Lily étrangement intime, et qui lui remit à la mémoire les épisodes les plus torrides de leur séjour dans l'abri. Troublée par ces souvenirs, Lily se sentit empruntée et ne sut comment réagir à son approche.

En lui souriant tendrement et en la prenant dans ses bras après l'avoir admirée de la tête aux pieds, Case la tira de son embarras.

— Bonjour, Lily Catherine…, lui susurra-t-il à l'oreille.

Case se pencha pour embrasser les joues empourprées de Lily, l'une après l'autre, avant de se rabattre sur ses lèvres tendres où s'attardait le goût de son dentifrice mentholé.

Sur celles de Case, Lily eut un avant-goût de ce café qu'il lui tardait tant d'avaler. Mais lorsqu'il se mit à mordiller en douceur sa lèvre inférieure, une décharge d'adrénaline se déversa dans ses veines qui valait assurément toutes les doses de caféine du monde…

La situation était d'autant plus délicate pour elle qu'elle se retrouvait partagée entre son envie de battre en retraite et son besoin d'aller de l'avant. Elle ne savait toujours pas si elle devait voir en ce qui s'était passé la veille entre eux la fin d'une histoire ou le début d'une autre. Elle savait de quel côté penchait son cœur, mais elle ne pouvait oublier qu'il s'était trompé une fois déjà. Et elle avait été trop durement blessée par la trahison de Todd pour ne pas continuer à se méfier de ses propres sentiments.

L'embarras de Lily, ses réticences, sa rigidité entre ses bras n'étaient pas passés inaperçus de Case. Avec colère, il s'écarta d'elle et la maintint à bout de bras pour la fusiller du regard.

— Je t'en prie, ne fais pas ça, Lily… Pas après ce qui s'est passé cette nuit. Tu ne peux offrir le paradis à un homme d'une main, et le rejeter de l'autre au fond de l'enfer le lendemain.

Ces paroles étaient dures à entendre, mais Lily les savait justifiées et elle s'efforça de soutenir sans ciller son regard furieux. Finalement, avec un grognement de dégoût, ce fut Case qui mit fin à la confrontation et qui se détourna.

— Je serai dehors la plus grande partie de la journée, dit-il en s'éloignant pour dissimuler sa souffrance. Tu n'as qu'à préparer une grande marmite de ragoût, ou quelque chose de ce genre, que tu laisseras mitonner sur le feu. Les hommes viendront manger par petits groupes, dès qu'ils en auront le temps. Nous allons faire en sorte que tout puisse être nettoyé et réparé pour ce soir.

Alors seulement, Lily se rappela qu'une tornade venait de dévaster le ranch. Tant de choses s'étaient passées entre eux depuis la veille que les vents violents, la pluie diluvienne, la grêle dévastatrice lui étaient complètement sortis de l'esprit.

— Y a-t-il beaucoup de dommages ? s'enquit-elle d'une petite voix timide.

— Des dommages ?

Case fourragea nerveusement dans ses épais cheveux noirs encore humides de la douche qu'il venait de prendre, réduisant à néant le semblant de coiffure qu'il leur avait donné avec les doigts.

— Bon sang, oui ! reprit-il d'une voix chargée de colère. Toutes sortes de choses ont été réduites à néant à cause de cette tempête. Toutes sortes de choses…

Sur cette remarque sibylline assortie d'un regard lourd de sous-entendus, il tourna les talons et quitta la pièce. Mais Lily n'avait pas besoin qu'il insiste tant pour comprendre que les dégâts n'étaient pas que matériels. A présent, le semblant de confiance qui s'était établi entre eux avait lui aussi volé en éclats — uniquement par sa faute.

En rechignant à établir entre eux une relation plus intime telle que celle que lui proposait Case, elle avait délibérément brisé le lien encore fragile qui les unissait. En dépit de ses peurs et de son besoin de se protéger, Lily n'était plus tout à fait sûre d'avoir fait le bon choix.

A l'étage, elle entendit Case déambuler d'un pas rageur, puis redescendre l'escalier quatre à quatre, cette fois chaussé et prêt à sortir. Sans trop savoir ce qu'elle avait à lui dire, elle se précipita pour le rejoindre dans le hall, trop tard cependant pour le retenir. De lui, elle ne vit que ses épaules rigides et le Stetson noir qu'il ajusta sur son crâne avant de claquer la porte derrière lui.

Lily pressa sa main sur ses lèvres pour les empêcher de trembler, mais il lui fut impossible de retenir les larmes qui jaillirent de ses paupières, traçant sur ses joues deux sillons bien nets. Rageusement, elle les essuya du plat de la main et tourna les talons pour gravir l'escalier.

Il lui faudrait attendre le soir pour essayer de combattre le sentiment de culpabilité qui l'assaillait. Pour l'heure, elle avait mieux à faire. Il lui fallait s'habiller et se mettre au travail sans tarder. La journée, songea-t-elle amèrement, promettait d'être longue.

Bien avant midi, la chaleur avait atteint de tels sommets que Lily décida de soutenir le moral des troupes en allant offrir biscuits et boisson fraîche. Il était étonnant de penser qu'il avait fait la nuit précédente suffisamment froid pour que tombent du ciel des grêlons de la taille d'une balle de base-ball. Moins de douze heures plus tard, il faisait assez chaud pour que la plupart des hommes décident de travailler torse nu. Le climat de l'Oklahoma, songea-t-elle en mettant la dernière main à ses préparatifs, n'avait décidément pas fini de la surprendre...

Lily revissa le bouchon de la bouteille Thermos qu'elle venait de remplir de thé glacé, ramassa sur la table le grand sac de cookies tout juste sortis du four, et gagna l'arrière-cour par la porte de la cuisine. Plus elle s'éloignait de la maison, plus lui devenait évident l'état de dévastation dans lequel se trouvait la propriété.

Encore avaient-ils eu de la chance dans leur malheur. Au cours de la matinée, Duff était passé en coup de vent lui faire part des dernières nouvelles. Une tornade s'était bien dirigée droit sur le ranch — plusieurs hommes avaient aperçu son impressionnante traîne caractéristique avant de se mettre à l'abri — mais elle s'était brusquement rétractée dans les nuages en les survolant. En fait, le plus gros des dégâts avaient été causés par les vents violents et la grêle.

Et en constatant l'importance de ceux-ci, Lily ne put que frémir à l'idée de ce qui serait advenu si la tornade ne s'était pas résorbée. Partout où se portait son regard, elle découvrait toits éventrés, plaques de tôle arrachées, branches cassées. Plusieurs fenêtres, sur l'une des façades de la maison, avaient été fracassées par des débris volants. Le long de la route d'accès, une clôture avait été couchée sur le sol sur plusieurs dizaines de mètres. Le pare-brise du pick-up de Duff, sous son auvent, n'avait pas résisté à une tuile errante. Un mur de planches, arraché à une dépendance, avait été emporté sur plusieurs centaines de mètres, avant d'être stoppé par une clôture de fils barbelés, sur laquelle il oscillait en équilibre précaire.

Les hommes étaient partout au travail, couraient comme des fourmis dérangées dans leur fourmilière, s'interpellaient à grands cris. Pour l'heure, le rassemblement des bêtes était oublié. Plus rien ne comptait que la remise en état du ranch, autant pour conjurer un mauvais rêve, semblait-il, que pour se remettre à l'ouvrage dans de bonnes conditions.

Après avoir fait un petit détour pour constater les dégâts, Lily se dirigea vers l'étable, qui avait le plus souffert et où s'activait le groupe le plus important. Duff fut le premier à l'apercevoir et à lui faire signe, avec un grand sourire quand il eut repéré ce qu'elle leur apportait.

— J'espère que c'est froid et liquide ! s'exclama-t-il en saisissant la bouteille Thermos et le gobelet en carton qu'elle lui tendait.

Pendant qu'il se servait, Pete plongea la main dans le sac, y prit deux cookies avec une mine gourmande et fit passer à son voisin. Lily les regarda avec satisfaction faire honneur à sa cuisine et profiter d'une pause manifestement bienvenue.

— Où se trouve Case ? s'enquit-elle quand ils se furent tous servis.

Elle ne l'avait pas vu de la matinée et commençait à suspecter qu'il l'évitait délibérément.

Duff fronça ses épais sourcils gris et essuya d'un revers de main les miettes et le thé glacé qui lui poissaient les lèvres.

— Il est là derrière..., indiqua-t-il en désignant du regard l'arrière de l'étable. Il avait des veaux à enterrer. Un vrai crève-cœur, si vous voulez mon avis.

Pendant un instant, Lily en resta bouche bée et ne sut comment réagir. Des veaux à enterrer ? Que devait-elle comprendre ? Que le vent avait soufflé assez fort pour entraîner les pauvres bêtes ? Qu'elles étaient mortes de frayeur ?

Renonçant à s'informer auprès du chef d'équipe, qui ne paraissait guère disposé à lui en dire plus, elle décida d'aller poser la question au principal intéressé. Derrière l'étable, elle le découvrit au sommet d'une pâture en pente, qu'il dévalait pour rejoindre un tracteur.

Plus elle se rapprochait de lui, plus il hâtait le pas. Si bien qu'elle dut quasiment se mettre à courir pour parvenir avant lui à l'engin.

L'expression qu'elle découvrit sur son visage fit taire en elle les questions qu'elle s'apprêtait à lui poser. Il parut surpris de la voir et s'essuya furtivement les joues, mais pas assez vite pour qu'elle ne remarque les quelques larmes qui s'y attardaient.

Lily ne savait pas ce qui s'était passé, n'avait aucune idée de ce qu'il venait de faire, mais elle sut tout de suite de quoi à cette minute il avait besoin. Elle n'eut qu'à ouvrir les bras pour qu'il vienne s'y réfugier, avec autant de soulagement et de reconnaissance qu'un enfant perdu retrouvant après une longue errance la porte de sa maison.

— Maudite grêle ! grogna-t-il en enfouissant son visage et ses doigts dans ses cheveux.

Lily sentait le citron et le savon, la cannelle et les épices, et de sa vie Case n'avait été aussi content de trouver une femme sur son chemin.

— La grêle ? répéta-t-elle.

Elle ne voyait pas où il voulait en venir, mais peu lui importait. Le tenir tout contre elle suffisait à cet instant à répondre à toutes les questions qu'elle se posait... ainsi qu'à celles qu'elle refusait de se poser.

Case posa le menton au sommet de son crâne, satisfait de la sentir laisser reposer sa joue dans le creux de son cou. La tenir serrée entre ses bras, tandis qu'il embrassait du regard les collines à l'horizon, constituait le meilleur réconfort dont il aurait pu rêver.

— Les grêlons étaient trop gros, expliqua-t-il d'une voix morne. Et certains des veaux encore trop petits. J'ai dû en enterrer quatre ce matin. Le vétérinaire est venu, mais deux autres ne passeront peut-être pas la nuit. Rien de cela ne serait arrivé si j'avais eu le réflexe hier de les mettre à l'abri. Si tu savais comme je m'en veux…

Sa voix s'était brisée sur ces derniers mots. Lily retenait son souffle, consciente de découvrir une facette inattendue de l'homme dont elle était tombée amoureuse. Il ne se contentait pas d'élever des animaux pour en tirer le maximum de profit possible. Il se sentait aussi responsable d'eux, comme les bergers d'autrefois, dépositaires de la santé et de la sécurité de leurs troupeaux. Et lorsqu'une bête venait à mourir, il la pleurait en regrettant d'avoir failli à sa mission de nourrir et de protéger.

— Je suis tellement désolée pour toi, mon chéri…

Lily ne se rendit compte d'avoir laissé échappé ce mot tendre qu'en l'entendant résonner à ses propres oreilles.

Case, en ce qui le concernait, n'aurait pas demandé mieux qu'elle le répète encore… Il était désolé au possible d'avoir perdu quatre de ses meilleurs veaux, mais il aurait volontiers donné tout le reste du troupeau si cela avait pu lui permettre de rester dans les bras de Lily jusqu'à la fin de ses jours !

Après l'avoir une dernière fois serré tout contre elle, Lily s'écarta de Case et lança un regard inquiet autour d'eux, soudain consciente qu'ils s'étaient tenus dans les bras l'un de l'autre sans se soucier que quiconque puisse les voir.

— En as-tu terminé ici ? demanda-t-elle gentiment. J'ai apporté du thé glacé et des cookies à l'équipe. Avec un peu de chance, il t'en restera peut-être un peu.

— Grimpe avec moi ! ordonna Case en se hissant sur le siège du tracteur. Je t'emmène.

Il lui tendit la main pour l'aider à monter sur le marchepied, mais Lily recula d'un pas en secouant négativement la tête. A la façon qu'elle avait de regarder le tracteur, Case comprit qu'elle n'avait sans doute jamais employé un tel moyen de locomotion.

— Inutile..., murmura-t-elle. Je préfère marcher.

— Tu as peur ? demanda-t-il, la main toujours tendue vers elle.

Lily laissa son regard errer sur l'impressionnante machine verte, puis sur la distance qu'il lui faudrait parcourir à pied, avant d'en revenir au tracteur et au visage souriant de Case. Ce fut ce sourire un peu triste qui emporta sa décision. Dans ce qui était en train de se jouer entre eux, la confiance qu'elle avait en ses talents de conducteur entrait marginalement en ligne de compte. C'était sa confiance en lui qu'il mettait à l'épreuve. Sa confiance en lui en tant qu'homme.

— Je n'ai jamais peur avec toi, répondit-elle en soutenant son regard.

Elle tendit la main vers lui et se sentit agrippée par le poignet et hissée fermement sur le tracteur. La cabine en était juste assez grande pour qu'elle se tienne debout à côté de lui. Pour ne pas tomber, tandis qu'il mettait en marche le moteur, elle s'agrippa d'une main au châssis du toit et de l'autre à son épaule.

Au volant de son engin, Case avait l'impression de voler en plein ciel bien plus que de rouler lourdement sur la prairie. La réponse de Lily suffisait à lui redonner de l'espoir pour toute la journée. Avec elle, il savait qu'il lui fallait aller un tout petit pas après un autre tout petit pas. Mais s'il l'avait fallu, il aurait même rampé sur le ventre pour la convaincre que leur avenir ne pourrait qu'être commun. Par son attitude Lily ne lui laissait tout simplement pas d'autre choix.

*
* *

A peine avait-il garé le tracteur devant l'étable qu'un camion de livraison descendit l'allée d'accès au ranch et se gara non loin du chantier sur lequel s'activaient de nouveau les hommes de Case.

Un homme en salopette lourdement bâti en descendit, l'estomac aussi saillant que les muscles qui gonflaient sa chemise. En quelques pas, il eut rejoint Case qui aidait Lily à descendre du tracteur.

Le sourire qu'elle lui adressa en remerciement suffit à effacer la souffrance qu'elle lui avait infligée précédemment dans la cuisine. S'il savait se montrer patient et ne pas brûler les étapes, songea-t-il, peut-être finirait-elle par comprendre qu'elle n'était pas qu'une passade pour lui.

Captivé qu'il était par ce sourire et par la main frêle et chaude de Lily serrée dans la sienne, il avait complètement oublié la présence de l'homme derrière lui quand celui-ci se racla bruyamment la gorge pour attirer son attention.

Avec décontraction et adresse, le livreur jouait avec un cure-dents qu'il faisait passer sans cesse d'un bord à l'autre de sa bouche. D'un pouce dressé au-dessus de son épaule, il désignait son camion derrière lui.

— Je dois décharger votre commande de chevrons et de tôles ondulées, annonça-t-il lorsque Case eut pivoté sur ses talons pour lui faire face. Où voulez-vous que je les mette ?

— Je vais demander à mon chef d'équipe de vous aider, répondit-il en se détournant pour chercher Duff du regard.

Case n'avait pu voir le regard que l'homme adressait à Lily, mais elle aurait difficilement pu quant à elle l'ignorer. Sans se presser, il suivit impudemment des yeux le trajet de sa cicatrice de son œil à sa bouche.

Avec un mélange de fascination et de dégoût, il passa inconsciemment son pouce sur sa propre joue, cueillit son cure-dents entre ses doigts, et détourna la tête pour cracher sur le sol. Il aurait voulu se débarrasser de l'arrière-goût amer que lui laissait dans la gorge le visage abîmé de Lily qu'il ne s'y serait pas pris autrement.

Lily, pour qui cette scène n'était pas une primeur, dressa le menton et soutint avec un sourire sarcastique l'examen dont elle faisait l'objet. Quand l'homme finit par détourner le regard, elle lança sèchement à l'intention de Case, avant de tourner les talons :

— Je vous laisse. Vous avez à faire.

Surpris par ce brusque revirement d'humeur, Case fit volte-face et découvrit sur le visage bovin et rougeaud du livreur un sourire salace qui le fit bondir. Les yeux rivés aux hanches de Lily, l'homme la regardait s'éloigner de sa démarche chaloupée en direction de la maison.

— Pas de chance pour son visage..., commenta-t-il en replaçant d'un geste expert dans sa bouche l'infâme cure-dents mâchouillé. Elle s'rait un beau p'tit lot sans cette balafre sur la figure.

Le visage de Case s'empourpra. Furieux, les poings serrés, il fit deux pas et domina l'homme de toute sa masse. Il avait vu Lily tressaillir et savait qu'elle n'avait pas manqué une parole de ce que l'imbécile venait de dire.

— Fermez-la immédiatement ! menaça-t-il d'une voix grondante. A moins que vous ne vouliez que je vous fasse la même...

En l'espace d'une seconde, le livreur pâlit à l'extrême. De frayeur, il faillit avaler son cure-dents et recula d'un pas, jetant autour de lui un regard anxieux.

— Bon, c'est pas tout ça, où est ce chef d'équipe ? demanda-t-il d'une voix maussade. J'ai d'autres livraisons à faire, moi. Vous êtes pas le seul à avoir souffert de la tempête, vous savez...

Sans un mot, Case alla chercher Duff et lui laissa ses instructions. Il préférait le laisser se débrouiller seul avec le livreur plutôt que de risquer un geste qu'il aurait à regretter ultérieurement.

Il aurait aimé aller trouver immédiatement Lily pour la consoler et la rassurer, pour lui expliquer que les opinions de cet homme la concernant n'étaient qu'un reflet de sa propre laideur, pour lui garantir que son regard n'était en rien celui qu'elle posait sur elle, mais il savait que le moment était mal choisi.

En retournant travailler, il la revit s'éloigner, raide et digne mais blessée au fond de son cœur, sans un mot de protestation. Elle était trop bien élevée et trop intelligente pour s'abaisser à répondre vertement à celui qui l'avait insultée. Ne pas donner à l'incident plus d'importance qu'il n'en avait, c'était respecter sa dignité.

Pourtant, rarement Case avait regretté à ce point de ne pouvoir corriger un homme comme il le méritait. Les piquets de clôture qu'il passa l'heure suivante à renfoncer dans le sol à grands coups de masse en firent les frais.

Quand il revint à la maison avec ses hommes, beaucoup plus tard, pour un dîner rapide et tardif, Lily fit mine d'être entièrement absorbée par son travail. Ce fut à peine si elle lui jeta un regard, et elle ne répondit à ses questions que par monosyllabes.

Case finit par se résigner, engloutit sa nourriture sans même se rendre compte de ce qu'il avalait, et conclut avec amertume qu'ils en étaient tous deux revenus à leur point de départ, malgré ce qui s'était passé la nuit précédente dans l'abri.

Il suffisait de la regarder faire pour comprendre qu'elle s'était instituée juge et jury pour condamner leur relation naissante à une mort prématurée et néanmoins douloureuse.

Après avoir expédié son repas, Case recula sa chaise, marcha jusqu'à l'évier à grands pas, et y laissa tomber son assiette sur une pile d'autres qui s'y trouvaient déjà.

Lily sursauta et se retourna, surprise par ce bruit de vaisselle malmenée. L'expression qu'elle surprit alors sur le visage de Case, debout devant l'évier, la fit frissonner. Manifestement, songea-t-elle, il ne paraissait pas décidé à prendre pour argent comptant l'attitude distante et froide qu'elle avait décidé de lui opposer dorénavant. A le voir la dévisager comme il le faisait, il semblait au contraire être furieux qu'elle ait pu songer à s'y risquer.

Comme pour confirmer ses doutes, il fit halte près d'elle en se dirigeant vers la porte de l'arrière-cour et murmura près de son oreille, d'une voix chargée de menace :

— Je ne suis pas dupe de votre attitude, et encore moins disposé à me laisser faire, Lily Catherine. Je ne vous laisserai pas vous débarrasser aussi facilement de ce qui s'est passé entre nous l'autre nuit !

Lily ravala une réplique maladroite et le regarda sortir et se fondre dans la nuit qui tombait. Contrairement à ce qu'il semblait s'imaginer, elle n'était pas décidée à se débarrasser de qui ni de quoi que ce soit.

Simplement, elle ne pouvait supporter la perspective de voir un jour s'afficher sur ce visage qu'elle adorait une mimique de dégoût semblable à celle qu'avait eue le chauffeur-livreur en la dévisageant. Et le meilleur moyen qu'elle avait trouvé pour éviter ce risque, c'était encore d'éviter de s'y exposer…

Ce fut avec une grande nervosité que Lily termina ce soir-là son service. La soirée morne et solitaire qu'il lui fallut ensuite se résoudre à passer ne fit rien pour améliorer son humeur ou atténuer ses remords.

Contrairement à son habitude, Case ne la rejoignit pas dans son bureau pour assister à un show télévisé qu'ils ne manquaient jamais de regarder tous les deux. Et quand il se décida enfin à rentrer, elle l'entendit monter directement dans sa chambre, sans même venir lui souhaiter bonne nuit, comme s'il avait décidé de lui rendre la monnaie de sa pièce en l'ignorant à son tour.

La porte de sa chambre se referma en claquant derrière lui. Lily étouffa un sanglot et se retourna vers l'écran de télé, sur lequel un public hilare applaudissait à tout rompre. Dans les minutes qui suivirent, elle s'efforça sans grand succès de ne pas reconnaître, même pour elle-même, que le courroux de Case était justifié et qu'elle ne pouvait qu'en assumer les conséquences.

Finalement, les larmes aux yeux et au bord de la nausée, elle éteignit la télévision avant la fin du programme et gagna sa chambre sur la pointe des pieds, par crainte de le déranger. Après une courte douche qui ne fit rien pour la délasser, elle se glissa entre les draps frais et bien repassés de son lit sans ressentir le frisson de bien-être qu'elle éprouvait toujours à ce contact.

Un autre lit, dépourvu de literie et oublié au fond d'un abri souterrain, ne cessait de hanter ses pensées. Elle regrettait le matelas nu et la couverture humide, et plus que tout encore, elle regrettait les caresses de l'homme qui l'avait aimée avec une passion qu'elle n'aurait jamais crue possible.

— Je vais en ville. Besoin de quelque chose ?

La question, lancée par Case sans aménité, avait au moins le mérite de renouer le contact entre eux. Lily se retourna et le vit, sur le seuil de la cuisine, qui attendait sa réponse, le visage soigneusement vidé de toute expression.

D'un geste sec, elle laissa retomber sur la table couverte de farine la boule de pâte qu'elle venait de pétrir et s'essuya les mains à un torchon avant de répondre :

— J'ai commencé une liste. Mais si cela t'embête de passer par le supermarché, je peux aussi…

— Donne-moi cette liste, l'interrompit-il.

Lily alla ramasser sur un buffet la feuille où elle notait au fur et à mesure les courses à faire et alla la lui tendre, mais Case ne se contenta pas du billet. D'une main forte à laquelle il aurait été vain d'opposer la moindre résistance, il s'empara de son poignet et l'attira contre lui, jusqu'à ce qu'ils se retrouvent corps contre corps et presque nez à nez.

Tétanisée, Lily s'efforça de soutenir le regard intense qu'il posait sur elle, et vit le bleu de ses yeux, d'abord assombri par la colère, pâlir et se réchauffer au fur et à mesure que ses lèvres s'abaissaient à la rencontre des siennes.

— Tu es en train de me rendre dingue…, murmura-t-il tout contre sa bouche. Il me suffit de lever les yeux sur toi pour me rappeler à quel point ton corps était doux et souple sous le mien, et combien tu paraissais aimer mes caresses !

C'était la chose la plus gentille qu'il aurait pu lui dire. Mais parce qu'elle l'obligeait à se rappeler elle aussi leurs ébats, c'était en même temps la pire…

Ses jambes la trahirent et Lily se sentit faiblir contre lui. Avec un mélange de fascination et de confusion, elle vit les narines de Case palpiter et ses lèvres se pincer, jusqu'à ne plus former au bas de son visage qu'une mince ligne rouge. Ce fut la dernière chose qu'elle aperçut avant qu'il ne l'arrache du sol pour la serrer avec passion entre ses bras.

Ses lèvres prirent possession des siennes, exigeantes et d'une habileté diabolique. Lily referma ses bras autour du cou de Case et se laissa sombrer dans un océan de délices. Contre son bassin, elle sentit son corps d'homme durcir et se mettre à onduler en une douce torture. Dans un gémissement de protestation, elle répondit à ses avances en pressant avec urgence contre son bas-ventre cette part d'elle-même qui brûlait de s'ouvrir à lui.

Alors, aussi soudainement qu'elle s'était sentie soulevée de terre et emportée au septième ciel, Lily regagna la terre ferme et se retrouva, seule et désemparée, au milieu de la pièce, les jambes flageolantes et les lèvres entrouvertes.

D'un geste sec, Case s'empara de la liste qu'elle tenait toujours entre ses doigts tremblants et lui sourit.

— Je ne serai pas de retour avant ce soir..., lança-t-il négligemment en se dirigeant vers la porte de la cuisine. Essaie de ne pas m'oublier en attendant.

Soudain consciente d'avoir été la victime d'une mauvaise blague, Lily hésita à se lancer à sa poursuite pour lui rendre la monnaie de sa pièce. Au lieu de cela, elle gagna sa table de travail et se défoula à coups de poing vengeurs sur la malheureuse boule de pâte.

En commençant à l'étaler au rouleau à pâtisserie, elle songea avec soulagement qu'il ne lui faudrait plus attendre longtemps avant de pouvoir quitter le ranch et échapper aux pièges de ce diable d'homme à tout jamais.

Vaillamment, elle se força à ignorer la petite voix qui lui disait que ce délai ne serait peut-être pas suffisant pour la sauver.

Il était plus tard qu'il ne l'aurait voulu lorsque Case put enfin remonter au volant de sa jeep la route d'accès au ranch Longren. Son expédition en ville s'était trouvée compliquée par une rencontre inopinée à laquelle il n'aurait jamais songé devoir faire face aussi vite. Alors qu'il sortait de la banque, Lane Turney l'avait abordé et apostrophé en pleine rue, réclamant avec véhémence de pouvoir récupérer ses affaires restées au ranch ainsi que sa dernière paye.

La confrontation n'avait pas été plaisante du tout, mais il ne pouvait que se féliciter, après coup, qu'elle ait eu lieu. Cela faisait des semaines que Case remuait sous son crâne ce qu'il dirait, dès qu'il en aurait l'occasion, à l'homme qui avait insulté et effrayé Lily avant de réduire à l'état d'épave la camionnette de l'exploitation.

Pourtant, quand il avait empoigné par le col ce triste individu pour lui dire sa façon de penser, rien ne s'était passé comme il l'avait prévu. Sur un ton qui ne laissait planer aucun doute quant au sérieux de la menace, il lui avait expliqué que s'il s'avisait de lever encore une fois les yeux sur Lily Brownfield, les coyotes n'auraient même pas de quoi se disputer ses restes quand il en aurait terminé avec lui.

Le visage de Turney était passé par toutes les nuances du rouge, mais il s'était heureusement pour lui abstenu de répliquer. Avec un grognement de dégoût, Case l'avait lâché et l'homme s'était rajusté aussi dignement que possible, le visage déformé par une haine contenue à grand-peine.

Prudemment, il s'était éloigné de quelques pas avant de lâcher par-dessus son épaule, d'un air de défi, fier d'avoir le dernier mot :

— Vous ne pourrez pas m'empêcher de venir chez vous récupérer mon bien et mon dû !

Plus troublé par cette rencontre qu'il ne l'aurait voulu, Case s'était empressé de terminer ses courses. Les dernières paroles de son ex-employé ne cessaient de se rappeler à sa mémoire. Tant et si bien qu'il s'était arrêté pour passer un coup de fil à Duff afin de le prévenir des intentions de Lane Turney et de lui demander d'ouvrir l'œil.

Après avoir rapidement chargé les articles que Lily lui avait demandé de prendre au supermarché, il avait repris la route sans attendre, soudain anxieux de la retrouver et de s'assurer par lui-même qu'elle allait bien. Il ne pouvait oublier à quel point il avait été près de la perdre quand le saisonnier avait jeté son dévolu sur elle, et cela n'était pas fait pour le rassurer.

La grande maison était plongée dans le noir quand il se gara dans la cour. Les seules lumières allumées l'étaient à l'étage, dans les quartiers que Lily occupait. Il prit le temps de décharger les provisions dans la cuisine avant de gravir l'escalier, une longue boîte plate entourée d'un ruban sous le bras.

Sur la pointe des pieds, il marcha jusqu'à sa chambre et colla son oreille contre la porte. En entendant le murmure assourdi de la douche, il comprit qu'elle était déshabillée et en train de se débarrasser sous le jet bienfaisant de la lassitude d'une journée de travail avant de se mettre au lit.

Avec un petit grognement étouffé, Case ferma les yeux, imaginant sans peine ce qu'il aurait découvert s'il avait eu l'impudence de la rejoindre dans la cabine de douche. Mais il le savait, il était encore trop tôt pour qu'il puisse se permettre avec elle ce genre de familiarité.

Certes, ils avaient fait l'amour, mais elle venait également de lui signifier sans la moindre ambiguïté qu'elle tenait à en rester là. Même s'il savait au fond de lui ce qui motivait ce rejet, même si elle démentait par ses regards et ses actes ce que ses lèvres disaient, il n'était pas du genre à passer outre aux réticences d'une femme.

Pour se permettre de partager une nouvelle fois cette intimité qu'il lui tardait de retrouver avec elle, il lui faudrait attendre qu'elle l'y invite — de manière explicite, et non en trahissant malgré elle ses sentiments pour lui.

Tout doucement, Case fit tourner le bouton de porte et s'introduisit dans la chambre. Sans faire de bruit, il gagna la tête de lit. La savoir sous la douche lui laissait tout le temps nécessaire pour préparer la surprise qu'il lui réservait.

Au terme d'une longue et bienfaisante douche, Lily ferma à regret les robinets, sortit de la cabine, et attrapa la sortie de bain qu'elle avait préparée. Elle la noua prestement autour de son corps, confectionna un turban avec une serviette plus petite et commença à se sécher méthodiquement.

Quand ce fut fait, elle saisit sur une étagère sa brosse et son sèche-cheveux et regagna sa chambre pour achever de se préparer à se mettre au lit. Debout devant le miroir de sa coiffeuse, la tête penchée sur le côté, elle achevait de démêler ses mèches sous le souffle d'air chaud lorsqu'une tache rose sur son oreiller reflété par le miroir attira son regard.

Sous l'effet de la surprise, le sèche-cheveux lui glissa des mains et s'éteignit en tombant sur le sol, bientôt suivi par la brosse et la sortie de bain humide dénouée de sa poitrine. D'un bond, elle se retourna pour vérifier ce qu'elle venait de découvrir.

Un second examen lui prouva qu'elle ne rêvait pas. Une magnifique chemise de nuit de soie couleur fraise l'attendait, soigneusement étalée à la place où elle dormait habituellement.

Depuis son poste d'observation, Case retint son souffle et regarda Lily traverser la chambre en tenue d'Eve jusqu'à son lit. Fascinée par le vêtement de soie et inconsciente de sa nudité, elle éprouva du plat de la main la douceur du tissu avant de le soulever par les bretelles et de le plaquer contre son corps. Un sourire de pur ravissement s'étirait sur ses lèvres.

Lily enfila la chemise de nuit et frissonna de plaisir au contact de l'étoffe incroyablement douce contre sa peau nue. Ses mains ne se lassaient pas de la caresser le long de ses cuisses, de son ventre, de sa poitrine. Elle ferma les yeux, se remémorant celle que Case avait réduite en lambeaux dans sa hâte à la déshabiller, et vit son visage apparaître sur l'écran de ses paupières closes.

Alors, par une sorte de sixième sens, elle sentit qu'elle n'était pas seule dans la pièce et qu'elle le découvrirait dans l'entrebâillement de la porte si elle regardait dans cette direction.

Case vit Lily se retourner lentement vers lui et retint son souffle. Son beau regard vert se troubla quand il croisa le sien. Sans doute venait-elle de prendre conscience qu'il avait assisté à toute la scène, depuis sa sortie de la salle de bains.

Pour résister à la tentation de les poser sur le corps de Lily, Case enfouit ses mains dans les poches de son jean aussi profondément qu'il le put. Chaque mouvement de son corps se trouvait amplifié et révélé par le voile de soie rose qui épousait ses formes aussi intimement que le vent épouse la surface de l'eau.

— Elle te va bien ? demanda-t-il d'une voix anxieuse.

Lily hocha la tête.

— Elle est magnifique.

Comme pour le lui prouver, elle lissa le vêtement le long de ses hanches et mit en valeur ce faisant des formes déjà bien trop évocatrices pour lui.

La gorge aussi sèche qu'un désert, Case murmura :

— Pas autant que toi.

Tant qu'il en était encore temps, avant de ne plus avoir la force de se retenir de fondre sur elle, il referma la porte et s'éclipsa.

D'un air méfiant, Duff regardait Lane Turney déambuler dans le dortoir pour rassembler ses affaires sans se presser et en plastronnant comme un coq de basse-cour. Plus vite cet homme aurait quitté définitivement le ranch, songea le chef d'équipe, mieux ce serait pour tous.

Quelque chose en lui l'avait toujours mis mal à l'aise, et ce qui s'était passé avec Miss Lily et le patron n'avait rien arrangé. Il n'aimait pas non plus le voir jeter de fréquents regards en biais en direction de la grande maison et avait hâte de le voir quitter les lieux.

— T'as bientôt terminé ? demanda-t-il d'une voix rude.

Lane le regarda de haut, refusant de lui répondre, saisit son blouson et empoigna sa valise pour se diriger vers la porte. Il n'avait pas de compte à rendre à ce nabot frimeur et décati et ne s'abaisserait pas à lui adresser la parole. Tout ce qu'il regrettait, c'était de n'avoir pas eu l'occasion de se rincer une dernière fois les yeux sur la jolie petite poulette du patron avant de partir.

Sans se presser, il sortit dans la cour, lança ses maigres possessions sur le plateau de son pick-up, et entreprit de le contourner pour se glisser derrière le volant. Il ouvrait la portière quand le vieux Pete arriva en courant vers eux. Tout essoufflé, il rejoignit Duff en pointant le pouce en direction des corrals.

Dans l'habituelle cohue poussiéreuse qu'il ne regretterait pas, Lane vit avec satisfaction qu'un chargement de bêtes récalcitrantes dans de grosses bétaillères n'avait pas l'air de se passer au mieux.

— Le boss te réclame ! lança Pete au chef d'équipe. Tout de suite…

D'un œil soupçonneux, Duff regarda Turney grimper dans la cabine, mettre le contact, et manœuvrer pour s'éloigner. Estimant qu'il en avait terminé avec sa mission, il n'attendit pas de le voir remonter la route d'accès au ranch pour répondre à l'appel pressant de Case.

C'était exactement le genre d'ouverture dont Lane avait besoin et qu'il guettait depuis son arrivée. Profitant de la confusion qui régnait, bien loin de s'engager vers la sortie, il put se faufiler au volant de son véhicule entre les nombreuses dépendances sans se faire remarquer.

Un sourire triomphant se dessina sur ses lèvres lorsqu'il atteignit son but et il manœuvra pour placer le pick-up dans le sens du départ. Il allait faire regretter à Case Longren d'avoir refusé de lui verser sa dernière paye.

Il ne voulait pas prendre en considération le fait que le véhicule qu'il avait accidenté valait dix fois ce qu'il lui devait. A son idée, les assurances n'étaient pas faites pour les chiens et le rancher allait sans doute tirer de son épave plus d'argent qu'elle n'en valait avant l'accident.

Quant à lui, il tenait à sa revanche et allait lui faire payer le manque à gagner, sans parler de l'humiliation qu'il lui avait infligée.

Mais en mettant pied à terre pour se diriger vers la pâture devant laquelle il venait de se garer, Lane ne put réprimer un frisson de terreur. Le taureau impressionnant et ombrageux qui surveillait son approche en grattant la poussière du bout de son sabot et en montrant les cornes en aurait effrayé de plus courageux que lui…

Il lui fallut faire appel à tout son courage pour marcher jusqu'au portail de l'enclos, le plus lentement possible pour ne pas énerver la bête. Il connut un moment d'hésitation en posant la main sur le système de fermeture.

Ce taureau avait décidément l'air méchant, et il brillait comme une lueur de folie au fond de ses petits yeux noirs fixés sur lui, comme s'il avait su ce qu'il s'apprêtait à faire. Mais Case Longren avait commis l'erreur de sa vie en refusant de lui donner l'argent qu'il lui devait. Et il allait se charger de le lui démontrer…

Après avoir ouvert en grand le portail, laissant le champ libre au monstre qui ne demandait qu'à sortir pour rejoindre ses fiancées que l'on entendait meugler, là-bas dans les corrals, Lane détala sans demander son reste.

Il courut plus vite qu'il ne l'avait jamais fait jusqu'à son pick-up, dont la portière était restée prudemment ouverte et dont il avait pris la précaution de laisser le moteur tourner. Quelques secondes plus tard, dans un nuage de poussière rouge, il démarrait en trombe pour ne laisser derrière lui au ranch Longren qu'une poignée de mauvais souvenirs.

La main en visière, Case lutta contre le soleil et regarda s'éloigner les bétaillères emportant un dernier chargement à l'abattoir. C'était toujours un sentiment déconcertant de découvrir soudain, après avoir fourni tant d'efforts, que le travail touchait à sa fin.

A présent que les bœufs étaient en route vers leur funeste destin, il n'allait plus y avoir dans les jours à venir grand-chose à faire sur le ranch. Après un peu de repos, viendrait sur son agenda la perspective d'avoir à faire passer au mieux à son troupeau un été qui s'annonçait particulièrement sec et chaud.

Case ôta son Stetson, s'épongea le front avec un bandana, et fouetta ses cuisses avec le chapeau dans l'espoir d'en faire partir le plus gros de la poussière. Puis, la tête basse, il se dirigea vers la maison, perdu dans ses pensées.

Sans doute s'écoula-t-il un long moment avant qu'il ne prête attention à la voix de Duff, affolée et haut perchée, qui hurlait de loin des avertissements angoissés qui lui glacèrent le sang. Car lorsqu'il releva les yeux, la raison pour laquelle son chef d'équipe et les autres hommes criaient si fort ne se trouvait déjà plus qu'à quelques mètres de lui.

Sa première réaction fut de pester contre ce satané taureau qui s'était encore échappé. A moins de quinze mètres, une tonne et demie de fureur brute le considérait d'un œil méchant, la tête basse, les naseaux écumants et le sabot grattant le sol. Puis un mugissement terrifiant échappa à l'animal, et Case se figea sous l'effet de la terreur lorsqu'il prit conscience de la position dramatique dans laquelle il se trouvait.

Il jeta un regard désespéré à la maison et constata que son assaillant se trouvait entre elle et lui, lui coupant toute retraite de ce côté. Puis il tourna la tête vers les corrals, l'abri le plus proche qu'il pouvait espérer, et tenta d'évaluer ses chances d'y parvenir avant d'être rattrapé. Elles n'étaient pas très bonnes, mais si le taureau se décidait à charger, il n'aurait pas d'autre choix que de s'y risquer.

Ce fut la dernière pensée cohérente de Case avant que la bête ne se mette en branle, comme un train fou lancé sur ses rails, en direction de l'homme qui osait se tenir entre lui et son troupeau.

En un geste dérisoire, Case lança son chapeau dans sa direction et se mit à courir de toute la force de ses longues jambes pour rejoindre le corral le plus proche. Mais plus il courait, plus il sentait l'animal se rapprocher dans son dos. La peur au ventre et la poitrine en feu, il fit un effort pour accélérer encore l'allure.

La course, hélas, paraissait perdue d'avance. Il n'était pas encore à mi-chemin du corral que déjà il sentait le sol, percuté par les sabots au galop, trembler sous ses pieds. Dans un ultime éclair de lucidité, Case sut qu'il n'y arriverait pas. Son unique regret fut de constater qu'il n'aurait finalement pas la possibilité de vivre auprès de Lily cette éternité de bonheur à laquelle il aspirait.

Cette fois, il avait l'impression de sentir le souffle furieux du taureau dans le creux de ses reins. En une ultime prière à un Dieu qu'il n'avait pas souvent sollicité, il émit le vœu d'une mort prompte et sans souffrance.

9.

Après avoir rangé la casserole qu'elle venait d'essuyer, Lily poussa un soupir de soulagement. Le repas de midi achevé, elle aspirait à la petite heure de battement qui lui restait avant d'avoir à se soucier de celui du soir.

Alertée par un bruit de moteur, elle regarda avec curiosité par la fenêtre de la cuisine la dernière des bétaillères quitter le ranch. A l'idée qu'il lui faudrait bientôt partir elle aussi, son cœur se serra, empli d'appréhension, de regret, et d'un sentiment plus inconfortable qu'elle préférait ne pas analyser.

S'il lui fallait écouter ses envies, elle n'était pas prête à s'en aller. Mais l'attitude du livreur de matériaux, la veille, l'avait replongée dans l'état d'esprit qui était le sien à son arrivée en Oklahoma.

Sa cicatrice était là pour lui rappeler, lorsqu'elle risquait de l'oublier, qu'elle n'avait pas le choix : il lui fallait refuser de s'attacher à un homme, ou se résoudre à souffrir de le voir un jour ou l'autre se détourner d'elle…

D'un geste brusque, Lily referma à grand bruit la porte du placard. Après s'être essuyé les mains à un torchon, elle le roula en boule et l'envoya rageusement valser sur un plan de travail près de l'évier.

Suite à la visite surprise de Case dans sa chambre, elle avait eu bien du mal à trouver le sommeil. Sa nuit agitée l'avait laissée nerveuse, insatisfaite. Si elle n'avait pas exercé sur elle-même un contrôle aussi strict, elle aurait fondu en larmes à tout instant.

Soudain très lasse, Lily dénoua son tablier, l'accrocha au dos d'une chaise, et gagna le bureau où elle passait de plus en plus fréquemment ses moments de loisir. Glissant hors de son pantalon vert menthe les pans de son chemisier assorti, elle s'apprêtait à ôter ses chaussures pour s'allonger sur le sofa avec un bon livre quand un cri d'homme à l'extérieur lui donna un coup au cœur. Ce qu'elle vit alors en se tournant vers la fenêtre lui glaça le sang.

C'était Duff qui criait ainsi, d'une voix rendue suraiguë par l'épouvante, tandis qu'il courait dans un nuage de poussière de toute la force de ses courtes jambes. D'autres hommes le suivaient, vociférant eux aussi, agitant des cordes et des bandanas pour attirer sur eux l'attention d'une bête qui ne leur accordait pas le moindre regard.

Montagne de muscles bandés immobile au milieu du vaste espace qui séparait la maison des premiers corrals, le taureau se tenait prêt à fondre sur l'ennemi qu'il s'était choisi. Il ne fallut qu'une seconde à Lily pour reconnaître ce que — ou plus exactement qui — il s'apprêtait à charger.

— Case !

Le cri lui avait échappé, et il se prolongea en un long gémissement d'angoisse lorsqu'elle vit qu'il ne lui restait aucune chance d'échapper au monstre. Comme pour lui donner raison, le taureau se mit en branle. Elle vit Case jeter son précieux Stetson dans sa direction en une tentative dérisoire pour détourner son attention puis détaler de toute la force de ses longues jambes.

En un clin d'œil, elle comprit qu'il n'aurait pas le temps d'atteindre la barrière vers laquelle il s'était mis à courir, et que ses hommes n'avaient aucune chance de lui venir en aide. Sachant ce qui lui restait à faire si elle voulait sauver la vie de celui qui avait redonné un sens à la sienne, Lily se détourna précipitamment de la fenêtre.

L'instant d'après, un presse-papiers en pierre ramassé sur le bureau atterrissait dans la vitrine de l'armurerie. Sans se soucier des éclats de verre qui risquaient de la couper, Lily s'empara du fusil de chasse si semblable à celui sur lequel son frère Cole lui avait appris à tirer des années plus tôt.

L'arme était chargée. Elle s'en était rapidement assurée, et mentalement elle remercia Dieu de ce petit miracle. S'il lui avait fallu en plus chercher des balles et charger le fusil, sa course contre le temps aurait été perdue d'avance.

Lily eut l'impression de survoler bien plus qu'elle ne descendit les marches du porche. Sans quitter des yeux Case qui perdait du terrain de seconde en seconde, elle se mit à courir plus vite qu'elle ne l'avait jamais fait, et s'arrêta dès qu'elle se trouva en terrain découvert.

Alors, s'efforçant de calmer les battements désordonnés de son cœur, elle reprit brièvement son souffle et fit remonter à sa mémoire tous les précieux conseils de Cole. Lentement, posément, elle épaula le fusil et visa.

Case sentit la sueur couler de son front et songea qu'elle lui brûlerait bientôt les yeux. Sachant que ce serait peut-être son ultime sensation, cette perspective n'était pas pour lui déplaire. L'espoir le faisait tenir. Il ne renonçait pas à courir et était même parvenu, puisant dans d'ultimes réserves de courage, à regagner quelques mètres sur le taureau.

Mais à présent, il n'avait pas besoin de se retourner pour comprendre que déjà cette avance éphémère avait fondu. Le corral était encore à dix mètres, et de nouveau il avait l'impression de sentir le souffle puissant de la bête dans son dos et le martèlement de ses sabots dans sa tête.

Une rage aveugle fulgura en lui. Il n'était sûrement pas prêt à mourir — pas alors que la femme de sa vie, celle qu'il avait renoncé à chercher, venait à peine de croiser sa route. Il n'était pas disposé à renoncer à la vie alors que celle-ci lui semblait enfin avoir un sens, alors qu'il lui restait tant de choses à vivre aux côtés de celle qu'il aimait.

Lily !

Son nom résonna sous son crâne comme une fervente prière, en même temps que la déflagration caractéristique d'un coup de fusil, dont l'écho se répercuta quelques instants entre les dépendances du ranch.

Soudain, Case n'entendit plus le tonnerre des sabots de la bête percutant le sol et un espoir fou se nicha en lui. Il lui fallut cependant courir encore pendant quelques mètres pour se persuader qu'il ne risquait plus rien et se résoudre à faire volte-face.

Son cœur paraissait sur le point d'exploser. L'air inspiré à grands traits et expulsé de sa bouche en hoquets douloureux lui arrachait la gorge et les poumons. Les yeux noyés de larmes, il vit avec soulagement mais sans comprendre les raisons de ce miracle la masse inerte du taureau effondrée sur le sol non loin de là.

Duff et ses hommes arrivaient en courant, hurlant cette fois de joie et d'excitation. Aucun n'était armé, et Case comprit qu'ils ne pouvaient être à l'origine du coup de feu en pleine tête qui avait terrassé son assaillant. En proie à la confusion, il scruta les alentours en direction de la maison, d'où le tireur avait dû opérer. Ce qu'il découvrit acheva de lui couper le souffle.

A quelques dizaines de mètres, secouée par une crise de pleurs et de tremblements, Lily se laissa glisser à genoux dans la poussière, jeta son fusil sur le sol et enfouit son visage entre ses mains.

Merci mon Dieu d'avoir placé cette femme sur ma route... La prière, aussi inconsciente que les pas qu'il accomplissait comme un automate pour la rejoindre, avait jailli en lui comme une source rafraîchissante.

Alors qu'il contournait la montagne de chair du taureau abattu, Duff le rejoignit et lui tapa sur l'épaule.

— Boss, boss ! s'écria-t-il, au comble de l'enthousiasme. Vous allez bien ? Vous avez vu ça ? Elle l'a eu d'une seule balle ! En plein dans l'œil. Sans Miss Lily vous étiez un homme mort... Aussi sûr que deux et deux font quatre !

Case hocha la tête d'un air absent, son attention focalisée sur la petite forme verte effondrée dans la poussière qu'il lui tardait d'aller consoler.

— Débarrasse-nous de cette ordure..., marmonna-t-il en agitant le bras en direction de l'animal mort. Donne ensuite quartier libre aux hommes pour le reste de la journée. On se voit demain matin.

De joie, Duff lança son chapeau en l'air et cria :

— Yippee ! Personne en ville ne voudra me croire quand je raconterai ça... Pour sûr ! Notre petite Californienne vient de sauver la vie du patron...

Les hourras de l'équipe s'estompèrent rapidement derrière lui quand Case se remit en marche vers Lily. Il ne supportait plus de la voir se désoler ainsi. Après l'avoir rejointe au pas de course, il s'accroupit près d'elle, tira doucement sur ses mains, et se sentit gagné par le désespoir qui la terrassait.

S'accrochant à elle autant qu'elle s'accrochait à lui, il se redressa et la serra contre lui.

— Ma douce…, gémit-il en lui caressant maladroitement les cheveux. Je t'en supplie, ne pleure pas !

Lily s'écarta légèrement pour dévisager l'homme qui la consolait et vérifier une fois pour toutes qu'elle ne rêvait pas. Entendre cette voix aimée résonner à ses oreilles, se sentir bercée entre ces bras dont elle ne pourrait désormais plus se passer, lui avait permis de réaliser pleinement qu'elle avait réussi. Case était vivant ! Dieu merci, elle avait conjuré le sort fatal qui lui semblait promis…

Si grande avait été sa peur de rater sa cible, jamais elle n'avait vécu d'instant plus terrifiant que celui où elle avait appuyé sur la gâchette. Et lorsque le recul de l'arme à feu lui avait enfoncé l'épaule, qu'elle avait vu le taureau, foudroyé en pleine course, s'effondrer sur le sol, son soulagement avait été si grand que toute énergie l'avait abandonnée et que ses jambes l'avaient trahie.

— J'avais si peur de le rater et de te toucher à la place…

Le visage enfoui contre sa poitrine, Lily se délectait de l'odeur de sueur, de poussière et surtout de l'odeur d'homme de celui qui la serrait si farouchement contre lui.

Avec un soupir de contentement, elle referma ses bras autour de la taille de Case et s'abandonna au plaisir de cette étreinte. Elle se moquait de savoir qui pouvait les voir ou ce que l'on pourrait en penser. Cet homme était tout pour elle, et il était passé si près de la mort sous ses yeux qu'elle avait encore du mal à croire qu'il était toujours vivant.

— Calme-toi, ma chérie…, murmura-t-il tendrement dans le creux de son oreille. Tout va bien, maintenant. Personne n'aurait pu faire mieux. Selon Duff, tu l'as eu en plein dans l'œil !

Case se pencha pour ramasser le fusil, passa son autre bras autour des épaules de Lily et l'entraîna en douceur vers la maison.

A l'intérieur, après l'enfer qu'ils venaient de vivre, tout était sombre, frais, et si tranquille que leurs battements de cœur semblaient résonner de façon assourdissante. Case alla enfermer le fusil dans un placard sous l'escalier puis se retourna vers Lily. Effondrée contre un mur du hall, elle ne le quittait pas des yeux, comme s'il lui était impossible de se repaître de sa vue. Elle avait toujours le souffle court mais ses sanglots s'espaçaient progressivement.

Elle passa une main tremblante sur son visage et ses doigts, en effleurant sa cicatrice rendue plus visible par la pâleur de son visage, s'y attardèrent un instant.

— Ne fais pas ça ! ordonna-t-il sèchement. Pas maintenant, Lily Catherine ! Alors que tout a failli être fini entre nous avant même d'avoir commencé…

Un frisson secoua Lily de la tête aux pieds. Contre sa joue, sa main tressaillit puis glissa lentement pour venir se replacer le long de son flanc.

Elle redressa le menton et soutint fièrement le regard de Case qui venait vers elle. Fascinée, elle plongea au fond de ses yeux. Elle reconnut le regard qu'il dardait sur elle. Elle avait déjà vu l'expression qu'affichait son visage à cet instant. La nuit de la tornade, il l'avait regardée ainsi, désirée ainsi. Elle se sentait aussi incapable de lui résister qu'elle l'avait été alors.

— Suis-moi…

La voyant hésiter, Case la souleva dans ses bras et se dirigea vers l'escalier, comme si elle ne pesait pas plus qu'une plume.

Quelques secondes plus tard, il poussait du pied la porte de sa chambre, sans qu'ils se soient quittés des yeux et sans qu'un mot ait été échangé entre eux. Avec un sentiment de triomphe et de profonde reconnaissance, il marcha jusqu'à son lit et déposa en douceur au milieu d'un lac de satin noir la femme qu'il aimait plus que tout.

— Je t'aime, Case Longren..., murmura Lily quand sa tête reposa sur l'oreiller.

Le temps n'était plus aux faux-semblants. Le cœur battant, Lily attendit qu'il réponde à sa déclaration d'amour ou qu'il la plonge dans un abîme de désespoir en la rejetant. Quant à elle, il lui était tout simplement impossible de museler ses sentiments plus longtemps.

— Je le sais depuis toujours, répondit-il tandis que sa chemise tombait sur le sol. Et moi aussi, je t'aime. Comme moi, tu le sais depuis toujours. Mais tu n'étais pas prête à le reconnaître jusqu'à présent.

A travers un brouillard de larmes, Lily hocha la tête et entreprit de se déshabiller à son tour. Ses doigts se figèrent sur la boutonnière de son corsage lorsque Case l'en dissuada d'un regard.

— Laisse-moi faire...

En se glissant auprès d'elle sur le lit comme un fauve fond sur sa proie, il vit avec plaisir les pupilles de Lily se dilater sous l'effet d'une passion trop violente pour être niée.

Avec un soin amoureux, Case disposa les cheveux de Lily sur l'oreiller pour qu'ils s'écoulent autour de sa tête ainsi que des ruisseaux de miel. Puis, comme si chaque pièce de vêtement qu'il lui ôtait était de verre, il la déshabilla avec une lenteur minutieuse.

La douceur dont il témoignait le disputait à l'ardeur qui faisait luire son regard posé sur elle, et par le souffle précipité qui soulevait sa poitrine. Par deux fois, il lui fallut interrompre sa tâche, fermer les yeux et prendre une ample inspiration pour apaiser le tremblement de ses doigts. Eperdue, grisée et impatiente, Lily devait s'agripper au couvre-lit pour ne pas l'enlacer passionnément et mettre un terme à cette lente et sensuelle torture.

Si quelques minutes auparavant Case avait été à deux doigts de mourir, il avait à présent l'impression d'être aux portes du paradis... Cette femme dont la peau frissonnait sous les caresses ne lui avait pas seulement sauvé la vie ; elle venait également de lui offrir la sienne, avec tout son amour en prime.

Il ne pouvait qu'admirer la force de caractère dont il lui avait fallu faire preuve pour attraper ce fusil, viser en une fraction de seconde, et appuyer sur la détente pour atteindre sa cible furieuse. Mais cet exploit ne le cédait en rien au grand courage qu'elle venait de témoigner en avouant son amour pour lui.

Case était ému à l'idée de la richesse qu'à présent ils possédaient en commun, cet amour partagé conquis de haute lutte, dont rien ni personne ne pourrait les déposséder. Mais plus que tout encore, il était pressé de prouver à Lily, de se prouver à lui-même, que l'amour, la vie, le plaisir, n'avaient de valeur qu'à être consommés, encore, toujours et sans modération.

Dorénavant pressé d'en finir, Case acheva en hâte de déshabiller Lily. Enfin, elle reposa sous ses yeux dans toute sa glorieuse nudité. Peau ivoire enluminée sur fond de satin noir par la lumière du jour, elle soutenait son regard sans fausse honte et lui souriait, tranquille, heureuse, offerte.

En un éclair, Case se débarrassa du reste de ses vêtements et les jeta sur le sol. Un instant encore, tremblant de désir, il demeura assis sur le lit à côté de sa compagne, sachant qu'aussitôt qu'il romprait les digues de l'émotion intense qui le submergeait, plus rien ne l'arrêterait.

Puis Lily soupira, tendit les bras vers lui, et il ne put que s'y précipiter comme un noyé s'accrochant à son unique chance de survie. Avec enthousiasme et abandon, leurs corps se rencontrèrent et s'emmêlèrent, leurs mains explorèrent, leurs bouches donnèrent et prirent plus encore, comme pour se témoigner l'un à l'autre à quel point la vie était belle, et bonne, et pleine de douces surprises pour les amants.

Enfin, Case referma ses bras autour de Lily et roula sur le dos en l'entraînant à sa suite. A califourchon sur son corps presque douloureux d'être tendu par le désir, elle prit appui de ses deux bras tendus sur son torse.

Lily vit les yeux de Case, d'un bleu si intense, s'assombrir tandis qu'il élevait les mains vers ses seins pour en agacer les pointes du bout des pouces. Impatiente à présent de l'accueillir en elle, elle rejeta la tête en arrière, ferma les yeux et arqua le dos.

Les mains de Case glissèrent jusqu'à ses hanches, et elle frissonna de le sentir la guider fermement jusqu'à ce que son sexe palpitant se place à l'entrée du sien. Alors, dans un bel ensemble qui les fit gémir de plaisir, ils se donnèrent l'un à l'autre.

Case retint son souffle et s'efforça de résister à l'urgence de la passion qui lui dictait de se ruer en elle, encore et encore. Au-dessus de lui, entre ses mains, le corps souple et chaud de Lily répondait à chacune de ses audaces, chacune de ses caresses.

Soudain, une inquiétude se fit jour en lui, qui l'obligea à resserrer l'emprise de ses mains autour des hanches de sa compagne afin de suspendre leurs ébats.

— Tu ne me quitteras plus, dit-il dans un souffle avec un regard farouche. Dès cet instant, tu n'as plus d'autre avenir que dans mes bras.

Lily ouvrit les yeux, bouleversée par ces paroles. En s'immergeant dans ceux de Case, elle découvrit un monde bleu, sans limites et merveilleux, qui n'existait que pour eux.

— Je ne te quitterai jamais, promit-elle. A présent, cowboy, aime-moi avant que je ne devienne folle...

Alors, tandis que la pleine lumière du jour les inondait tous deux, Case Longren fit en sorte de combler sa petite Californienne d'un amour, d'une dévotion, d'une tendresse qui la laissèrent pantelante. Lily ne pourrait plus craindre que Case ne puisse l'aimer que dans le noir. Il l'emmena au ciel et l'en ramena alors que le soleil jouait dans ses cheveux et ses mains sur son visage.

Quand tout fut terminé, que Lily reposa, épuisée par la passion autant que par le plaisir, au creux de son épaule, Case attendit qu'elle ait sombré dans le sommeil pour se laisser aller à l'émotion qui le terrassait. Les doigts enfouis dans les cheveux emmêlés de sa compagne, alors que, de son souffle régulier et apaisé, elle lui caressait la peau, il pleura en silence.

Enfin, l'épuisement eut raison de lui et il la rejoignit dans le sommeil.

— J'appellerai ton père dès demain..., dit Case aussitôt qu'il vit Lily s'éveiller entre ses bras, une heure plus tard. Je ne vais sûrement pas lui demander ta main. Je vais l'exiger ! Nous allons nous marier cette semaine... ou la suivante... dans un mois au plus tard. Je me fiche de savoir où, mais il faudrait que ce soit au plus vite. Je n'ai pas l'intention de dormir une nuit de plus seul dans ce lit ! Tu m'entends, Lily Kate ? Je ne te laisserai plus jamais me filer entre les bras...

— Oui, je te remercie, j'ai bien dormi..., répondit-elle avec un sourire mutin en attirant sa bouche contre la sienne. Mais je remettrai bien cela encore une fois !

L'expression de surprise qui accueillit ces paroles valait tous les discours et Lily se laissa retomber en riant dans l'oreiller. Heureuse des cadeaux que la vie semblait décidée dorénavant à lui offrir, elle continua à rire de bon cœur, jusqu'à ce que Case se mette en tête de la faire taire avec sa bouche, ensuite avec ses mains, et pour finir avec son corps.

Le lendemain au petit déjeuner, Duff jeta un regard à Lily, un autre à Case, et se mit à sourire largement. Des dizaines de petites rides de joie lui creusèrent le visage, ses yeux se plissèrent tant qu'ils devinrent invisibles, et sa main percuta son genou dans un grand claquement sec.

— Qu'est-ce qu'il y a de si drôle ? marmonna Pete en foudroyant du regard un homme derrière lui qui se servait plus que sa part de bacon.

— Cette fois, nous avons une cuisinière !

— Qu'est-ce que tu racontes ? protesta Pete. Ça fait un moment qu'on en a une...

— Je veux dire, expliqua Duff d'un air mystérieux, que cette fois... nous avons une cuisinière à demeure !

Du regard, il invita son ami à jeter un coup d'œil au patron qui brossait gentiment du bout des doigts une trace de farine sur le menton de Lily.

Pete en resta bouche bée et en oublia de s'offusquer que deux autres hommes de l'équipe lui passent devant dans la file.

— Bonté divine ! s'exclama-t-il à mi-voix. Plus de pâtes

trop cuites et de viande carbonisée pour nous, mon vieux ! Au ranch Longren, ce sera tous les jours dimanche !

Les deux vieux amis s'adressèrent un clin d'œil complice et s'empressèrent de reprendre leur place dans la file. Plus tard, lorsqu'ils quittèrent la cuisine pour aller travailler, ils avaient les voix plus joyeuses et le pas plus léger d'hommes heureux de leur sort.

Leur patron, selon eux, méritait amplement un peu de chance dans la vie. Et Lily Brownfield était assurément le plus grand coup de chance qui pouvait arriver dans la vie d'un homme. Non contente d'être jolie, elle était de plus un vrai cordon-bleu et une fine gâchette. A leur avis, c'était bien plus qu'assez pour faire le bonheur de n'importe qui.

Lily ne tarderait pas à le découvrir, elle venait de tomber amoureuse d'un homme originaire d'un Etat dans lequel nul mouvement féministe n'aurait trouvé à s'implanter. Dans l'Oklahoma, les femmes avaient toujours été les égales des hommes, bon gré mal gré.

Il en était ainsi depuis le temps des Pionniers parce qu'il ne pouvait en être autrement. Par la force des choses, les femmes avaient défriché la terre et mis au monde les enfants. Elles avaient conduit le bétail et érigé des clôtures. Elles savaient monter à cheval et tirer au fusil, mais elles savaient aussi aimer quand le temps était venu.

Qu'elles aient choisi l'élevage ou l'exploitation pétrolière, qu'elles soient devenues femmes d'affaires ou femmes au foyer, elles s'étaient imposées dans tout ce qu'elles faisaient sans que leurs hommes aient à s'en plaindre. Les femmes de l'Oklahoma étaient fières, têtues, vaillantes. Lily Brownfield semblait taillée pour devenir l'une d'elles.

— Pete a compris..., lança Lily à mi-voix en regardant les deux compères s'éloigner gaiement.

— Duff aussi ! renchérit Case à côté d'elle. Pas étonnant. Je n'arrive pas à ôter de mes lèvres ce sourire béat d'homme comblé, Lily chérie. Tu m'as rendu esclave de toi pour la vie.

Lily se sentit rougir et lui donna sur le bras un léger coup de torchon.

— Sortez de ma cuisine, *patron* ! J'ai du pain sur la planche.

Reprenant son sérieux, Case la considéra gravement avant d'ajouter :

— Nous appellerons ton père ce soir. Je veux que tout soit réglé au plus vite.

La gorge serrée, Lily hocha la tête et retint ses larmes. Elle avait encore un peu de mal à croire à tant de bonheur. De peur de les perdre, elle n'osait compter les bénédictions qui d'un coup s'étaient abattues sur elle.

— Si seulement tu m'avais écouté plus tôt…, grogna-t-il en l'attirant au creux de ses bras. Mais je n'ai pas le temps de te rappeler à quel point tu m'as rendu dingue en doutant de moi. Avant que les saisonniers ne repartent, j'aimerais que nous ayons effacé les dernières traces de la tornade.

Passant ses bras autour de ses hanches, Lily glissa ses mains dans les poches arrière du jean de Case, de manière que leurs bas-ventres se frôlent. La tête levée vers lui pour le fixer droit dans les yeux, elle protesta :

— Ce n'est pas de toi mais de moi que je doutais. Tu as su me faire croire en moi.

Case soupira et hocha la tête d'un air peiné.

— S'il m'arrive de croiser sa route, grogna-t-il, je me chargerai personnellement de réviser la physionomie de Todd Collins. Quand j'en aurai fini avec lui, il aura la plus grande peine du monde à s'habiller avec ma botte plantée en permanence entre ses…

— Case !

L'expression horrifiée mêlée d'un certain amusement qui apparut sur le visage de Lily fut sa meilleure récompense. Avec un sourire satisfait, il lui saisit le menton entre le pouce et l'index et posa délicatement ses lèvres sur les siennes.

Case était aux anges. Un instant diablesse tentatrice, sa petite Californienne redevenait la seconde suivante une digne et respectable lady. Il était difficile de savoir à quoi s'attendre avec elle. Décidément, il lui tardait de vivre à ses côtés le reste de sa vie…

Morgan Brownfield raccrocha le combiné un sourire aux lèvres et une lueur de joie au fond des yeux. Pressé de leur faire part de la nouvelle, il se retourna vers ses fils et annonça d'un ton victorieux :

— Cole a gagné son pari. Il avait prédit que le coup de fil de Case arriverait avant que le mois soit fini. Pour ma part, je lui avais laissé jusqu'à juillet. Je suppose que je les avais sous-estimés, Lily et lui. Quoi qu'il en soit, nous voilà avec un nouveau membre dans la famille !

A l'intention de Cole qui s'apprêtait à partir au travail, il ajouta :

— Case m'a demandé de te remercier personnellement. Si tu n'avais pas jugé bon de donner à ta sœur ces leçons de tir autrefois, il serait mort à l'heure qu'il est. Il s'est trouvé malencontreusement sur la route d'un taureau furieux qu'elle a réussi à abattre à vingt mètres d'un seul coup de fusil !

En bouclant son holster, Case Brownfield hocha la tête d'un air satisfait. Après y avoir logé son arme de service, il enfila son blouson sans cesser de sourire. Pourquoi aurait-il caché la joie qui l'animait ? Il avait toujours été fier de sa petite sœur. A présent, il avait simplement quelques raisons supplémentaires de l'être.

— Je t'avais dit, qu'ils étaient amoureux ! triompha-t-il en venant donner une rapide accolade à son père.

Avant de sortir, Case alla se pencher par la porte de la cuisine et cria dans le couloir :

— Hey, Buddy ! Viens voir un peu par ici… Quand tu sauras ça, tu ne vas pas en revenir !

Trois secondes plus tard, l'intéressé passa la tête dans l'encadrement de la porte.

— Qu'est-ce qu'il y a de si urgent ? s'enquit-il d'un air agacé. J'étais en plein milieu de quelque chose…

— Tu es toujours en plein milieu de quelque chose ! s'exclamèrent les jumeaux à l'unisson.

— Prépare-toi à retourner au ranch Longren…, reprit J.D.

— Lily se marie avec Case ! compléta Dusty.

Buddy poussa un soupir de martyr et remit en place sur son nez ses lunettes qu'il avait fait glisser sur son front.

— Je ne vois pas ce que cela a d'étonnant ! protesta-t-il. Lorsqu'un objet statique se trouve confronté à une force qui le surpasse…

— Bon sang, Buddy ! s'écria Morgan. C'est *d'amour* qu'il est question…

Avant de regagner son antre, Buddy leva les yeux au plafond et conclut :

— C'est exactement ce que j'étais en train de dire. Si pour une fois, *rien qu'une fois,* quelqu'un ici pouvait comprendre l'anglais, vous me rendriez service, merci !

Les quatre autres hommes de la famille se considérèrent un instant avec ébahissement avant d'éclater de rire. Buddy serait toujours Buddy…

Les uns et les autres se séparèrent ensuite pour débuter leur journée le cœur léger. Leur petit monde tournait de nouveau rond, après avoir tremblé sur ses bases. Finalement, Todd Collins n'avait été qu'une erreur de parcours. Case Longren serait pour leur petite Lily un mari idéal jusqu'à la fin de ses jours. De cela, ils ne doutaient pas le moins du monde. Et de cela, ils étaient heureux.

— Où veux-tu que la noce se déroule, Lily chérie ?

En regardant Lily arranger ses cheveux en une longue tresse serrée dans son dos, Case résista à l'envie d'aller se placer derrière elle pour les dénouer et faire en sorte qu'ils cascadent de nouveau librement sur ses épaules.

— Cela ne me dérange pas que cela soit en Californie si c'est ce que tu désires..., reprit-il. Après tout, c'est là que vit ta famille et que doivent se trouver la plupart de tes amis.

Les cheveux de Lily le rendaient fou de désir. A n'en pas douter, c'était ce qu'il préférait chez elle. Peu lui importait la coiffure qu'elle adoptait. Il lui suffisait qu'elle ne porte rien d'autre...

Faire l'amour avec elle était en train de devenir pour lui une drogue bien plus qu'une habitude. Mais comme elle n'avait pas l'air de s'en plaindre, il n'entrait pas dans ses intentions d'y mettre le holà.

Lily sourit et se retourna à demi pour faire face à Case, allongé de tout son long sur le lit, les mains croisées derrière la nuque. Nu comme au premier jour, il la regardait avec intérêt mettre la dernière touche à sa toilette du matin. Quant à elle, il lui était bien difficile de prêter attention à son maquillage, tant la tentation était forte de laisser ses yeux s'égarer sur l'image impudique et troublante reflétée par le miroir de la coiffeuse.

— Je crois que vous êtes dans l'erreur, patron…, dit-elle dans une parodie d'accent du Texas. La plupart de mes amis semblent être ici, dans l'Oklahoma. Ce sont peut-être des amis de fraîche date, mais ils sont sans nul doute plus fiables que ceux que j'ai laissés à L.A. Mon père et mes frères seront ravis de prendre l'avion pour venir ici. Je n'ai pas d'autre famille proche. Et toi ? Qu'en est-il en ce qui te concerne ?

Le sourire qui s'y attardait se fana sur les lèvres de Case. Ils abordaient un sujet dont Lily et lui n'avaient jamais vraiment discuté. Mais si elle devait devenir la moitié de son cœur, il était temps qu'elle sache à qui elle avait à faire.

— Comme tu le sais, répondit-il prudemment, mon père est mort il y a des années.

Sans le quitter des yeux, Lily hocha la tête gravement, consciente que le ton léger sur lequel avait débuté cette conversation n'était plus de mise.

Incapable de rester en place, Case se leva, ramassa son jean sur le sol et l'enfila, avant d'aller se planter devant la fenêtre de la chambre de Lily. Sans les voir véritablement, il contempla le soleil qui s'élevait à l'horizon et les colibris qui prenaient d'assaut les mangeoires accrochées par Duff à leur intention aux rambardes du porche.

Ce qu'il voyait à présent, ce n'était plus ce spectacle bucolique mais un autre issu d'une époque depuis longtemps révolue, sur lequel pesait un ciel menaçant envahi de lourds nuages et zébré d'éclairs. Pour le temps des vacances, Case avait regagné sa chambre d'enfant et laissé sans remords sa lointaine université. Mais en découvrant la scène qui se déroulait sous ses yeux, il regrettait de n'y être pas resté.

Dès son arrivée, il avait senti que les choses ne tournaient pas rond entre ses parents. Et à présent, il regardait sa mère, une valise à la main, courir vers leur vieille Chevy sur le toit de laquelle crépitaient les premières gouttes de pluie. Ses cris de colère se perdaient dans les roulements de tonnerre. Le poing menaçant qu'elle brandissait en direction du porche paraissait dérisoire.

Tout comme devait être dérisoire le sourire désolé qu'en réponse son mari lui lançait depuis les marches du perron. Il était impossible à Case de le voir de là où il se trouvait, mais il l'imaginait sans peine, triste, amer et résigné, tandis que son monde s'écroulait à grand fracas autour de lui. Peut-être Chuck Longren avait-il senti s'accroître au fil des années l'insatisfaction chronique de son épouse, qui n'avait jamais pu se faire au style de vie rude et spartiate qui était le leur. Mais il n'avait jamais été en capacité d'y remédier.

Carrie Longren avait quitté le ranch ce soir-là, sans même un regard en arrière et pour ne plus y revenir. Case avait depuis longtemps oublié le prétexte que Chuck Longren avait invoqué pour expliquer sa brusque disparition. Il n'avait en revanche jamais oublié ce que sa mère avait fait à son père. Et il ne lui avait jamais pardonné.

En quelques années, Case avait vu l'homme qu'il avait tant admiré étant enfant devenir amer, dur, parfois violent… et alcoolique au dernier degré. Jusqu'à ce que finalement il ne reste de lui qu'une ombre de ce qu'il avait été, résignée à mourir. Il n'avait pas la moindre idée de ce que sa mère avait pu devenir, et il n'avait pas à se forcer pour dire que peu lui importait de le savoir.

Il devinait cependant qu'il aurait du mal à faire admettre à Lily, dont la famille était si unie et si aimante, cette triste vérité. Conscient qu'il lui fallait néanmoins s'y essayer, il pivota sur ses talons et la dévisagea un long moment avant de se résoudre à parler.

— Je ne sais pas si tu es en état d'accepter ce que j'ai à te révéler à propos de mes parents, mais crois-moi, tout est vrai et je pense sincèrement le moindre mot de ce que je vais te dire.

Avant de poursuivre, il prit le temps d'inspirer à fond.

— Mon père est mort… mais ma mère ne l'est peut-être pas. Du moins, rien ne m'indique qu'elle puisse l'être. Et franchement, cela m'est complètement indifférent !

— Case !

Sans se laisser troubler par sa protestation indignée, à laquelle il s'était attendu, Case reprit son récit.

— J'avais dix-neuf ans lorsqu'elle est partie sans regret en nous laissant derrière elle, mon père et moi. C'est ça qui a fini par le tuer, au moins autant que la bouteille. Quant à moi… eh bien, j'ai dû grandir un peu plus vite que prévu. Non pas qu'elle ait jamais été une mère sensationnelle pour moi, ni une épouse modèle pour mon père. Elle… elle n'était pas d'ici et ne s'est jamais habituée à cette vie. Mais même si elle en voulait beaucoup à son mari, elle aurait tout de même pu rester en contact avec moi, donner une fois de temps en temps de ses nouvelles. Elle ne l'a pas fait, et cela a cessé de me tracasser depuis bien longtemps.

Avant même qu'il eut achevé de prononcer ce dernier mot, Lily se précipita dans ses bras. En dépit de ce qu'il prétendait, la douleur était toujours là. Case n'en était peut-être pas conscient, mais elle l'avait perçue dans le ton de sa voix. Elle savait à présent qu'elle n'aurait pas assez d'une vie passée à l'aimer pour apaiser la souffrance que lui avait infligée sa mère en l'abandonnant.

— Je suis tellement désolée pour toi, mon amour…, murmura-t-elle en lui caressant doucement les cheveux.

Redressant la tête, Lily posa les mains de chaque côté de ses joues et l'obligea à la regarder dans les yeux.

— Je ne peux pas effacer le passé, reprit-elle d'une voix bouleversée par l'émotion. Mais à présent je suis là, près de toi. Et je jure sur tout ce qui m'est le plus cher que je ne te quitterai jamais jusqu'à ce que Dieu lui-même me rappelle à lui. Tout le temps qu'il me reste à vivre, je le vivrai à tes côtés, dans tes bras.

Les larmes aux yeux, Case ferma les paupières et hocha longuement la tête. Les mots de Lily faisaient mouche en lui. Ils étaient aussi indiscutables que la profondeur de l'amour qu'elle lui portait.

— Je sais tout cela, Lily Catherine. Et je t'en remercie...

Sa voix se brisa sur ce dernier mot et il dut s'accrocher à elle et la serrer contre son cœur avant de pouvoir poursuivre :

— Quant à moi, je jure que tu n'auras jamais à regretter de m'avoir fait confiance.

La joue posée contre son épaule, Lily comprit en souriant qu'il était temps pour eux d'en revenir à des préoccupations plus légères.

— Je n'en doute pas ! minauda-t-elle en se frottant contre lui. Il y a déjà un certain nombre de choses que je ne regrette pas, cow-boy. Notamment...

Elle n'eut pas l'occasion de préciser sa pensée. Avec un grognement de bête blessée, Case l'avait soulevée dans ses bras et la reconduisait jusqu'à son lit.

— Tu ne vas tout de même pas me déshabiller encore ! fit-elle mine de protester.

— Je me vois dans l'obligation de le faire..., répondit-il solennellement en s'attelant à déboutonner le corsage qu'elle venait juste de passer. Quant à tes cheveux, je suis vraiment désolé pour toi, Lily Kate, mais je vais être également forcé de les libérer.

Avec un frisson de plaisir anticipé, Lily se laissa aller dans l'oreiller et s'abandonna aux caresses précises et obstinées que déjà Case faisait courir sur son corps.

Avec un grognement de frustration, Todd Collins reposa bruyamment le combiné du téléphone, s'adossa à son fauteuil design et caressa du bout des doigts le cuir coûteux des accoudoirs. Un instant, il laissa son regard courir sur le décor au mobilier luxueux de son bureau, sans en tirer le réconfort qu'il lui procurait habituellement. Rien ne se déroulait selon ses plans, ces temps-ci.

Un mois plus tôt, il avait été certain de devenir le plus jeune associé de l'histoire de Prentiss & Sons, la firme où il avait fait ses débuts et dont il avait rapidement gravi les échelons. De manière inexplicable, c'était Marve Leedy qui lui avait été préféré. En guise de consolation, il avait eu droit à quelques tapes sur l'épaule et à quelques platitudes sur la nécessité de laisser le temps faire son œuvre. Todd n'était pas dupe. Sa chance avait tourné, il n'y avait aucun doute.

Il savait très exactement quand son plan de carrière avait commencé à lui échapper. De manière surprenante, tout avait débuté lorsque Lily lui avait rendu sa bague de fiançailles. Ses patrons avaient été très surpris d'apprendre l'annulation de leur mariage, et Todd avait senti peser sur lui leurs regards réprobateurs aussitôt qu'il avait mentionné la cicatrice trop visible comme cause principale de leur rupture.

Comme il lui en voulait, à présent ! Si elle ne s'était pas montrée si impulsive et lui avait laissé le temps de s'habituer à la perspective d'épouser une femme défigurée, les choses auraient pu s'arranger. Sans compter qu'avec un maquillage habile, il était dorénavant possible de faire des miracles. Ne vivaient-ils pas, tous les deux, dans la capitale mondiale du cinéma ? Avec un peu de résine et beaucoup de fond de teint, il aurait sans doute été facile de remédier au problème.

Un sentiment de panique s'empara de Todd à l'idée qu'il était en train de rater sa vie professionnelle. Son instinct lui dictait que son avenir au sein de cette firme dans laquelle il avait tant investi ne s'écrirait pas sans que Lily Brownfield soit à ses côtés pour le partager.

Elle avait toujours été une employée très appréciée de tous. Et lorsque la nouvelle de leur rupture s'était répandue, Todd avait peu à peu vu le vide se faire autour de lui. Plus d'une fois, il avait surpris des regards peu sympathiques à son endroit. Et lorsque les conversations s'arrêtaient d'un coup dans une salle où il venait de faire son entrée, ce n'était pas le fruit de son imagination…

Repoussant son fauteuil d'un geste brusque, Todd se leva et s'apprêta à quitter son bureau, décidé à passer à l'action. Il ne se laisserait pas sans réagir déposséder de ce qui lui revenait de droit. Ils allaient voir, tous, de quelle trempe il était.

Tout ce qu'il avait à faire, c'était d'aller trouver Lily et de la convaincre de revenir. A ses yeux, cela n'avait rien d'impossible ni de compliqué. Une fois qu'il lui aurait expliqué dans quel état d'esprit il se trouvait à présent, elle ne serait que trop heureuse de le récupérer.

Après tout, songea-t-il en saisissant son attaché-case sur son bureau pour sortir, ce n'était pas comme si elle avait le choix. Dans l'état où elle se trouvait, qui d'autre à part lui voudrait d'elle ?

10.

Todd faisait de son mieux pour partager son attention entre le trafic automobile autour de lui et les panneaux de signalisation routière au-dessus de sa tête. Il n'avait pas envie de rater celui qui lui indiquerait la direction de Laguna Beach, retardant ainsi encore un peu plus la résolution de son problème.

Il avait d'abord passé un coup de fil au domicile de Lily, pensant l'y trouver et la rejoindre sans attendre pour avoir avec elle la discussion qui s'imposait. Ce plan idéal s'était écroulé comme un château de cartes sous son crâne quand une étrangère disant s'appeler Mitzy lui avait répondu.

D'une voix geignarde et avec le pire accent des faubourgs de L.A. qu'il eût jamais entendu, celle-ci lui avait expliqué de manière confuse que Lily s'était « en quelque sorte » absentée pour tout l'été.

Comprenant après quelques tentatives infructueuses qu'il ne tirerait rien de plus de l'amie de Lily, qui manifestement avait emménagé chez elle, Todd avait raccroché. Sans doute était-elle allée trouver refuge chez son père à Laguna Beach, avait-il conclu.

Il pouvait comprendre pourquoi. S'il avait eu pour seule perspective de passer l'été en compagnie de Mitzy, il se serait enfui, lui aussi... Il en était persuadé, c'était à cause de gens comme elle que les Californiens avaient mauvaise réputation dans le reste du pays.

Todd fronça les sourcils pour se concentrer sur sa conduite mais ne put s'empêcher de jeter un coup d'œil à son reflet dans le rétroviseur. D'un geste habile et automatique, il passa les doigts écartés dans ses cheveux blonds pour les recoiffer. Il n'était allé que deux fois rendre visite à la famille de Lily, et chaque fois c'était elle qui avait conduit. Aussi guettait-il anxieusement l'arrivée du panneau qui lui indiquerait la bonne sortie.

Après sa seconde visite, il avait perdu toute envie de retourner à Laguna Beach et l'avait clairement fait comprendre à Lily. Ses frères ne l'aimaient pas beaucoup et ne s'étaient pas privés de le lui faire sentir. En leur compagnie, il avait passé son temps à se demander si Cole allait lui passer les menottes pour aller le jeter dans l'océan, ou si Buddy allait faire en sorte de l'électrocuter en lui faisant visiter son antre ampli d'ordinateurs aux tripes mises à nu.

Et lorsque les jumeaux étaient arrivés, Todd avait cru sa fin prochaine. Avoir en permanence sur le dos deux des frères Brownfield, absolument identiques, unis comme les doigts de la main dans leur façon de penser, de s'exprimer, de faire des blagues stupides à ses dépens, avait épuisé le peu de patience qui lui restait.

Le plus discrètement possible, il avait insisté auprès de Lily pour précipiter leur départ. Elle avait fini par convenir de la sagesse de cette retraite anticipée, mais le fait qu'elle avait trouvé la conduite de ses frères amusante n'avait pas été de nature à améliorer son humeur…

Abîmé dans ses pensées, Todd faillit rater le panneau indiquant la sortie de Laguna Beach. La gorge serrée, il se hâta de tourner tant qu'il en était encore temps. Il ne pouvait savoir qui serait là pour l'accueillir à son arrivée, mais il espérait que ce serait Lily et elle seule. Il n'avait pas envie d'avoir à faire face à l'un de ses frères — pas tant qu'il ne s'était pas réconcilié avec leur sœur. Ce qui ne pourrait que se produire. Cela ne faisait pour lui pas l'ombre d'un doute.

Todd Collins, l'ex-fiancé de Lily, était bien la dernière personne que Cole se serait attendu à trouver sur le seuil de la maison familiale des Brownfield. Il hésitait encore à lui envoyer tout de suite son poing dans la figure. Peut-être valait-il mieux attendre qu'il ouvre la bouche, afin d'abîmer au passage quelques-unes des dents si parfaites dont ce triste sire était tellement fier.

Todd vit passer une lueur meurtrière dans le regard du frère de Lily et fit mine de lever les mains haut devant lui pour se rendre.

— Du calme, Cole…, lança-t-il en le gratifiant du sourire qui faisait des ravages dans les prétoires. Je suis ici pour arranger les choses avec Lily. Tu ne voudrais pas la priver de cette chance d'éclaircir les malentendus qui ont pu nous séparer, n'est-ce pas ?

Cole, qui n'en croyait pas ses oreilles, dut le faire répéter.

— Tu es là pour quoi, m'as-tu dit ?

— Pour m'expliquer avec Lily, répéta patiemment Todd. Elle me manque terriblement. J'ai hâte de savoir comment elle va, ce qu'elle devient. Elle ne t'aurait pas parlé de moi, par hasard ? Je dois lui manquer aussi.

— Je n'ai pas cette impression…, répondit son vis-à-vis avec un sourire à glacer un esquimau.

Todd réprima un grognement de déception et reprit :

— Alors ? Pourrais-tu annoncer à Lily que je suis là ?

— Non, cela m'est impossible.

Cette fois, Todd ne put masquer son agacement. Des quatre frères de Lily, il avait fallu qu'il tombe sur le pire ! Cole était l'aîné, le plus mal embouché, le plus arrogant… et le plus déterminé à en découdre. Il ne lui fallait pas non plus perdre de vue qu'il était officier de police et qu'avoir des problèmes avec lui pourrait lui coûter cher.

Déterminé à faire preuve de patience, Todd risqua un autre sourire charmeur et insista :

— Pourquoi cela t'est-il impossible, Cole ? Serait-elle… en train de dormir ? Ou partie faire du shopping ?

— Pas du tout. Lily est partie tout court. Elle a quitté la Californie.

Todd en resta bouche bée durant un moment. Il lui aurait annoncé qu'elle était partie pour la Lune qu'il n'aurait pas été moins surpris.

— Partie ? répéta-t-il enfin.

Satisfait de voir M. Parfait perdre ses moyens, Cole hocha la tête. Soudain, en une brusque inspiration, il sut ce qu'il allait faire. Après tout, il ne servait à rien de se faire plaisir en frappant Todd Collins. Puisque c'était ce qu'il était venu chercher, il pouvait s'avérer plus efficace de lui dire avec la plus grande précision où il pourrait trouver Lily.

Le regard de prédateur qu'avait eu Case Longren à leur arrivée au ranch, quand il avait cru que l'ex-fiancé de Lily se trouvait parmi eux, lui revint à la mémoire. Le tranchant de sa voix quand il avait menacé de les mettre à la porte de sa propriété en disait tout aussi long quant à ses intentions vis-à-vis de ce joli cœur d'avocat…

— En fait, expliqua-t-il d'une voix radoucie, elle se trouve depuis plusieurs semaines à Clinton, dans l'Oklahoma.

Décidé à ne pas lui faciliter les choses outre mesure, Cole se tut, croisa les bras, et prit négligemment appui de l'épaule contre le jambage de la porte. Le regard méfiant et un peu craintif que lui lançait Todd Collins, ses précautions pour maintenir entre eux une distance de sécurité, étaient à mourir de rire…

— Et peux-tu me dire où elle se trouve *exactement* ? finit-il par demander quand il eut compris qu'il n'en dirait pas plus. C'est de la plus haute importance. Je dois absolument lui parler au plus vite.

— De la plus haute importance ? dit Cole en simulant la plus vive inquiétude. Voilà qui ne me laisse pas le choix…

Todd soupira de soulagement. Enfin, ils allaient peut-être finir par s'entendre…

De la poche intérieure de son élégant costume qui devait coûter l'équivalent d'un mois de salaire de flic, Cole le vit tirer un calepin doré sur tranche et un stylo plaqué or.

— Quelle est son adresse ?

— Eh bien… Ce n'est pas vraiment une adresse, vois-tu. Elle travaille dans un ranch, à l'extérieur de la ville… en tant que cuisinière… pour les cow-boys qui regroupent le bétail.

Le stylo de Todd fit un bruit réjouissant en transperçant le papier. Ses yeux s'écarquillèrent. Sa bouche s'arrondit. S'il ne l'avait pas mieux connu, Cole aurait juré que Todd « le Fourbe » Collins venait d'avoir une attaque.

— Cuisinière ? murmura-t-il, le souffle court. Dans un ranch ? Pour des cow-boys ? Oh, mon Dieu ! Qu'ai-je fait ? Dis-moi vite comment la joindre… Je ne pouvais pas savoir que… Je n'aurais jamais pensé qu'elle…

Cole pouvait à peine contenir sa joie. Décidément, ce type était impayable, quand il le voulait. Et il aurait donné tout ce qu'il possédait pour pouvoir être une mouche collée sur un mur afin d'assister à la première rencontre entre Todd Collins et Case Longren.

— Allez…, fit-il, bon prince, en tendant la main vers lui. Donne-moi ce calepin. Je vais te donner les indications nécessaires pour arriver là-bas. Nous y sommes allés, mes frères, mon père et moi, pas plus tard que le mois dernier. Un endroit impressionnant, si tu veux mon avis. Mais leurs coutumes alimentaires sont un peu… spéciales, dirons-nous. As-tu déjà entendu parler de la friture de veau ?

Cole prit tout son temps pour inscrire sur le calepin que Todd lui avait tendu les indications nécessaires… et tout son temps également pour lui expliquer par le menu les coutumes gastronomiques locales. Tant et si bien que quand il en eut terminé, l'avocat était passé par toutes les nuances du vert.

Finalement, Cole était assez content de lui. S'il n'avait pu envoyer son poing dans la figure de l'homme qui avait fait souffrir sa sœur, il s'était arrangé pour le frapper d'une tout autre manière.

Au bord de la nausée, Todd s'appliqua après avoir fait ses adieux au frère de Lily à respirer profondément. Tout ce qui comptait, songea-t-il en s'installant derrière son volant, c'était qu'il avait obtenu gain de cause et qu'il allait arriver à ses fins.

Pour devenir cantinière dans un ranch perdu au fin fond de l'Oklahoma pour une bande de cow-boys, Lily devait être au désespoir. Sans doute n'aurait-il rien d'autre à faire pour la récupérer que de se montrer. C'était elle qui allait le supplier de la reprendre… Et quand ce serait fait, devenir le prochain associé de Prentiss & Sons ne serait plus qu'une formalité.

Finalement, songea-t-il en mettant le contact, malgré un sérieux contretemps ses plans allaient pouvoir se réaliser.

*
* *

— Vous allez vous marier ?

Debbie Randall poussa un cri de joie et actionna le tapis roulant qui amenait jusqu'à sa caisse enregistreuse le plus petit chargement de nourriture que Lily eût jamais acheté au supermarché.

La plupart des saisonniers étaient déjà repartis. Il ne restait au ranch Longren qu'un ou deux hommes chargés avec Duff de l'achèvement du dernier chantier en cours. La transhumance du printemps était terminée, et la vie de Lily allait commencer.

— Nous avons déjà prévenu ma famille, expliqua-t-elle en rangeant dans des sacs les articles enregistrés par Debbie. Mais aucune date n'a encore été fixée. Quoi qu'il en soit, je doute que nous attendions très longtemps. Case n'est pas du genre patient… enfin je veux dire pour ce qui est de…

Lily se sentit rougir. Debbie lui adressa un clin d'œil et répondit d'un air complice :

— Je vois ce que tu veux dire. Je suppose que tous tes frères assisteront à la noce ?

La question avait été posée d'un air innocent, mais Lily fut certaine que son amie brûlait d'entendre sa réponse. Elle aurait pourtant dû être habituée à l'intérêt que suscitaient les frères Brownfield dans la gent féminine, même si elle ne voyait pas pour sa part ce qui pouvait le justifier. Cole n'était qu'une tête de mule, Buddy vivait dans une bulle où nul autre que lui n'avait accès, quant aux jumeaux, il était rare de les voir s'intéresser à autre chose qu'à eux-mêmes.

— Rassure-toi, répondit-elle en riant, les jumeaux seront bien là…

Debbie arqua un sourcil étonné, frappa une touche pour afficher le total, et annonça :

— Ça fera 82 dollars et 53 cents. Mais qu'est-ce qui te fait croire que c'est la présence des jumeaux qui m'importe ?

— Je... il me semblait que..., balbutia Lily. C'est à cause de cette lettre qu'ils m'ont laissée à ton intention. J'imaginais que...

Avec un sourire mystérieux, Debbie secoua négativement la tête et lui tendit le ticket de caisse et un stylo.

— Aucune importance, conclut-elle d'un ton conciliant. Il est vrai que je serai heureuse de revoir J.D. et Dusty *aussi*.

Troublée par cette étonnante réponse, Lily rendit son sourire à la jeune caissière et lui fit ses adieux.

Elle était encore occupée à tenter d'interpréter cette curieuse conversation lorsqu'elle rejoignit Case qui venait de déboucher sur le parking.

Après avoir joyeusement klaxonné et s'être garé sur l'aire de chargement, il sauta d'un bond du véhicule et s'empressa de la prendre dans ses bras. Sous l'œil intéressé autant qu'un peu gêné du jeune commis occupé à transférer les provisions à l'arrière, il lui donna sans lui laisser le temps de protester un baiser à couper le souffle.

Aussitôt qu'il lui en laissa le loisir, Lily se libéra de ses bras et se hâta vers la portière passager en rajustant ses vêtements.

— Case..., protesta-t-elle, les joues rouges. On pourrait nous voir.

— Trop tard ! répondit-il avec fatalisme. On nous a vus.

D'un grand geste du bras assorti d'un sourire, il salua Debbie qui les pointait du doigt en riant derrière les vitrines du magasin.

Avec un sourire crispé, Lily lui rendit son salut et se hâta de grimper dans la voiture, songeant que plus vite ils seraient rentrés, mieux ce serait.

— Je crois que Debbie en pince pour un de mes frères…, dit Lily d'un air songeur, tandis que Case faisait de son mieux pour se dégager d'un trafic assez chargé et emprunter la route d'accès au ranch.

Case marqua sa surprise en fronçant les sourcils, reposa la nuque contre l'appuie-tête et resta un moment pensif. La grande maison blanche était en vue quand il se tourna enfin vers elle.

— C'est Cole ! assura-t-il avec un sourire éclatant.

— Cole ? répéta Lily, dubitative. Non ! Aucune chance…

— Et pourtant, c'est pour Cole qu'elle en pince.

Lily commençait à bien le connaître à présent… Lorsque Case affirmait quelque chose avec cette tranquille assurance, il était vain d'espérer le faire changer d'avis. Il valait mieux prendre le parti d'en rire.

— Dans ce cas, pourriez-vous me dire, ô grand sage, ce qui vous amène à cette brillante conclusion ?

— Facile ! Il a passé son temps lorsqu'il était ici à tenter de l'ignorer. Quand un homme s'efforce à ce point de faire croire qu'une femme l'indiffère, c'est qu'il se passe quelque chose entre eux…

— Faux ! s'insurgea Lily. Toi, tu n'as pas fait le moindre effort pour m'ignorer.

En manœuvrant pour venir se garer devant la maison, Case poussa un gros soupir et répondit :

— Uniquement parce que tu ne m'as pas laissé le choix.

Lily en resta pantoise. Il lui fallut reprendre sa respiration et secouer la tête à plusieurs reprises avant de pouvoir s'indigner :

— Tu veux dire que c'est ma faute ! Que je ne t'ai pas laissé m'ignorer ? Que je t'ai poursuivi de mes assiduités ?

Le visage empourpré sous l'effet de la colère, Lily croisa les bras et le fusilla du regard en attendant qu'il lui réponde. Sans se laisser impressionner, Case se pencha vers elle, tendit le bras pour ouvrir la boîte à gants, dans laquelle il actionna un levier qui ouvrit la porte du coffre à distance.

Ensuite seulement, il la considéra quelques instants d'un air malicieux et se justifia avec la plus parfaite mauvaise foi.

— Bon sang, Lily chérie ! Que devais-je faire, selon toi ? Tu as attendu qu'une tornade nous passe au-dessus de la tête, que des grêlons gros comme des œufs de poule nous coincent dans cet abri, que je me retrouve trempé et désemparé pour… Sans compter qu'il y avait ce lit. En fait, ce n'était pas ma faute. Je n'avais aucune position de repli, aucune chance de m'enfuir…

Case savoura à sa juste valeur l'expression de profonde indignation qui se peignit à cet instant sur le visage de Lily. Sans un mot de plus, elle descendit du véhicule et claqua la portière derrière elle. En portant seul les sacs du supermarché dans la cuisine, il en riait encore.

Le fait que Lily s'était enfermée dans sa chambre, le laissant ranger les provisions comme il le voulait dans les placards qu'elle considérait comme son domaine réservé, ne l'inquiétait pas outre mesure. Il la connaissait trop pour s'en faire. Elle n'était pas réellement en colère, seulement vexée d'avoir manqué de repartie pour répondre à sa plaisanterie.

Du bout du pied, Case referma la porte du réfrigérateur, tendit le bras pour ranger sur une étagère en hauteur une dernière boîte de pêches au sirop, et entreprit de replier soigneusement les sacs de papier kraft vides. Il achevait cette tâche lorsqu'un petit bruit derrière lui le fit se retourner.

Le souffle coupé, il se figea sur place. Le dernier sac glissa de ses doigts et tomba en virevoltant vers le sol. A deux pas de lui, belle à faire se damner un saint, radieuse comme un jour d'été, Lily se dressait, vêtue de la chemise de nuit de soie rose qu'il lui avait offerte.

Ses cheveux semblables à des coulées de lumière dorée cascadaient librement sur ses épaules. Elle était pieds nus sur le carrelage, et si sa vue ne le trompait pas, s'il n'était pas en train de rêver tout ceci, il ne devait rien y avoir non plus entre sa peau et cette petite folie qui l'avait émoustillé dès qu'il l'avait découverte dans la vitrine du magasin de lingerie à Clinton.

Le menton pointé vers lui, les mains posées sur les hanches en une attitude provocatrice, elle lança fièrement :

— Me voici, cow-boy ! Il n'y a pas de tornade au-dessus de nos têtes, et tu as autour de toi au moins trois portes par lesquelles te sauver... Alors choisis ton camp : soit tu fais ton devoir, soit tu te sauves !

— Oh, mon Dieu ! gémit Case.

En découvrant tout ce rose, cette chair tentatrice dont il ne parvenait pas à détourner les yeux, son corps avait réagi instantanément et se trouvait en alerte rouge.

— Alors ? s'impatienta-t-elle. J'attends...

— Pas pour longtemps !

Après l'avoir soulevée dans ses bras, Case se précipita vers l'escalier dans l'idée de gagner sa chambre au plus vite. Mais au pied des marches, il changea d'avis et la conduisit dans son bureau, où il l'allongea sur le sofa.

— Pas le temps d'arriver là-haut ! grogna-t-il en ôtant ses vêtements en un tournemain. Je vais devenir fou si j'attends une minute de plus...

En le regardant faire, sereine et triomphante, Lily sentit son désir impérieux la gagner comme un feu de forêt qui se propage dans des broussailles. Et lorsqu'il la rejoignit sur le sofa, nu et plus excité qu'il ne l'avait jamais été, elle sut qu'elle allait devenir folle elle aussi s'il attendait une minute de plus.

Fort heureusement, il n'y eut ni préliminaires ni serments d'amour enflammés. Juste les mains avides de Case, qui remontèrent avec impatience la soie rose jusqu'à son ventre, et qui se refermèrent de manière possessive sur ses hanches. L'instant d'après, elle avait bouclé l'étau de ses jambes dans son dos. D'un coup de rein, il fut en elle et leurs soupirs d'extase se mêlèrent.

Dans les minutes qui suivirent, plus rien n'exista pour eux que la fureur et la passion qui les consumaient. Et lorsque enfin le silence revint dans la pièce, que Case put émerger de la transe qui s'était emparée de lui, que son souffle commença à s'apaiser et les battements de son cœur à se calmer, il nicha amoureusement sa joue entre les seins soyeux de Lily et demanda :

— Qu'est-ce qui s'est passé ? Tu peux me le dire ?

— Case, mon amour..., murmura-t-elle tout contre son oreille.

Ils ne s'étaient pas séparés et Case, au son de sa voix, se sentit de nouveau la désirer très fort.

— Oui ? répondit-il, incapable de résister à la tentation de lécher la pointe d'un de ses seins.

Lily poussa un gémissement de plaisir et arqua le dos avant de répondre :

— J'aime quand tu remplis ton devoir... Tu es très doué pour ça.

Avec un sourire conquérant, Case se redressa et s'empara brièvement de ses lèvres.

— Merci, Lily Catherine.

Pendant qu'il retournait enfouir son visage entre ses seins, Lily mêla ses doigts à ses cheveux. « Non, Case... conclut-ele pour elle-même. C'est moi qui te remercie. »

Par la fenêtre du bureau, Lily adressa à Case un dernier signe de la main, auquel il répondit par un baiser lancé du bout des doigts. Patiemment, elle le regarda monter dans son pick-up et quitter la cour avant de se détourner de la fenêtre.

Elle savait qu'il devait s'absenter pour quelques heures et comptait en profiter pour mettre à exécution un plan qui lui aurait déplu. Après lui avoir répété sur tous les tons qu'il l'aimait telle qu'elle était, il se serait imaginé qu'elle n'en croyait pas un mot s'il avait su ce qu'elle s'apprêtait à faire.

Mais là n'était pas la question. Si Lily était sûre d'une chose dorénavant, c'était bien de l'amour que lui portait son futur mari. Ce qui la motivait, c'était l'envie — ou plutôt le besoin — de savoir.

Il y avait quelque temps déjà, elle avait profité de courses à faire à Clinton pour rendre sa première visite au cabinet d'un chirurgien esthétique de la ville. Un rendez-vous à l'institut de beauté lui avait fourni le prétexte de la deuxième. A présent, il ne lui restait qu'un coup de fil à passer pour savoir s'il pourrait y en avoir une troisième.

Le cœur battant, elle rejoignit le bureau de Case et saisit le téléphone pour composer d'un doigt tremblant le numéro du praticien. Auprès de la secrétaire qui prit son appel, elle s'identifia et demanda à parler au Dr Calloway. Une minute plus tard, elle l'avait en ligne.

En l'entendant lui faire part de son diagnostic, Lily retint son souffle puis commença à sourire, d'un sourire qui prit naissance sur ses lèvres avant de se communiquer à tout son visage et à ses yeux. Avant même d'avoir terminé d'entendre ce qu'il avait à lui dire, elle eut l'impression qu'elle allait exploser de joie.

Enfin, elle était prête ! Sa cicatrice était suffisamment stabilisée pour qu'une opération de chirurgie réparatrice puisse être tentée. Le médecin la recommandait même expressément, et quoique sa prudence de professionnel lui commandât de ne pas lui donner trop d'espoirs, elle sentit au ton de sa voix qu'il était certain de sa réussite.

Après l'avoir chaleureusement remercié, Lily raccrocha en promettant de le rappeler aussi vite que possible. Chaque chose en son temps, songea-t-elle. Maintenant qu'elle savait une intervention possible et même souhaitable, il lui restait à convaincre Case de l'importance pour elle de retrouver le visage que la nature lui avait donné.

Non pas par crainte qu'il finisse par ne plus l'aimer à cause de sa balafre, mais précisément parce qu'il l'aimait en dépit d'elle…

Todd Collins manœuvra pour s'engager de nouveau sur la route principale et soupira bruyamment. C'était la quatrième fois qu'il se trompait de sortie pour rejoindre ce fameux ranch où Lily était censée se trouver.

Si l'endroit où elle vivait à présent était aussi misérable que les deux derniers dans lesquels il s'était arrêté, songea-t-il avec un sourire méprisant, alors il pouvait être certain de la voir accourir vers lui aussitôt qu'elle l'aurait reconnu.

Jamais il n'avait vu autant de poussière ni autant de bêtes, dangereuses ou non. A son dernier arrêt, le chien qui s'était précipité sur lui avait failli lui arracher le bras ! Il lui avait même semblé entendre un bruit de verre brisé quand l'animal s'était rabattu sur son phare après que Todd eut regagné l'abri de sa voiture.

Prudemment, il s'était contenté d'attirer l'attention du propriétaire en donnant de petits coups d'avertisseur et en agitant la main par la vitre entrouverte de sa portière. Encore lui avait-il fallu attendre une éternité avant que celui-ci daigne enfin le remarquer et fasse taire son chien.

S'il n'en avait tenu qu'à lui, la possession d'animaux aussi dangereux aurait été interdite par la loi. Todd était convaincu que seuls les chiens de compagnie, assez petits pour se nicher dans les bras des élégantes de L.A., auraient dû exister.

Au moins était-il parvenu à se faire indiquer par l'homme qui avait répondu à ses questions, avec un accent quasiment incompréhensible, la route du ranch Longren.

Todd en était là de ses cogitations moroses quand il vit se profiler à l'horizon le panneau de bois que le rancher lui avait décrit. Avec un grognement de soulagement, il accéléra pour parvenir à son niveau et tourna dans un étroit chemin d'accès gravillonné.

Et en découvrant, au bout de quelques centaines de mètres, la grande maison blanche qui constituait le but de son voyage, il sentit son moral grimper en flèche. Il y était presque... Il ne tarderait plus, à présent, à ramener Lily avec lui à L.A.

Il était plus que temps, selon lui, que son existence retrouve cette tranquillité et cette normalité qu'il aimait plus que tout.

Lily entendit tout de suite la voiture descendre l'allée mais ne reconnut pas le Ford de Case. En gagnant la fenêtre pour voir qui venait, elle sourit pour elle-même et songea que si elle se mettait à reconnaître les voitures au bruit de leur moteur, elle était en train de se transformer en véritable fille de la campagne...

La voiture de location était couverte de poussière, un de ses phares était brisé, mais le soleil qui faisait étinceler son pare-brise l'empêcha de voir qui conduisait et même s'il s'agissait d'un homme ou d'une femme.

Décidée à se porter à la rencontre de ce visiteur inattendu, elle sortit sur le porche, s'arrêta au bas de la dernière marche et mit sa main en visière pour se protéger les yeux du soleil, posant l'autre négligemment sur sa hanche.

Alors seulement, elle reconnut l'homme qui descendait au même instant du véhicule et son sourire de bienvenue se figea sur ses lèvres.

En la découvrant dressée devant lui au bas des marches du porche, Todd fut surpris par le désir immédiat qui s'empara de lui. Grande, pulpeuse, blonde comme les blés et plus bronzée que jamais, Lily l'attendait, vision de rêve en rose et blanc. Elle semblait si... belle qu'il eut du mal à y croire, si... peu marquée par son accident que... c'en était presque comme s'il ne s'était jamais produit.

Lily, pour sa part, était bien plus furieuse que stupéfaite de cette visite inopinée. Comment l'homme qui l'avait quittée si lâchement trois mois plus tôt osait-il reparaître comme si de rien n'était devant elle ? Mais ce qui l'intriguait plus encore, c'était de savoir *pourquoi* il prenait un tel risque. Quelles que pussent être ses motivations, cependant, elle était fermement décidée à lui faire payer son imprudence.

— Lily ! Ma chérie !

Puisqu'elle ne semblait pas décidée à se jeter dans ses bras, Todd se résolut à courir vers elle, la main tendue de manière romantique devant lui. Une question lâchée d'une voix dure et méprisante l'arrêta en plein élan.

— Bon sang, qu'est-ce que tu fous là ?

Todd eut l'impression d'avoir mal entendu. Lily ne parlait pas ainsi... La jeune femme digne et bien élevée qu'il connaissait, qu'il avait choisi d'épouser, ne jurait pas… ne fixait pas les gens d'un air méchant… et ne les accueillait pas — Dieu lui vienne en aide ! — avec les poings serrés ! Qu'était-il donc arrivé à la parfaite, douce et arrangeante petite Californienne qu'il avait connue ?

— Ecoute, Lily…, commença-t-il en baissant les yeux avec humilité. Je sais que tu as des raisons d'être fâchée contre moi. Mais j'ai reconsidéré la situation et tout bien réfléchi, notre relation…

— Nous n'avons plus de relation, l'interrompit-elle sans hausser le ton. C'est toi qui par ta conduite en as décidé ainsi. Tu te rappelles ?

Todd déglutit péniblement et sentit la sueur couler sur son front. Il faisait dans ce pays encore plus chaud que chez lui, et les choses ne se présentaient pas exactement comme il l'avait imaginé. Néanmoins, jouer profil bas était encore la seule option qui s'offrait à lui.

— Je sais que je t'ai causé du tort…, reconnut-il avec ce qu'il espérait être un repentir sincère. Tout ce que je peux dire pour ma défense, c'est que… j'étais sous le choc. Je ne sais pas ce qui m'est passé par la tête. Mais je sais où j'en suis, à présent. Et je sais ce que je veux. Je veux t'emmener avec moi et te tirer de ce… de ce… de tout ça !

En débouchant dans son pick-up au sommet de la colline, Case remarqua immédiatement la voiture étrangère garée dans la cour du ranch et fronça les sourcils.

Enfonçant résolument la pédale d'accélérateur, il sentit son inquiétude grandir au fur et à mesure qu'il se rapprochait. De toute évidence, Lily était engagée dans une confrontation avec un homme qu'il ne parvenait pas à cette distance à reconnaître. Il savait pour s'en être assuré que Lane Turney avait quitté le pays définitivement, aussi ne pouvait-il pas imaginer qui…

Cette fois, il était arrivé suffisamment près pour distinguer les cheveux blonds coiffés à la dernière mode, le bronzage parfait et les dents impeccablement blanches de celui qui se tenait à deux pas de la femme qu'il aimait. De là où il était, il pouvait même les voir briller au soleil, ne demandant qu'à être écrasées sous un poing vengeur…

Non, décidément, Case n'avait plus besoin d'être présenté pour savoir à qui il avait affaire… Une sombre jubilation fulgura en lui à l'idée que Todd Collins n'allait pas tarder à regretter d'être né.

Lily ne put s'empêcher de sourire en laissant son regard s'envoler, par-dessus l'épaule de Todd, en direction de Case. D'un geste sec qui en disait long sur son état d'esprit, il avait repoussé son Stetson sur son crâne et venait vers eux à grands pas. Il suffisait de voir se crisper les muscles de sa mâchoire et ses yeux bleus briller de fureur contenue pour comprendre qu'il avait deviné l'identité du nouveau venu.

Intrigué, Todd se retourna et suivit la direction empruntée par son regard. Soudain, il oublia de respirer, et lorsqu'il le fit, il faillit s'étrangler en demandant, d'une voix qui avait brusquement grimpé de trois octaves :

— Qui c'est, lui ?

Lily croisa les bras et répondit, le plus tranquillement du monde mais assez fort pour que Case puisse l'entendre :

— Lui, c'est l'homme loin de qui tu voulais m'emmener.

Finalement, songea-t-elle avec satisfaction en regardant son futur mari empoigner celui qui l'avait trahie, la justice n'était pas un vain mot et finissait toujours par arriver pour qui savait attendre…

Tous les plans que Todd avait conçus, tous les espoirs qu'il avait nourris pour s'assurer un meilleur avenir vinrent s'écraser sur le sol poussiéreux en même temps que lui. Sonné et ébahi comme il l'était, il ne sut s'il devait se redresser pour se défendre ou pour s'enfuir. Un mètre quatre-vingt-dix de fureur et de pure malice — il la voyait flamber au fond de ces yeux bleus qui le transperçaient jusqu'à l'âme ! — fondaient de nouveau sur lui.

Finalement, il rampa sur le sol en essayant de mettre le maximum de distance possible entre lui et son assaillant. D'une voix hystérique, dont il ne put qu'avoir honte, il se mit à crier en agitant frénétiquement devant lui un doigt plus pathétique que menaçant :

— S'il me frappe, je l'attaque en justice !

Pour Lily, ce fut la goutte d'eau qui fit déborder le vase. Elle pouvait à la rigueur supporter d'être insultée, mais en aucun cas elle n'accepterait que Case puisse être menacé de quoi que ce soit par sa faute. Elle vit rouge et la passion l'emporta en elle sur la raison. Grondant comme une tigresse prête à l'attaque, elle se rua sur Todd tous poings devant et cria :

— Alors c'est moi que tu devras attaquer, salaud !

Todd ne vit rien venir, mais Case ne manqua pas une miette du réjouissant spectacle. Il sut en apercevant le visage tordu par la colère de Lily qu'elle allait lui faire mal, très mal… Il comprit également qu'il n'aurait pas le temps de s'interposer pour l'en empêcher — à supposer qu'il en ait eu l'envie.

Lily sentit le nez de Todd craquer sous ses phalanges et le vit partir à la renverse dans le buisson de chèvrefeuille. Le premier instant de surprise passé, il porta la main à ses narines tuméfiées. La voyant revenir rouge de sang, il se mit à glapir :

— Mais qu'est-ce qui te prend ? Tu m'as cassé le nez !

— Tant mieux ! se réjouit Lily, complètement déchaînée. Et encore, ce n'est que le début de ce qui t'attend…

Elle repartit à l'assaut, et cette fois ne s'estima pas vengée au premier sang. Les coups pleuvaient sur Todd, affalé dans le buisson, qui tentait de se protéger comme il le pouvait en tendant ses bras devant lui. Les feuilles et les fleurs volaient autour d'eux. Les cris de douleur se mêlaient aux cris de vengeance.

A deux pas, les bras croisés et le sourire aux lèvres, Case se garda bien d'intervenir. Cette séance de défoulement improvisé servirait d'exorcisme et constituerait la meilleure thérapie que Lily pourrait jamais recevoir. A coups de poing rageurs, elle refermait les dernières cicatrices dont son cœur était encore couturé. Il en avait la certitude, avec cette malheureuse visite de son ex-fiancé, une page se tournerait définitivement pour elle.

Finalement, quand il jugea le moment venu de sauver la peau de Todd Collins — ou plus exactement ce qu'il en restait —, il s'avança pour mettre fin au pugilat. Après tout, il fallait qu'il tienne suffisamment sur ses jambes pour qu'il puisse repartir par où il était venu. En lui rendant le service d'intervenir en sa faveur, c'était à eux qu'il rendait service aussi.

— Lily… chérie… ça suffit maintenant…, murmura-t-il en la prenant doucement par les épaules pour les séparer.

Mais si grande était sa fureur que Lily ne se le tint pas pour dit. Quand il lui fut impossible de frapper avec ses poings et avec ses pieds, maintenue fermement à distance qu'elle était par Case, elle décida de continuer le combat avec des mots.

Déjà sonné par les coups, Todd était abasourdi par la variété et la quantité de mots grossiers et de noms d'oiseaux que lui lançait celle qu'il avait failli épouser. Il aurait dû se sentir soulagé que l'homme qui les avait séparés ait enfin jugé bon d'intervenir, mais le regard implacable qu'il dardait dans sa direction ne lui disait rien qui vaille. Il n'aurait pas aimé le voir prendre le relais de la furie qui venait de l'agresser…

Tout en couvant d'un œil inquiet Lily qui peu à peu reprenait ses esprits entre ses bras, Case ne quittait pas de l'autre le piteux spécimen d'humanité qui tentait de s'extraire de son buisson de chèvrefeuille.

Ses cheveux blonds ébouriffés pendaient lamentablement dans ses yeux, et il ne restait plus grand-chose de sa coupe de styliste branché. Une grande quantité de feuilles et de fleurs déchiquetées constellaient son polo Lacoste bleu, et de larges traces vertes maculaient les genoux de son pantalon blanc Calvin Klein. Son visage et ses bras étaient recouverts de poussière, sur laquelle les traînées de sang écoulées de son nez et de sa bouche formaient un contraste saisissant.

— Est-ce que tu te sens mieux, Lily chérie ? s'inquiéta Case en la serrant un peu plus fort contre lui.

— Est-ce qu'*elle* se sent mieux ? s'indigna Todd. Avez-vous perdu l'esprit ? Regardez-moi ! Regardez dans quel état elle m'a mis ! C'est moi qui devrais bénéficier de votre attention…

Avec bien du mal, Todd acheva de se remettre sur pied. En avisant le regard noir que l'inconnu lui jetait, il sut qu'il venait de commettre une nouvelle erreur.

— Tu veux *vraiment* bénéficier de mon attention ? demanda-t-il d'une voix d'un calme inquiétant.

Pris de panique en le voyant marcher sur lui, Todd secoua négativement la tête mais il était trop tard. L'inconnu avait déjà tourné son attention vers lui…

De la même voix effrayante, il reprit :

— Tu penses *vraiment* être le seul ici à avoir souffert ?

Tétanisé par ce regard d'un bleu acier qui le transperçait, Todd secoua de nouveau la tête et commença à marcher à reculons vers sa voiture de location. Tout espoir de raisonner Lily pour la convaincre de rentrer avec lui à L.A. l'avait à présent déserté. Tout ce qu'il espérait, c'était échapper à ce piège et pouvoir quitter au plus vite ce pays de sauvages pour rentrer chez lui. Hélas, sa voiture semblait encore loin, et ce grand cow-boy qui fondait sur lui était bien trop proche à son goût…

— Je vais te montrer ce que c'est que de souffrir, espèce de rat malfaisant !

Lily vit Case agripper Todd par le col de son polo et le soulever de terre jusqu'à le plaquer fermement contre la portière de sa voiture. Il se pencha ensuite lentement pour lui murmurer quelque chose à l'oreille. Elle n'entendit rien de ce qu'il lui dit, mais à en juger par l'expression de terreur qui se peignit instantanément sur le visage de Todd, ses paroles firent leur petit effet.

Case le relâcha, et Todd ne prit pas la peine d'ouvrir la portière pour monter dans sa voiture. Par la vitre ouverte, il plongea littéralement à l'intérieur. Et quand il eut réussi tant bien que mal à s'installer derrière le volant, sans quitter des yeux son assaillant il s'empressa de remonter la vitre pour se mettre à l'abri.

Lily fut secouée par un rire si viscéral et si bienfaisant qu'il guérit instantanément toutes les souffrances qu'elle avait endurées depuis son accident. Elle se rappela ce que Case avait promis de faire à son ex-fiancé si jamais il lui tombait sous la main, et son rire redoubla d'intensité. Finalement, elle se demanda si la botte de Case s'ajusterait aussi intimement au derrière de Todd qu'il l'avait prédit, et il lui fut impossible d'échapper à un fou rire incoercible.

Quand l'avocat eut quitté la cour dans un nuage de poussière et un bruit de crissements de pneus, Case fit volte-face et eut du mal à en croire ses yeux et ses oreilles. Le bruit qu'il entendait ne ressemblait à rien de ce qu'il avait déjà entendu. Pliée en deux, Lily riait…

Cela n'avait rien à voir avec ces sourires ou avec ces petits rires qu'elle lâchait parfois avant de bien vite se reprendre. C'était un bon gros rire franc et massif, venu du ventre, qui se déversait autour d'elle avec l'impétuosité d'un torrent de printemps.

Les mains serrées convulsivement sur son ventre, les yeux fermés, la tête rejetée en arrière, Lily riait… Dans la couche de poussière qui lui maculait le visage, les larmes avaient tracé deux filets plus clairs.

A plusieurs reprises, elle tenta de se reprendre en pointant du doigt la voiture de Todd Collins, qui n'était déjà plus à l'horizon qu'une tache indistincte suivie d'un panache rouge. Mais chaque fois, le fou rire la reprenait et elle finit par s'accroupir sur le sol, la tête dans les genoux, pour attendre qu'il s'éteigne de lui-même.

— Oh, Seigneur ! gémit-elle finalement en effectuant une tentative pour se redresser. Aide-moi donc, au lieu de profiter du spectacle ! Je suis trop faible pour tenir sur mes jambes.

— Tu veux rire ? plaisanta Case en la hissant contre lui entre ses bras. Après ce que je viens de voir, il me semble que tu te débrouilles très bien toute seule et que tu n'as pas besoin d'aide, Lily Kate... Pas besoin d'aide du tout !

Lily se rengorgea, et dans ses yeux, Case vit briller une lueur de fierté qu'il ne lui connaissait pas.

— Je me suis bien débrouillée, pas vrai ? Ce n'était peut-être ni très digne ni très bien élevé, mais je lui ai bien rivé son clou !

Avec un sourire nostalgique, elle ajouta :

— Je crois que Cole serait fier de moi.

— Pas autant que moi, Lily..., protesta Case en posant un baiser sur ses lèvres. Sûrement pas autant ! Tu vois, parfois être une lady peut empêcher une femme... d'être une femme. Tu vois ce que je veux dire ?

Les yeux de Case brillaient malicieusement, mais il avait posé sa question le plus sérieusement du monde. Lily prit une profonde inspiration, entoura sa taille de ses bras, et relâcha son souffle dans un soupir.

— Je vois ce que tu veux dire, répondit-elle. Aujourd'hui, je crois avoir passé un cap. A présent, je suis une femme à part entière...

Case se mit à rire et la serra tendrement contre lui.

— N'exagérons rien..., protesta-t-il. A mes yeux, tu as toujours été on ne peut plus femme ! Et bientôt, tu seras *ma* femme. Viens... Tu dois faire un brin de toilette et te rendre présentable. Nous avons des courses à faire. Après cette petite démonstration, je crois que tu as bien mérité le plus gros diamant qu'il nous sera possible de trouver en ville...

11.

— Ça y est ? demanda Lily, la voix étouffée par le pull rose dont elle était en train de se défaire. Tu es arrivé à enlever toutes les feuilles de mes cheveux ?

— Oui, chérie ! répondit Case avec satisfaction en laissant tomber ses boots sur le sol.

— Y a-t-il des traces vertes sur mon derrière ? poursuivit-elle en tournant la tête pour le vérifier.

— Oui, chérie ! répéta Case tandis que sa chemise et son jean rejoignaient ses boots.

— J'espère qu'elles partiront au lavage ! murmura-t-elle avec inquiétude. J'adore ce pantalon, et je n'aimerais pas devoir y renoncer…

— Je l'aime aussi, chérie. Mais je le préfère quand il n'est pas sur toi !

Le désir sans fard que Lily vit passer dans ses yeux bleus la fit flageoler sur ses jambes.

— Tu peux m'aider à dégrafer mon soutien-gorge ? J'ai le bras gauche un peu raide…

— Bien sûr, acquiesça-t-il en venant se placer derrière elle. Si ton bras est raide, c'est parce qu'il a envoyé quelques directs bien placés à Todd Collins.

Lily rougit de plaisir et se baissa pour se débarrasser de sa culotte. Case, qui l'avait imitée dans son dos et avait fait atterrir son slip sur le tas bien net de ses vêtements, vint se plaquer contre elle lorsqu'elle se redressa.

— Et maintenant ? demanda-t-il en déposant un chapelet de baisers le long de son cou. Tu veux que je te frotte le dos ?

Un frisson de plaisir anticipé secoua Lily de la tête aux pieds. Elle n'eut pas besoin de lui fournir d'autre réponse avant d'entrer dans la cabine de douche et d'ouvrir les robinets.

Ils demeurèrent unis, les bras de Case serrés autour d'elle, son torse collé contre son dos, tandis que le pommeau de douche déversait sur eux son averse chaude et bienfaisante. Après s'être savonné les mains, il commença à lui masser les seins, si doucement, si tendrement que Lily arqua le dos en gémissant de plaisir.

— Quand bien même je vivrais cent ans, je ne t'aimerai jamais autant que je t'ai aimée aujourd'hui..., murmura-t-il contre son oreille. Tu t'es battue pour moi, Lily Catherine. Et pour toi aussi...

— C'est vrai ! reconnut-elle à mi-voix. Je l'ai fait, n'est-ce pas ?

— Tu l'as fait, Lily chérie. Cela fait du bien, non ?

— Pas autant que ce que tu es en train de me faire, Case.

Contre ses fesses, Lily sentit la preuve irréfutable qu'elle n'était pas la seule à apprécier les caresses que Case était en train de lui prodiguer. Le souffle court, elle le sentit onduler du bassin tout contre elle. Ses mains, délaissant sa poitrine, descendirent avec une savante lenteur le long de son ventre. Ses doigts tremblants, soudain plus pressés, plus inquisiteurs, convergèrent vers son...

— Oh, mon Dieu ! s'exclama-t-elle, frémissante et bouleversée de les sentir s'insinuer en elle.

Pour eux deux, ce fut le départ d'une course au plaisir effrénée. Case la fit pivoter entre ses bras. Lily se pendit à son cou. Comme d'elles-mêmes, ses jambes se refermèrent autour de ses hanches et elle ferma les yeux tandis qu'il la pénétrait.

L'eau cascadait sur le visage de Lily. Le carrelage froid dans son dos formait avec la brûlante morsure de la bouche de Case sur ses seins un contraste saisissant. Une fois encore, elle se donnait à lui. Une fois de plus, il était en elle.

Jamais autant qu'à cet instant Lily n'avait trouvé le monde plus beau, la vie plus riche, et l'avenir plus radieux.

Lily se décida à parler quand ils furent sortis de la douche et qu'ils eurent récupéré leurs esprits.

— Il y a quelque chose que je dois te dire..., commença-t-elle en saisissant la serviette que Case lui tendait.

La suite, à peine audible, fut étouffée par le tissu-éponge qu'elle pressa contre son visage pour l'essuyer.

— Qu'as-tu dit ?

Case récupéra sans ménagement la serviette en la lui ôtant des mains d'un geste brusque. Il avait peur d'avoir compris le peu qu'il avait entendu.

Lily s'efforça de soutenir sans ciller le regard inflexible qu'il dardait sur elle et poussa un soupir. Elle avait eu peur qu'il le prenne ainsi. C'était précisément la raison pour laquelle elle avait tant tardé à lui en parler.

— J'ai dit que j'ai pris contact avec un chirurgien, répéta-t-elle distinctement. Il pense que ma cicatrice est devenue suffisamment stable pour qu'une opération de chirurgie esthétique puisse être tentée.

Les larmes au bord des yeux, Case secoua un moment la tête d'un air affligé avant de murmurer, d'une voix dont la douceur lui fit mal :

— Je ne veux pas que tu souffres de nouveau, Lily Kate... Je n'ai pas envie que tu sois cruellement déçue si jamais cette opération venait à rater. A mes yeux, tu es belle telle que tu es. Tu l'as toujours été...

Lily s'approcha de lui et lui caressa tendrement la joue.

— Je sais que tu m'aimes telle que je suis, Case. C'est pour cela que je peux me résoudre à prendre cette décision.

— Je n'ai pas besoin que tu prennes ce risque.

— J'en suis parfaitement consciente. Mais c'est pour moi que je veux le prendre. Pas pour toi. C'est moi qui ai besoin de faire tout ce qui est possible pour retrouver mon visage d'autrefois.

Case ne savait que penser. Le contact de la main de Lily contre sa joue était aussi doux, aussi déstabilisant que la conviction dont elle avait su faire preuve pour lui annoncer la nouvelle. Un flot d'émotions contradictoires se bousculait en lui. Sa sincérité ne pouvait être mise en doute. Elle était manifeste dans son regard autant que dans les fortes paroles qu'elle venait de prononcer.

La dernière chose dont il avait envie, c'était de la voir souffrir et replonger dans les affres dont elle était sortie à grand-peine, en partie grâce à lui. Mais si son bonheur était à ce prix, pouvait-il lui refuser le droit de faire de son corps ce que bon lui semblait ? Et parce qu'il l'aimait plus que tout, son amour ne pouvait-il aller jusqu'à la laisser prendre une décision avec laquelle il ne pouvait être d'accord ?

Avec espoir mais sans impatience, Lily regarda l'homme qu'elle aimait plus que tout débattre en lui-même de l'effort qu'elle lui demandait. Elle sut qu'elle avait partie gagnée quand elle vit de nouveau briller au fond de ses yeux cette flamme qu'elle commençait à bien connaître, et dont elle ne pouvait plus se passer : la flamme de son amour pour elle.

Quand il se décida enfin à parler, la rudesse de ses propos ne lui causa pas la moindre inquiétude. Les hommes ! songea-t-elle. Pourquoi fallait-il qu'ils se croient toujours obligés de dissimuler sous des dehors bourrus leurs élans de tendresse ?

— Tu m'épouses d'abord ! C'est compris ? Il faudra que tu sois ma femme aux yeux de Dieu et des hommes telle que tu es avant de prétendre changer. Si tu dois vraiment prendre ce risque, qu'il soit clair que c'est pour toi, et non pour moi, que tu le fais. Promis ?

Un sourire radieux illumina le visage de Lily.

— Promis ! lança-t-elle joyeusement en posant un baiser sur ses lèvres.

C'était une promesse qu'elle serait heureuse de tenir.

— Vous avez l'anneau ? Qui a l'anneau ? Et les fleurs ? Que sont devenues les fleurs ? Ne sommes-nous pas supposés porter une fleur à la boutonnière ?

Occupé à nouer soigneusement sa cravate, Case faisait de son mieux pour ignorer le chaos savamment orchestré par les frères jumeaux de Lily dans la petite antichambre où ils se préparaient avant la cérémonie.

— Continuez comme ça, grogna Cole à côté de lui, et c'est ailleurs que je vais vous fourrer une fleur…

— Cole ! s'indigna Morgan Brownfield. Ce n'est ni le moment ni l'endroit pour menacer tes frères.

Mais en son for intérieur, le père de Lily ne pouvait que partager l'irritation de son aîné. J.D. et Dusty s'arrangeaient toujours pour taper sur les nerfs de leur entourage, mais en ce jour où leur sœur s'apprêtait à devenir Mme Longren, ils paraissaient décidés à se surpasser.

Dans l'excitation ambiante, Buddy, assis sur un banc, était le seul à garder son calme. Depuis leur arrivée dans la petite église de campagne, il n'arrêtait pas de pianoter sur la console de jeux miniature dont il avait pris soin de se munir. Son costume avait été enfilé à la va-vite, sa chemise était boutonnée à moitié, et sa cravate pendait autour de son cou comme une corde de pendu, dans l'attente de la main charitable qui viendrait y remédier.

La version assourdie de ce qui pouvait passer pour les acclamations d'une foule retentit soudain dans le silence de la pièce. Les bras levés, Buddy jaillit de son banc, les yeux brillants d'une joie sans mélange.

— J'y suis arrivé ! cria-t-il. Bon Dieu, je suis arrivé à tuer le dragon… La princesse est à moi…

Morgan leva les yeux au plafond pour prendre le ciel à témoin de son infortune et maugréa :

— Je t'ai déjà dit de ne pas *jurer* dans une église !

Comme s'il découvrait l'endroit où il se trouvait, Buddy regarda autour de lui avec des yeux ronds et marmonna :

— Désolé, p'pa…

Case, qui vérifiait une dernière fois son nœud de cravate dans le miroir, ne put retenir un sourire amusé en songeant que sa belle-famille tenait décidément toutes ses promesses.

— Vous êtes décents, là-dedans ? s'enquit la voix de Debbie Randall derrière la porte fermée. Trop tard, je rentre !

Le témoin de la mariée entra en trombe dans la pièce et se précipita sur Buddy, toujours pas remis de sa victoire sur les forces du mal.

— J'ai vaincu le dragon…, expliqua-t-il à Debbie sans s'étonner de sa présence. La princesse est à moi !

Tout en s'activant à boutonner sa chemise correctement, elle lui sourit et lança :

— Fantastique, champion ! Ça ne vous dérange pas de vous redresser un peu pour que je rajuste ce costume comme il faut ?

Docilement, il s'exécuta et Debbie expliqua par-dessus son épaule, à l'intention de Case :

— Lily m'avait prévenue de ce qui m'attendait. Elle m'a demandé de venir calmer les jumeaux, de rhabiller Buddy et d'embrasser son père.

Sans se faire prier, Morgan la rejoignit et se pencha vers elle, accueillant par un sourire ravi le baiser qu'elle déposa sur sa joue.

— Et voilà ! s'exclama-t-elle, satisfaite, prenant la console de jeux des doigts de Buddy pour la glisser dans son sac à main. A présent, au tour de la cravate.

Sans même songer à protester du fait qu'elle lui avait confisqué sa précieuse machine, Buddy leva le menton pour lui faciliter la tâche.

Les jumeaux, qui s'étaient avidement emparés d'une boîte qu'une fleuriste venait de livrer, captèrent son regard sévère et se figèrent sur place.

— Attendez une minute, vous deux. Je vais m'en occuper.

Sans rechigner, ils allèrent déposer la boîte sur une table et attendirent tranquillement leur tour en s'asseyant sur le banc.

Cole était médusé. Il n'avait jamais vu personne ramener aussi vite le calme au sein de la famille Brownfield en si peu de temps et en utilisant si peu de mots.

— Et à moi ? demanda-t-il avec un sourire caustique. Lily ne vous a rien dit de me faire ?

Satisfaite de son œuvre, Debbie tapota en souriant la joue de Buddy et se tourna vers son frère aîné. Avant de répondre, puisque ses mains ne pouvaient s'y risquer, elle autorisa ses yeux à le caresser de la tête aux pieds. Dans son smoking qui lui allait mieux qu'un uniforme, Cole Brownfield avait fière allure.

— Vous voulez vraiment que je vous le dise, mon chou ?

Cole faillit s'étrangler et son visage passa par toutes les nuances du rouge.

En observant leur petit manège, Case sourit de nouveau à l'idée qu'il avait vu juste. Cole était déjà pris dans les filets de celle qu'il faisait tout son possible pour ignorer. Il ne lui restait plus à présent qu'à le reconnaître.

Après avoir été ouvrir la boîte d'œillets, Debbie sauta habilement d'un homme à l'autre, passant une fleur à chaque revers, corrigeant un nœud de cravate, donnant un coup de peigne de dernière minute.

Finalement, elle estima avoir fait tout son possible pour rendre présentables les hommes de la famille Brownfield. Avant de sortir, elle leur fit ses dernières recommandations.

— Buddy ?

— Oui, m'dame ? fit-il d'une voix étranglée, soudain intimidé à l'idée qu'il allait assister au mariage de sa sœur.

— Pendant la cérémonie, vous restez tranquille et vous ne disparaissez pas sous le banc. D'accord ?

Buddy déglutit péniblement et hocha la tête.

— Les jumeaux ?

J.D. et Dusty se redressèrent de toute leur hauteur pour se prêter fièrement à la revue de détail qu'elle leur fit subir.

— Ne touchez à rien ! conclut-elle avec un clin d'œil malicieux. Vous êtes parfaits.

— Oui, chef ! Merci, chef ! s'exclamèrent-ils, comme de coutume à l'unisson.

En arrivant devant Morgan, le visage de Debbie se fit plus souriant et ce fut d'une voix attendrie qu'elle lui dit :

— M. Brownfield, vous allez accueillir aujourd'hui au sein de votre famille le meilleur beau-fils qu'un homme puisse avoir. Je vous parle en connaissance de cause, je l'ai connu toute ma vie…

Morgan hocha la tête avec reconnaissance et sourit en voyant Case serrer Debbie contre lui pour la remercier. Il ne put cependant manquer de noter que son fils aîné paraissait sur des charbons ardents et bien plus inquiet que le futur marié…

S'il avait pu se sauver sans se faire remarquer, Cole l'aurait sans doute fait. Il ne savait pas s'il devait se réjouir du fait que Debbie semblait décidée à l'ignorer ou être en colère d'avoir été le seul à être laissé de côté.

Il retint son souffle, puis le relâcha d'un coup en la voyant gagner la porte comme si elle s'apprêtait à sortir. Finalement, songea-t-il, il était soulagé de s'en tirer à si bon compte…

A peine s'était-il fait cette réflexion que Debbie se ravisa et marcha droit sur lui.

— Vous avez l'anneau ? demanda-t-elle en le fixant droit dans les yeux.

Pris de court, Cole sursauta, inquiet de ne pouvoir lui répondre par l'affirmative sans risquer de se tromper.

Le voyant farfouiller dans la poche de son pantalon avec application, Debbie arqua un sourcil et demanda en toute innocence :

— Vous ne le trouvez pas ?

Cole se sentit rougir de plus belle et s'en voulut. Elle ne parlait pas de l'alliance, et ils le savaient parfaitement tous les deux. Finalement — Dieu merci ! — ses doigts trouvèrent l'anneau de métal dans un recoin de sa poche.

— Le voici ! dit-il en le produisant d'un air triomphant devant les yeux de Debbie. Je ne perds jamais rien.

Une fois de plus, c'était la chose à ne pas dire, mais il ne s'en rendit compte qu'en l'entendant rétorquer :

— Tant mieux. Prenez en soin. On ne sait jamais quand on peut avoir besoin de ses petites affaires...

Il n'avait pas encore recouvré ses esprits que déjà la porte se refermait en claquant derrière le témoin de la mariée.

Lily était songeuse. Elle avait fini de s'habiller, mais en contemplant son reflet dans le grand miroir en pied, il lui parut soudain évident qu'il manquait une touche de bleu à sa tenue.

Quelques coups secs frappés contre sa porte la firent sursauter et elle chercha désespérément un abri où se cacher. Si elle connaissait son homme — et elle commençait à bien le connaître — il ne pourrait attendre pour la voir qu'elle remonte l'allée centrale de l'église au bras de son père.

— Qui est-ce ? demanda-t-elle, pour la forme.

— Lily ? C'est moi.

— Case ! protesta-t-elle en cherchant de plus belle un recoin où se réfugier. Va-t'en ! Le marié ne doit pas voir la mariée avant qu'elle le rejoigne devant l'autel. Ça porte malheur...

— Foutaises !

— Case Longren ! s'insurgea-t-elle. De mieux en mieux... Jurer le jour de notre mariage... et dans l'église, en plus !

— Tu es décente ? insista-t-il. Tant pis ! Décente ou pas, j'arrive...

— Case ! Non... attends... il ne faut...

Aucune de ses protestations n'aurait pu convaincre Case de ne pas entrer. Mais aussitôt qu'il se trouva sur le seuil de la pièce et qu'il découvrit celle qu'il lui tardait tant d'admirer, toute trace de mauvaise humeur s'évanouit en lui.

— Tu es tellement, tellement belle, Lily Catherine…

Lily s'avoua vaincue dans un soupir. En courant, elle alla se jeter dans ses bras et nicha sa tête sous son cou, soudain reconnaissante qu'il n'ait pas tenu compte de son avis. Elle se sentait trop bien, à cette minute, là où elle était, pour en éprouver du remords. Après tout, songea-t-elle, rien n'interdisait de mettre en place de nouvelles traditions… Celle-ci serait la leur — un ultime câlin entre époux avant de prononcer les vœux.

Case recula d'un pas, desserrant à regret son étreinte, et laissa courir rêveusement ses doigts sur la dentelle ivoire qui couvrait les bras de Lily.

— La robe de ma mère…, expliqua-t-elle, laconique.

Pour ne pas être en reste, Case lui tendit un petit volume à la couverture de cuir usée par les ans et renchérit :

— La bible de mon père.

Lily tendit la main pour saisir le Livre saint qu'il lui offrait et en examina avec fascination l'intérieur. Sur la page de garde, à l'encre violette, une main avait écrit d'une écriture élégante et vieillotte : *Chuck Longren.*

Quand elle releva les yeux vers lui, Case vit qu'ils étaient embués. Avec fascination, il remarqua comme il avait déjà eu l'occasion de le faire que, lorsqu'elle était émue, leur couleur verte prenait une nuance de forêt tropicale.

— Mon amour…, murmura-t-elle. Je ne sais pas quoi dire. Je suis honorée. Fière et honorée de pouvoir la porter en ce jour.

Case haussa les épaules d'un air gêné. Lui-même n'était pas loin de verser une ou deux larmes. Il savait qu'il ne servait à rien de chercher à cacher quoi que ce soit à Lily, qui lisait en lui comme à livre ouvert, mais il s'entendit pourtant prétexter :

— Je ferais mieux d'y aller avant que Debbie arrive et ne me fasse sortir à coups de pied dans les fesses.

Lily hocha la tête, sans chercher à le retenir. Il s'apprêtait à sortir quand il sembla se raviser et se retourna vers elle. Au terme d'une longue hésitation, elle l'entendit murmurer :

— Il y a une fleur séchée à l'intérieur. Elle a été placée là le jour de... le jour du mariage de mes parents.

Les lèvres de Lily se mirent à trembler. Sachant à quel point il lui avait été pénible de prononcer ces mots, elle serra la bible familiale sur son sein et promit :

— J'en prendrai le plus grand soin.

— C'est un lupin bleu, ajouta-t-il. Mon père est né au Texas. On en trouve partout dans les champs, là-bas...

Une touche de bleu !

La porte se referma derrière lui, et Lily se mit à feuilleter le vieux livre fébrilement, émerveillée par cette coïncidence, qui ressemblait bien plus à ses yeux à un signe du destin.

Au milieu de la Genèse, la fleur lui apparut enfin, serrée entre deux feuillets de papier de soie. Le passage des ans l'avait naturellement desséchée et quelque peu jaunie, mais elle était encore incontestablement bleue — de ce bleu si intense qu'elle découvrait chaque matin dans les yeux de Case, quand il ouvrait les paupières et lui souriait.

La fleur avait résisté à tout, même à la séparation de ceux dont elle commémorait l'union, même à la mort de celui qui l'avait si soigneusement placée entre ces pages des décennies plus tôt. Pour elle, elle représentait un symbole d'éternité à côté duquel elle ne voulait pas passer. Lily ferma les yeux et pria pour que leur mariage bénéficie de l'influence favorable du lupin bleu.

Morgan Brownfield déglutit péniblement et porta la main à son nœud de cravate pour le desserrer. Lily Kate, celle qui resterait pour toujours sa fille chérie, s'accrochait à son bras, radieuse de joie et de beauté. En cet instant, dans cette robe, elle ressemblait si fort à sa mère lorsque celle-ci l'avait épousé qu'il en eut les larmes aux yeux.

Lily comprit l'origine du trouble qui agitait son père et eut elle aussi une pensée pour celle dont la présence lui manquait plus encore que d'habitude en ce jour particulier. La main et le geste sûrs, elle resserra le nœud de cravate de son père et se haussa sur la pointe des pieds pour déposer un rapide baiser sur sa joue rasée de frais.

— Je t'aime, papa.

— Moi aussi je t'aime, ma Lily Kate…

Les accents de la musique d'orgue s'élevèrent dans la nef, solennels et majestueux, les faisant sursauter tous deux. A présent, il n'était plus temps de reculer. Comment Lily aurait-elle pu en avoir envie ? Jamais elle n'avait été aussi sûre de ne pas se tromper.

La petite assemblée réunie sur les bancs de bois de l'église se leva lorsque le père et la fille se présentèrent au bout de l'allée centrale. Un soupir de ravissement collectif s'éleva quand le visage de Lily Brownfield fut visible de tous.

Aucun des membres de l'assistance ne prêta attention à la cicatrice qui lui barrait la joue gauche. Les uns et les autres étaient trop occupés à admirer l'élégante jeune femme qu'un rayon de lumière tombé d'un vitrail derrière elle nimbait d'un halo doré.

Case retint son souffle en regardant la femme qu'il avait conquise marcher vers lui.

De toutes les pensées qui lui traversèrent l'esprit en cet instant solennel, une le frappa particulièrement. De par le monde, songea-t-il, il devait être le seul homme à avoir trouvé un ange en passant une annonce pour embaucher une cuisinière…

Puis Lily fut là, à côté de lui, et plus rien ne compta que sa main tendrement glissée dans la sienne, que la confiance qu'il lut au fond de ses yeux.

D'une voix forte, le pasteur commença à réciter les paroles consacrées. Case détourna le regard de celle qui le retenait captif et s'efforça de se concentrer sur les vœux qu'il s'apprêtait à prononcer.

Jamais un « oui » ne lui avait paru plus beau ni plus doux à dire et à entendre…

Épilogue

Lily n'en pouvait plus d'attendre.

Le fauteuil installé devant la fenêtre de sa chambre n'était certes pas très rembourré, mais le confort du siège n'avait rien à voir avec l'impatience qui la gagnait de minute en minute.

Aujourd'hui, les derniers bandages allaient être enlevés et elle allait découvrir enfin son nouveau visage… Ce matin, elle allait se retrouver elle-même, entière et débarrassée à tout jamais des dernières traces d'un pénible souvenir. De cela, elle était convaincue. Le doute n'avait aucune prise sur elle.

Adossé contre un mur, les bras croisés, Case observait sans rien dire sa femme se tortiller dans son fauteuil. Quant à lui, plus l'échéance approchait, plus il était effrayé à l'idée de ce qui pouvait se produire.

Il ne savait pas comment elle allait réagir si par malheur l'habileté du médecin qui l'avait opérée ne se révélait pas aussi miraculeuse qu'elle l'espérait. Il n'avait aucune idée de ce qu'il allait pouvoir lui dire, dans ce cas, pour la consoler. Une petite voix agaçante, au fond de son crâne, ne cessait de lui répéter qu'il n'aurait plus qu'à repartir de zéro avec elle.

Case luttait de son mieux pour ne pas se laisser influencer par ces mauvais pressentiments. Quoi qu'il pût arriver, tentait-il de se convaincre, Lily était sa femme, et ne cessait de lui prouver jour après jour à quel point cela était important pour elle. Quel que pût être le résultat de cette opération de la dernière chance, elle était sa vie et il ne permettrait pas qu'il en fût autrement.

— Lily Kate ?

Case vit sa femme sortir de ses pensées et tenter de lui sourire sous ses bandages qui ne laissaient apparents que sa bouche, son nez et ses yeux.

— Oui, Case ?

— Je crois qu'il serait temps de penser à avoir des enfants.

S'il lui avait annoncé qu'il commençait à lui pousser une queue et deux longues oreilles, Lily n'aurait pas été moins surprise. Ce n'était pas qu'elle était contre le fait d'évoquer ce sujet, mais il lui semblait tellement hors de propos qu'elle ne pouvait manquer d'imaginer qu'il devait y avoir plus pour tracasser son mari.

— D'y penser ? répondit-elle d'un air mutin. Ou de s'y mettre ?

Le visage de Case afficha une plus grande détermination encore.

— En ce qui me concerne, j'aimerais que nous en ayons trois. Et toi ?

Lily soupira.

— En ce qui me concerne, j'aimerais que l'on m'enlève enfin ces bandages avant d'en discuter.

— Peut-être l'année prochaine..., poursuivit-il sur sa lancée. Ou celle d'après, au plus tard. Qu'en penses-tu ?

— J'en pense que tu ne m'écoutes pas.

Lily eut l'impression d'avoir compris ce qui tourmentait son mari : il avait peur qu'elle s'en aille. Dans sa crainte que ne se répète l'histoire de ses parents, peut-être s'imaginait-il follement qu'elle s'enfuirait si l'opération était un échec. A moins qu'il n'en soit secrètement arrivé à redouter qu'elle n'ait plus besoin de lui en cas de succès…

Dans un cas comme dans l'autre, il lui fallait prendre sur elle, même si son esprit était ailleurs, pour le rassurer.

Lily se leva de son fauteuil et tendit les bras vers lui.

— Viens…, murmura-t-elle. Je sais ce que tu redoutes. Et je peux te jurer que jamais homme n'a été plus dans l'erreur que toi !

Case traversa la pièce et courut se réfugier dans ses bras. Comme il aimait à le faire, il enfouit son visage dans ses cheveux. Ses paroles l'avaient quelque peu réconforté, mais il le savait, il ne serait totalement rassuré que lorsque cette épreuve serait derrière eux.

— Alors ? fit une voix d'homme dans leur dos. Sommes-nous prêts pour le grand jour ?

La voix du Dr Calloway, qu'ils n'avaient pas entendu pénétrer dans la pièce, les fit sursauter.

En hâte, ils se séparèrent et lui répondirent chacun à sa façon.

— Oui ! fit Lily avec enthousiasme.

— Non…, grogna Case d'un air morose.

Le médecin ne fit pas de commentaire mais sourit en hochant la tête. Case haussa les épaules et alla se poster à la tête du lit, tandis que Lily allait s'y asseoir, impatiente de se faire enlever les bandages qui la démangeaient depuis des jours.

Case aurait voulu assister à toute la scène pour se tenir prêt à toute éventualité, mais il n'en eut pas le courage et ferma les paupières. Une peur panique lui rongeait le ventre et lui faisait trembler les jambes. Au bout de quelques minutes, même les exclamations enthousiastes du médecin ne parvinrent pas à le rassurer et à le convaincre de rouvrir les yeux.

D'une main tremblante, Lily prit le miroir que le médecin lui tendait et l'approcha de son visage.

— Oh, mon Dieu ! s'exclama-t-elle, le souffle coupé. docteur, comment avez-vous fait pour…

Du bout du doigt, elle effleura sa joue encore rose mais parfaitement lisse. De la cicatrice qui l'avait enlaidie durant des mois, il ne subsistait que la plus légère trace, dont elle savait d'après ce que lui en avait dit le Dr Calloway qu'elle disparaîtrait elle aussi au bout de quelques semaines.

— Case ! cria-t-elle, au comble de l'excitation, en se tournant vers lui. Regarde comme je suis belle…

Case, enfin, se résolut à ouvrir les yeux. Mais à travers le brouillard de larmes qui les voilait, il lui fut impossible de distinguer grand-chose.

— Tu l'as toujours été, Lily Catherine…, dit-il d'une voix tremblante d'émotion. Et tu le seras toujours pour moi.

LE FORUM DES LECTEURS ET LECTRICES

CHERS(ES) LECTEURS ET LECTRICES,

VOUS NOUS ETES FIDÈLES DEPUIS LONGTEMPS?

VOUS VENEZ DE FAIRE NOTRE CONNAISSANCE?

SI VOUS AVEZ DES COMMENTAIRES, DES CRITIQUES À FORMULER, DES SUGGESTIONS À OFFRIR, N'HÉSITEZ PAS... ÉCRIVEZ-NOUS À:

LES ENTERPRISES HARLEQUIN LTÉE.
498 RUE ODILE
FABREVILLE, LAVAL, QUÉBEC.
H7R 5X1

C'EST AVEC VOS PRÉCIEUX COMMENTAIRES QUE NOUS ALLONS POUVOIR MIEUX VOUS SERVIR.

DE PLUS, SI VOUS DÉSIREZ RECEVOIR UNE OU PLUSIEURS DE VOS SÉRIES HARLEQUIN PRÉFÉRÉE(S) À VOTRE DOMICILE, NE TARDEZ PAS À CONTACTER LE SERVICE D'ABONNEMENT; EN APPELANT AU (514) 875-4444 (RÉGION DE MONTRÉAL) OU 1-800-667-4444 (EXTÉRIEUR DE MONTRÉAL) OU TÉLÉCOPIEUR (514) 523-4444 OU COURRIER ELECTRONIQUE: AQCOURRIER@ABONNEMENT.QC.CA OU EN ÉCRIVANT À:

ABONNEMENT QUÉBEC
525 RUE LOUIS-PASTEUR
BOUCHERVILLE, QUÉBEC
J4B 8E7

MERCI, À L'AVANCE, DE VOTRE COOPÉRATION.

BONNE LECTURE.

HARLEQUIN.

VOTRE PASSEPORT POUR LE MONDE DE L'AMOUR.

COLLECTION HORIZON

Des histoires d'amour romantiques qui vous mènent au bout du monde!

Découvrez la passion et les vives émotions qu'apportent à la Collection Horizon des auteurs de renommée internationale!

Captivantes, voire irrésistibles, ces histoires d'amour vous iront assurément droit au coeur.

Surveillez nos trois nouveaux titres chaque mois!

Composé et édité par les
éditions Harlequin
Achevé d'imprimer en avril 2005

BUSSIÈRE
GROUPE CPI

à Saint-Amand-Montrond (Cher)
Dépôt légal : mai 2005
N° d'imprimeur : 50649 — N° d'éditeur : 11243

Imprimé en France